特殊儿童康复训练与保健系列丛书

自闭症儿童保健

基于生态系统理论

杨长江 著

上海教育出版社
SHANGHAI EDUCATIONAL
PUBLISHING HOUSE

图书在版编目（CIP）数据

自闭症儿童保健：基于生态系统理论 / 杨长江著.
上海：上海教育出版社，2025.9. -- （特殊儿童康复训练与保健系列丛书）. -- ISBN 978-7-5720-3450-3

Ⅰ. R749.940.9

中国国家版本馆CIP数据核字第2025VB1229号

丛书策划　李京哲
责任编辑　李京哲
封面设计　施雅文

特殊儿童康复训练与保健系列丛书
ZIBIZHENG ERTONG BAOJIAN: JIYU SHENGTAI XITONG LILUN
自闭症儿童保健：基于生态系统理论
杨长江　著

出版发行	上海教育出版社有限公司
官　　网	www.seph.com.cn
地　　址	上海市闵行区号景路159弄C座
邮　　编	201101
印　　刷	启东市人民印刷有限公司
开　　本	700×1000　1/16　印张 21.75　插页 1
字　　数	320 千字
版　　次	2025年9月第1版
印　　次	2025年9月第1次印刷
书　　号	ISBN 978-7-5720-3450-3/G·3083
定　　价	98.00 元

如发现质量问题，读者可向本社调换　电话：021-64373213

前言

自坎纳1943年首次提出"自闭症"这一概念以来,自闭症的发生率已经从最初的万分之一上升至最新的1/36,呈现明显的上升趋势。自闭症又称孤独症,是一种神经发育障碍,通常在儿童早期出现。它会影响一个人的社交互动、沟通能力和行为模式。自闭症人士可能会表现出重复性的行为、语言和兴趣,以及对变化和不确定性的敏感性。自闭症的症状和严重程度因人而异,智力不是其诊断标准之一。有些自闭症个体存在严重的智力障碍,而有些自闭症个体智商较高。我国对自闭症的诊断比较严格,对有些智商较高的高功能自闭症并没有作出明确的诊断,也就是不"戴帽"。这可能是我国的自闭症发生率低于某些西方国家的原因之一。目前估计,我国的这一比例大约为1/100。

自闭症儿童,特别是低功能自闭症儿童,给家庭和社会带来显著的挑战。在经济上,他们往往需要长期昂贵的医疗和教育支持。在时间和精力上,家长需要投入大量的时间和精力进行照护和日常支持。在社交方面,自闭症儿童可能面临外界的误解和排斥,这也给家庭带来额外的心理压力。在教育上,自闭症儿童通常需要特殊教育的支持才能满足他们的学习需求。此外,长期的压力和挑战可能会影响家庭内部的关系,增加家庭成员之间的紧张感。因此,自闭症儿童的养育问题成为全社会关注的焦点。从

2008年起，每年4月2日的"世界自闭症关注日"，很多国家的地标性建筑都会亮起蓝色灯光，以此唤起人们对自闭症和相关研究与诊断以及自闭症人士的关注。

自闭症儿童的早期是干预的黄金期。在儿童发展早期，大脑的可塑性极强，此时采取科学、有效的养育和干预方法，不仅可以减轻家庭和学校的负担，更能显著改善儿童的社交、沟通和行为问题，改善其未来的发展预后。因此，早期干预对于自闭症儿童至关重要。家长和教师由于缺少医学知识，对自闭症的认识不够全面，在自闭症儿童的日常养育、教学等方面往往力不从心，甚至不知所措。有些家长对孩子康复的期望过于迫切，甚至使用了错误的方法，对自闭症儿童造成了进一步的伤害。

科学养育自闭症儿童，必须对自闭症儿童有一个全面、科学和正确的认识。笔者毕业于复旦大学上海医学院，后进入华东师范大学工作，长期从事自闭症研究，研究领域涉及自闭症的发生机制、教育和干预方法，对自闭症有充分的认识。几年前，华东师范大学特殊教育学系的刘春玲教授、马红英教授建议我写一本关于自闭症儿童保健的著作。碍于对自闭症的了解尚不充分，我一直不敢动笔。之后几年，我做了关于自闭症的两个研究项目，对自闭症有了进一步的了解。2023年9月，刘春玲教授再次提出希望我能写写自闭症儿童保健的相关内容，并联系了上海教育出版社的编辑李京哲，我也想对研究成果作个总结，给教师和家长提供参考和启发，于是着手本书的编写。

对于自闭症儿童而言，能够自力更生、参与一些简单的社会分工，是他们最为恰当的目标。本书的编写正是基于生态学理论,将自闭症儿童的社会化作为主要目标。我们致力于在儿童生活的家庭、学校以及社区等日常环境中,提供切实有效且便捷的保健方法。这些方法旨在确保儿童能够充分发挥最大潜力,并为融入社会做好充分准备。

本书内容分为三部分。

第一部分是关于自闭症的正确认知。目前,很多教师和家长对自闭症的认知不够全面,甚至存在错误的认知,这部分内容希望能让读者对自闭症有一个正确的认知。本书第一章从世界上报道的"自闭症第一人"唐纳德入手,通过简要介绍其成长轨迹,让教师和家长对自闭症个体的全生命周期有一个感性认识。接下来介绍自闭症名称的演化过程,浓缩了不同领域对自闭症的研究历史;阐述自闭症发生的遗传因素和环境因素。第二章的阐述基于生态理论保健的内涵、原则和措施,使教师和家长可以对自闭症儿童的保健有一个清晰、全面和系统的认识,了解如何站在自闭症儿童的角度,从生理、心理、社会适应、道德等多个方面促进其健康发展。

第二部分是关于自闭症的常见医疗问题。这部分详细阐述自闭症儿童的诊断过程和流程,包括目前在国际上得到认可的各类干预方法,帮助教师和家长全面理解自闭症的医疗流程;介绍针对不同伴随症状的药物治疗知识,旨在帮助家长在面对自闭症儿童的多样问题行为时,能够更加科学、合理地选择药物;介绍一些处于研发阶段的治疗方法,例如基因治疗、干细胞治疗等,希望家长对这些方法有充分且正确的了解,并能够以科学的态度来看待这些新疗法,避免盲目跟从。

第三部分是基于生态理论的自闭症儿童保健实践。内容包括自闭症儿童的运动保健、饮食保健、慢病管理、青春期保健，以及学校环境支持体系的建立，为自闭症儿童家长和教师提供支持策略和具体措施。

此外，需要特别说明的是，在我国，自闭症的官方称谓是"孤独症"。鉴于"自闭症"一词已在社会大众中长期广泛使用，为便于理解，本书统一使用"自闭症"。但对于部分文件原文中使用"孤独症"的情况，为了确保引用内容的规范性和一致性，我们严格遵循原文，依然使用"孤独症"。

希望本书的出版能有助于教师和家长对自闭症的发生、发展等形成正确的认知，熟悉自闭症儿童相关的医疗流程，并能在自闭症儿童生活的生态系统下提供多方面的保健支持。由于编者水平有限，书中难免存在疏漏和不足之处，敬请广大读者批评指正。

目录

第一章 认识自闭症

第一节 自闭症的缘起 3
一、自闭症"第一人" 3
二、唐纳德的故事 3
三、自闭症名称的演变 5

第二节 自闭症的致因 11
一、自闭症的遗传学因素 12
二、自闭症的环境因素 21

第三节 自闭症的症状 33
一、自闭症的核心症状 34
二、非核心症状 39

第二章 自闭症儿童的保健理论

第一节 自闭症儿童保健的内涵 47
一、儿童保健的演化和内涵 47
二、自闭症保健的必要性 52

第二节 自闭症儿童保健的原则 55
一、早期发现原则 55

二、自闭症儿童视角原则　57

三、综合保健原则　59

四、保证家长健康原则　60

第三节　基于社会生态系统的自闭症儿童保健　61

一、生态系统理论　62

二、布朗芬布伦纳的生态系统理论　63

三、基于生态系统理论的自闭症儿童保健　65

四、基于生态系统的自闭症儿童保健措施　66

第三章　自闭症儿童的医疗与干预服务

第一节　自闭症儿童的诊断与干预　73

一、自闭症的早期迹象　73

二、自闭症筛查　75

三、自闭症诊断　79

四、自闭症干预方法　82

第二节　自闭症的常用药物　88

一、抗精神病药物　89

二、抗抑郁药物　91

三、抗焦虑药物　93

四、中枢兴奋药物　94

五、抗惊厥药物　95

第三节　自闭症生物疗法的是与非　96
- 一、基因治疗　97
- 二、干细胞治疗　98
- 三、微生物治疗　100

第四章　自闭症儿童的运动保健

第一节　运动对儿童的重要性　107
- 一、运动是儿童学习的开始　107
- 二、运动促进儿童身体健康　109
- 三、运动促进认知发展　110
- 四、运动对自闭症儿童的作用　113

第二节　儿童动作的发展　116
- 一、先天性反射动作的发生和发展　117
- 二、粗大动作的发展　122
- 三、精细动作的发展　129

第三节　自闭症儿童的运动发育特点　132
- 一、运动障碍的表现　132
- 二、运动障碍的影响　133
- 三、运动障碍的原因　134

第四节　自闭症儿童的运动建议　138
- 一、促进粗大动作技能的发展　138
- 二、促进精细动作技能的发展　144

第五章　自闭症儿童的饮食保健

第一节　常见的营养素及其作用　151
一、水　151
二、蛋白质　152
三、脂类　156
四、糖类　162
五、维生素　165
六、矿物质　169

第二节　自闭症儿童的饮食特征及其影响　175
一、儿童的饮食/喂养问题　175
二、自闭症儿童的饮食/喂养问题　176
三、自闭症儿童饮食/喂养问题的影响因素　178
四、自闭症儿童常见的食物不良反应　180

第三节　自闭症儿童的饮食支持策略　182
一、自闭症儿童常规饮食行为支持策略　182
二、自闭症儿童特殊饮食行为支持策略　187
三、无麸质无酪蛋白饮食支持策略　188

第六章　自闭症儿童的慢病管理

第一节　癫痫管理　195
一、癫痫发作的表现　195

二、癫痫发作的诱因 197

三、癫痫发作的管理 198

第二节 睡眠管理 204

一、睡眠障碍的表现 205

二、睡眠障碍的原因 206

三、睡眠障碍的影响 209

四、改善睡眠的方法 210

第三节 焦虑管理 216

一、焦虑障碍的特征 216

二、焦虑障碍的致因 218

三、焦虑障碍的评估 222

四、管理和治疗焦虑障碍的策略 223

第七章 自闭症个体的青春期保健

第一节 自闭症个体青春期的内涵 233

一、青春期的开始 233

二、青春期的标志 234

三、自闭症个体青春期的生理表现 236

四、自闭症个体青春期的行为表现 237

第二节 自闭症个体青春期的保健策略 241

一、整体保健策略 241

二、个性化保健策略 247

三、性教育　251

第八章　学校环境中支持体系的建立

第一节　学校环境中的挑战　259
一、感官刺激　259
二、社交困难　260
三、学业困难　262

第二节　学校物理环境的改变　263
一、室内设计改造的总体标准　264
二、室内设计改造的具体案例　269

第三节　学校人文环境的改变　279
一、接纳神经多样性　280
二、促进自我表达　283
三、培养同理心　286
四、鼓励包容性　288
五、促进成长心态　290
六、提供整体支持　292

附录1　儿童心理行为发育问题预警征象筛查表　293

附录2　CHAT-23 A 筛查量表　295

附录3　《高危社交警示行为测试》记录单　298

附录4　上海市0~6岁儿童心理行为发育档案　300

附表 4-1　上海市 0~6 岁儿童心理行为发育初筛记录表
　　　　　婴儿期（0~1 岁）　301

附表 4-2　上海市 0~6 岁儿童心理行为发育初筛记录表
　　　　　幼儿期（1~3 岁）　303

附表 4-3　上海市 0~6 岁儿童心理行为发育初筛记录表
　　　　　学前期（4~6 岁）　305

附表 4-4　上海市 0~6 岁儿童心理行为发育复筛
　　　　　记录表　306

附表 4-5　上海市 0~6 岁儿童心理行为发育异常诊断
　　　　　记录表　308

附录 5　CHAT-23 B 筛查量表　310

附录 6　自闭症行为量表　311

视觉辅助工具　319

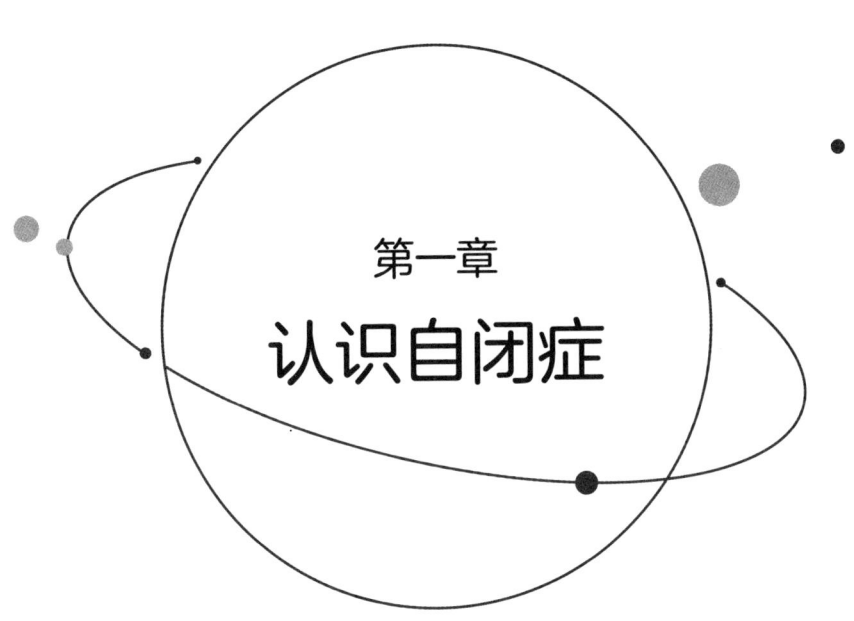

第一章

认识自闭症

随着自闭症发生率的不断上升,"自闭症"这个术语也日益为人们所熟知。2007年12月,联合国大会通过决议:从2008年起,将每年的4月2日定为"世界自闭症关注日",以提高人们对自闭症的关注。然而,包括自闭症儿童的家长和教师在内,许多人对自闭症的认识还不够深入,甚至存在误区,这在一定程度上阻碍了自闭症儿童的早期康复和融合教育。因此,充分了解自闭症的由来、致因及自闭症儿童的身心特征,有助于我们读懂自闭症儿童,与之更好地交流,促进其康复与社会融合。

第一节 自闭症的缘起

一、自闭症"第一人"

讲到自闭症,就必须提到一个人,他就是唐纳德·格雷·特里普利特(Donald Gray Triplett),他是世界上第一个确诊为自闭症的人。2023年6月15日,唐纳德在美国密西西比州去世,享年89岁。唐纳德的一生给人们尤其是自闭症人士及其家庭带来启示:自闭症人士完全可以在世界上拥有一席之地。唐纳德去世的消息传出后,唐万(Donvan)和朱克(Zucker)在《大西洋月刊》(*The Atlantic*)上写道:"这表明,接受一个与众不同的人并非难事。"

二、唐纳德的故事

1933年9月,唐纳德出生在密西西比州一个富裕的家庭,父亲比蒙(Beamon)是当地有名的律师,母亲玛丽(Mary)是当时少有的接受过大学教育的精英女性,其家族掌管着镇上的银行。一开始,唐纳德的发育并没有什么异常,1岁的时候,他能准确地哼出许多曲调。但是,他的发育渐渐缓慢并出现了改变:他不回应任何人,甚至是父母。他拒绝学骑自行车或玩操场上的滑梯。2岁时,他展现出惊人的记忆力,可以背诵20多首诗歌,能够倒背英文字母表,并说出每位美国总统和副总统的名字。他喜欢不停地重复一些短语,喜欢在地板上旋转玩具陀螺和其他东西,还喜欢按照严格的顺序排列物体。他对数字很着迷,并且能够在脑海中迅速计算大量数字。显然,唐纳德有些不寻常,但没有哪位医生能够提供任何帮助或解释。如今,研究者能够很容易地识别自闭症的许多特征，但在那个时候，连医学领域的人都不知道自闭症。

20世纪20—30年代的美国社会，"优生学"热潮达到顶峰，残障人士被认为毫无价值，只会浪费社会资源，为了避免他们传递不良基因，部分州政府会强制给他们做绝育手术。有些残障儿童会被州政府和医生强制从父母身边带走，送往医院或疗养院，由州政府统一负责，并限制父母探视。

唐纳德3岁时，家庭医生说服他的父母把唐纳德送到一个机构，相信彻底改变环境会对他有帮助。父母每月只能去探望两次。在这个陌生的环境中，唐纳德退行到几乎不吃东西的地步，固定坐几个小时，不关注任何事物，养成了左右摇头的习惯。机构负责人认为唐纳德患有某种腺病。

1938年，唐纳德的父母带他去了巴尔的摩的儿童诊所，接受美国儿童精神病学领域的先驱里奥·坎纳（Leo Kanner）博士的评估。坎纳博士的《儿童精神病学》（*Child Psychiatry*）是第一本以英文出版的儿童精神病学教科书。1943年，坎纳发表案例研究《情感接触中的自闭障碍》（*Autistic Disturbance of Affective Contact*）[1]，唐纳德成为坎纳研究的11个孩子中的第一个。坎纳描述了他高度聪明的病人，称他们表现出孤独的强烈愿望，以及对事物的执着、坚持。在此之前，这些孩子被认为是低能者或精神分裂症患者。

在坎纳的研究中，这些孩子的父母描述他们的孩子自给自足，独处时最快乐，表现得好像别人都不存在，完全无视周围的一切，给人一种沉默、智慧的印象，没有发展出通常的社会意识，似乎被催眠了。一个有趣的共同点是，这些孩子都出生在父母高智商的家庭。此外，他们的面部特征都给人一种严肃、焦虑、紧张的印象。坎纳在研究中将这些孩子诊断为婴儿期自闭症，后简称为自闭症。

在坎纳的研究结束后，唐纳德9岁时，父母安排唐纳德和附近的一对农场主夫妇住在一起。他上了一所乡村学校，他的数学天赋在农场得到了充分发挥。他对数字的迷恋被用来计算井的深度以及玉米的数量。父母经常来看望他。四

---

[1] Kanner L. Autistic disturbances of affective contact [J]. Nervous Child, 1943, 2 (3): 217-250.

年后,唐纳德回到家乡,在家乡上了高中。他的同龄人和老师都视他为天才,幸运的是,他们高度接纳他并保护他。毕业后,他进入米尔萨普斯学院主修法语,然后回到家乡,在其家族的银行做一名出纳。他还学会了开车和打高尔夫球。唐纳德去了德国、突尼斯、匈牙利、西班牙、葡萄牙、法国、保加利亚和哥伦比亚等大约36个国家和美国的28个州,其中去过埃及3次,伊斯坦布尔5次,夏威夷17次,成为第一个环游世界的自闭症人士。他参加了一次非洲旅行,以及无数次职业高尔夫球锦标赛。

唐纳德向人们展示,尽管人生的开局非常艰难,但还是有可能茁壮成长的。不可否认,自闭症给人造成似乎不可克服的障碍,但它并不是人生的尽头,在适宜的支持下,它反而可以成为开启非凡旅程的另一条路径。

三、自闭症名称的演变

目前,世界各国都有自闭症儿童和成人。虽然自闭症的正式历史从唐纳德算起还不到100年,但是自闭症个体可能早已存在,或者至少有几百年的历史。《圣弗朗西斯之花》(*The Little Flowers of Saint Francis*)一书源于13世纪,书中描绘了一位名叫布拉泽·朱尼珀(Brother Juniper)的人,其古怪的行为在今天看来,就是自闭症的表现[1]。自15世纪以来,我们熟悉的名人如米开朗琪罗(Michelangelo)、牛顿(Newton)、狄更生(Emily Dickinson)、爱因斯坦(Einstein)等,都被怀疑有某种类型的自闭症[2]。

---

[1] Frith U. Autism: Explaining the enigma [M]. Blackwell publishing, 2003.
[2] Deisinger J A. History of Special Education [M]. Emerald Group Publishing Limited, 2011, 21: 237–267.

（一）坎纳的功与过

在坎纳发现自闭症以前，伴有自闭症症状的儿童被描述为"弱智、傻子或精神分裂"。自闭症"autism"一词由瑞士精神病学家欧根·布洛伊勒（Eugene Bleuler）于1910年首次提出，坎纳用"婴儿期自闭症"（infantile autism）来描述精神分裂症患者的内向和自我沉溺。1943年，坎纳在论文《情感接触中的自闭障碍》中突破性地讨论了8个男孩和3个女孩，其年龄从2岁到11岁不等。坎纳采用了布洛伊勒提出的"autism"，还澄清了自闭症与精神分裂症的不同。他说，这些孩子从出生起就极度喜欢独处，这为自闭症的遗传学研究提供了重要线索。此外，他们还具有一些典型的行为特点：相同的、持久的兴趣，重复的行为，缺乏想象力，言语-语言困难，等等。坎纳描述的这些特征，与现在对自闭症的描述基本一致。坎纳还提到，这些孩子的身体发育基本正常，其中5个孩子的头颅相对较大，有几个孩子在步态和大运动方面表现得有些笨拙，大部分孩子（除一个孩子外）的脑电图正常。后来的研究也观察到了这些生理学特征[1][2]。坎纳还描述道，这些孩子的父母都非常聪明，他们对科学、艺术或文学感兴趣，而对人的兴趣不高。然而，坎纳的这篇论文发表后并没有产生他期待的反应。为了迎合当时精神分析的潮流，坎纳开始指责自闭症孩子的母亲像冰箱一样冷漠，"冻住"了孩子。这就是"冰箱母亲"（refrigerator moms）这一错误理论的由来。1969年，坎纳为自己"冰箱母亲"假说对大众的误导，向美国自闭症协会（The Autism Society of America）公开道歉[3]。

---

[1] Sacco R, Gabriele S, Persico A M. Head circumference and brain size in autism spectrum disorder: A systematic review and meta-analysis [J]. Psychiatry Research: Neuroimaging, 2015, 234 (2): 239–251.

[2] Liu T, Hamilton M, Davis L, et al. Gross motor performance by children with autism spectrum disorder and typically developing children on TGMD-2 [J]. Journal of Child and Adolescent Behaviour, 2014, 2 (1): 1–4.

[3] Feinstein A. A history of autism: Conversations with the pioneers [M]. John Wiley & Sons, 2011.

（二）阿斯伯格的功与过

1944 年，在坎纳描述婴儿期自闭症大约一年后，奥地利儿科医生汉斯·阿斯伯格（Hans Asperger）以病例报告的形式描述了他称之为"自闭症"的精神疾病。与坎纳类似，阿斯伯格使用"自闭症"一词来表示一种"自我沉浸"（self-absorbed）的社会隔离。阿斯伯格的论文记录了 4 名 6～11 岁的儿童，他们没有智力障碍，但是表现出较差的社会功能和情绪功能。尽管他们在语言发育方面没有明显的落后，但是他们对语言的使用相当刻板。此外，这些儿童的身体有些不协调，有特殊的兴趣和重复的行为。这些综合征从儿童早期就开始出现，并持续终身。从上面的描述可以看出，阿斯伯格在 1944 年的论文中描述的症状与坎纳在 1943 年报告的症状非常相似[1]。

阿斯伯格和坎纳都出生在奥地利，并在维也纳接受培训，但他们从未见过对方。坎纳出生于 1896 年，1924 年移民到美国，成为马里兰州巴尔的摩市约翰斯·霍普金斯医院的负责人。阿斯伯格比坎纳小 10 岁，从事医生职业，专攻儿科，他于 1943 年撰写了论文，并于 1944 年发表。巧合的是，阿斯伯格和坎纳独立描述了类型完全相同的障碍儿童，以前从未有人关注这类儿童，他们都被贴上了自闭症的标签。阿斯伯格的论文是用德语写的，因此，他的论文在非德语国家没有得到广泛传播，直到 20 世纪 80 年代，人们才认识到阿斯伯格在该领域的贡献。然而，2018 年，赫维希·切赫（Herwig Czech）在查阅一些鲜为人知的纳粹时期档案和患者病历之后发现，阿斯伯格曾配合纳粹，把两名自闭症儿童送往维也纳臭名昭著的斯皮格尔格伦德诊所。史料显示，这家诊所曾以"安乐死"的方式杀害近 800 名残障儿童[2]。自此，阿斯伯格的人设轰然倒塌。

---

[1] Frith U. Asperger and his syndrome [J]. Autism and Asperger Syndrome, 1991, 14: 1–36.
[2] Czech H. Hans Asperger, national socialism, and "race hygiene" in Nazi-era Vienna [J]. Molecular Autism, 2018, 9: 1–43.

（三）《精神障碍诊断与统计手册》的描述

虽然坎纳和阿斯伯格分别在1943年和1944年就描述了自闭症，但是1952年和1968年先后出版的《精神障碍诊断与统计手册》（*Diagnostic and Statistical Manual of Mental Disorders, DSM*）第一版（DSM-I）和第二版（DSM-II）都没有提及自闭症，这两个版本将该病症称为儿童期精神分裂症。1972年，自闭症专家拉特（Rutter）表示，"儿童精神分裂症"这个术语已经失去了用途，该术语被严重滥用，它包含了自闭症、真正的儿童期精神分裂症、儿童期崩解症（childhood disintegrative disorder，简称CDC）等多种儿童发育障碍。拉特进一步指出，不同的医生用相同的术语来表示不同的疾病，用不同的术语来表示相同的情况[1]。

1980年的DSM-III试图纠正之前的混乱状态，引入了新的术语"广泛性发育障碍"（pervasive developmental disorders，简称PDD）。广泛性发育障碍包含婴儿期自闭症的不同类型：儿童期发病的广泛发育障碍、残存婴儿期自闭症（residual infantile autism）、残存广泛性发育障碍、广泛性发育障碍和非典型广泛性发育障碍。在DSM-III中，婴儿期自闭症的诊断要符合几点：在生命的前30个月发病，社交能力有严重缺陷，并伴有语言和交流障碍。如果有幻觉或妄想，则不符合诊断标准。新的标准有利于诊断自闭症，但是过于强调在很小的年龄发病。在1987年出版的《精神障碍诊断与统计手册》第三版修订版（DSM-III-R）中，对自闭症障碍的诊断标准进行了修订，将其扩展到整个谱系和生命周期。DSM-III-R取消了婴儿期自闭症和残存婴儿期自闭症，也就是说在整个生命周期都可能存在自闭症，同时，广泛性发育障碍只包含自闭症和待分类的广泛性发育障碍（pervasive developmental disorder-not otherwise speeified, PDD-NOS）。DSM-III-R详细列举了诊断自闭症的16条标准，涉及三个领域的缺

---

[1] Rutter M. Diagnosis and definition of childhood autism [J]. Journal of Autism and Childhood Schizophrenia, 1978, 8: 139-161.

陷：社会互动、言语与非言语交流、显著局限性与重复性的活动和兴趣。DSM-III-R的好处是，医生只需根据当前的症状就可以作出诊断，不需要儿童之前的发展信息。但是，过于宽泛的诊断标准使假阳性的概率提高了[1]。

　　DSM-IV于1994年出版。由于著名自闭症专家乌塔·弗里思（Uta Frith）在1991年将阿斯伯格于1944年以德语发表的论文翻译为英文，1992年世界卫生组织（World Health Organization，简称WHO）将阿斯伯格列入《疾病和相关健康问题的国际统计分类》（*International Statistical Classification of Disease and Related Health Problems 10th rersion*，简称ICD-10），所以《精神障碍诊断与统计手册》第四版（DSM-IV）中增加了阿斯伯格这一类别。广泛性发育障碍包含自闭症、阿斯伯格综合征、待分类的广泛性发育障碍、儿童期崩解症（倒退型自闭症）和雷特综合征（Rett's disorder）。雷特综合征最初显然仅限于女孩，表现出一种非常特殊的退化形式、临床过程和特征。雷特（Rett）在他的原始报告中推测，这种障碍可能是自闭症的一种形式，部分原因是学龄前儿童明显缺乏社交技能。在其被纳入后，发现了一种与单基因缺陷有关的特定遗传因素（MECP2基因突变）。在《精神障碍诊断与统计手册》第五版（DSM-V）中，雷特综合征这一类别被排除。这表明，随着遗传因素的确定，自闭症的亚类可能会被从DSM中删除。对于待分类的广泛性发育障碍，DSM-IV的标准中使用了"或"，而不是"和"，导致了只要满足一条标准就可以作出诊断，这可能是假阳性增加的主要原因。这个错误在DSM-IV-R中得到了修订。DSM-IV中提供的标准在支持标准化评估方法的发展和促进科学研究方面都非常有效，关于自闭症的科学出版物在此期间也显著增加。这些进展得益于DSM-IV和ICD-10标准之间的一致性。不同地区和国家之间的合作也在加强，世界各地出现了类似的自闭症项目。对自闭症认识的提高为早期干预和结果的改善带来了积极作用。自DSM-IV和DSM-IV-TR出版以来，自闭症的遗传学取得了巨大的进

---

[1] Volkmar F R, Cicchetti D V, Bregman J, et al. Three diagnostic systems for autism: DSM-III, DSM-III-r, and ICD-10[J]. Journal of Autism and Developmental Disorders, 1992, 22 (4): 483-492.

展,目前已经确定了一些导致自闭症的潜在基因因素。

在编撰DSM-V时,专家组试图保持DSM-IV方法的优势,同时改进其局限性。尽管DSM-IV有很多积极的方面,但其一开始即受到批评。对DSM-IV标准的研究表明,3岁前诊断的稳定性较低,被诊断为自闭症的儿童通常在3岁之前表现出社交和交际特征,在3岁之后出现"兴趣狭隘",在这之前出现的感觉困难没有纳入DSM-IV诊断标准。人们对DSM-IV广泛性发育障碍中除自闭症以外亚型的有效性也提出了质疑,如雷特综合征,已经发现了一种特定的遗传病因。对于阿斯伯格综合征,人们对DSM-IV诊断标准的严格性表示担忧。DSM-V于2013年5月出版,其主要变化为:(1)将"广泛性发育障碍"改为"自闭症谱系障碍"(autism spectrum disorder,简称ASD),自闭症中不再出现阿斯伯格综合征、待分类的广泛性发育障碍和儿童期崩解症等,而统一诊断为自闭症谱系障碍。(2)删除了雷特综合征和儿童期崩解症的诊断。(3)将社会互动、交际行为以及重复性、限制性行为的三联障碍改为两个领域,即保留重复性和限制性行为,将社会和交际困难合并到一个领域。(4)症状存在于早期发展阶段,在社会需求超过有限的能力之前,问题可能不会出现。(5)这些失调都无法用智力障碍(智力发展障碍)或全面性发展迟缓进行解释。在新的诊断类别中,社会沟通障碍被定义为在社会环境中使用言语沟通和非言语沟通存在困难和问题,作为一种不同于自闭症的障碍被引入。虽然社会沟通障碍在许多方面与待分类的广泛性发育障碍相似,但它被归类为一种沟通障碍。2022年出版的DSM-V-TR没有对自闭症谱系障碍的定义进行重大修改,但对DSM-V中措辞不够明确的问题进行了修改,并澄清了模糊的概念。

以上对自闭症概念出现的时间顺序作了梳理。了解自闭症在短暂历史中的演变,有利于更好地理解这种常见的障碍,以提高对自闭症的认知,改变对自闭症人士的消极态度,营造更加包容的社会环境,从而使他们更好地融入社会,促进其健康发展。

第二节 自闭症的致因

与其他障碍/疾病不同，自闭症一直备受争议，历经几十年的演变，近年才基本达成一致的命名。因为其症状和致因有高度的异质性，所以其命名极有可能再次发生变化。正如其命名的高度争议，关于自闭症的致因，从一开始就存在较大异议，在过去不到百年的时间里被多次误解，给自闭症孩子及其家庭，尤其是孩子的母亲带来很大困扰，甚至是灾难。

坎纳1943年对自闭症孩子家长的描述，为以后布鲁诺·贝特尔海姆（Bruno Bettelheim）灾难性的错误理论埋下了伏笔。贝特尔海姆生于奥地利，并在那里开始其精神分析医生的生涯，后移居美国。他因运用精神分析法研究和干预自闭症而声名鹊起。他称是母亲冷漠、疏远和拒绝的养育方式剥夺了孩子的关键亲密体验，从而导致孩子的自闭症。最典型的是，他曾在书中写道："婴儿如果在发育之前完全被人类遗弃，就会死亡。如果对婴儿身体的照护足以维持其生存，但在情感上遗弃他们，或者对其提出超出他们能力范围的要求，就会导致他们出现自闭症。"[1] 这些话令人震惊，因为今天我们知道，自闭症是一种神经发育障碍，不是父母教养不足的结果。然而，当时很少有人质疑是否有证据支持这种猜测。这些错误观点不仅出现在主流心理学中，也出现在报刊文章中。在那个时候，心理学家普遍认为精神分裂症是一种防御机制，源于多年恶意和破坏性的养育环境。自闭症曾被认为是精神分裂症的早期版本，父母对孩子造成的伤害可能比对成人还要大。贝特尔海姆还声称，母亲没有爱心会导致孩子的自闭症行为。他推断，治疗自闭症的办

---

[1] Bettelheim B. Empty fortress[M]. Simon and Schuster, 1967.

法是将孩子与父母分开，让孩子每年只见父母几次。庆幸的是，养育行为不当是自闭症致因的观点已经被否定。

一、自闭症的遗传学因素

自闭症病因的研究源于苏珊·福尔斯坦（Susan Folstein）和迈克尔·拉特（Michael Rutter）里程碑式的双胞胎研究，从此之后，自闭症病因病理的研究走上了科学的道路。今天，医学、神经生物学、心理学等多个领域数以万计的科学家都在探索自闭症的病因。虽然我们尚未完全了解自闭症是如何产生的，但是其神秘面纱正在被逐渐揭开。

（一）双胞胎研究

最早的遗传学研究是从双胞胎研究开始的，通过对同卵双胞胎和异卵双胞胎的比较，来确定遗传率。同卵双胞胎由同一个受精卵一分为二，发育成两个个体，故他们有完全相同的基因。异卵双胞胎由两个独立的受精卵发育而来，他们与普通的兄弟姐妹一样，基因具有较大的差异。但是，他们有共同的产前和产中环境，以及出生后的家庭教养环境。1977年，苏珊·福尔斯坦和迈克尔·拉特研究了21对双胞胎，包括11对同卵双胞胎和10对异卵同性双胞胎，这21对双胞胎中，每对中至少有1个有自闭症。他们假设，如果遗传因素在自闭症的发展中起了作用，那么同卵双胞胎同时存在自闭症的概率明显要高于异卵双胞胎。双胞胎中的这种相似性被称为一致性率。他们发现，在同卵双胞胎中，11对双胞胎中有4对双胞胎两胎同时存在自闭症，一致性率为36%。如果从更广泛的自闭症表型（认知功能）来看，11对同卵双胞胎中有9对存在自闭症，一致性率为82%。使用同样的自闭症定义，10对异卵双胞胎中只有1对存在自闭症，一致性率只有10%。

随后的多项家庭研究证实，自闭症会在家族中聚集，早期双胞胎研究估计，由遗传因素引起的表型变异的比例约为90%，自闭症成为所有发育障碍中最具遗传性的障碍。因此，自闭症的病因学研究主要集中在遗传因素上。虽然最近的双胞胎研究支持高遗传力，但一项大型双胞胎研究表明，共同环境的影响也发挥着重要作用。家庭研究的结果也提出了关于遗传因素的相对影响的问题，并导致自闭症病因的不确定性。

虽然遗传力估计为估计群体中遗传因素的影响提供了一种有价值的度量，但没有提供任何关于个体风险的信息。详细的病因学模型需要考虑人群水平上的风险，并提供特定个体的定量信息，从而实现个体化的疾病预防和治疗。复发风险表示在一个已经受影响的家庭中，另一个家庭成员受影响的风险。相对复发风险（relative recurrence risk，简称RRR）衡量的是在没有任何受影响成员的家庭中，该复发与疾病的关系，可以在疾病发生率可能不同的组之间进行解释和比较。为了实现这一目标，斯文·桑丁（Sven Sandin）等人对1982年至2006年所有在瑞典出生的新生儿进行了一项纵向队列研究。利用人群中所有同卵双胞胎和异卵双胞胎、同母异父兄弟姐妹、同父异母兄弟姐妹和表亲，研究者通过估计家庭内的相对复发风险来评估自闭症的家族聚类，并评估与自闭症相关的遗传与环境因素的重要性。在这个超过200万个家庭的纵向研究中，结果表明，自闭症的相对复发风险随着遗传亲缘关系的增加而增加。基因和非遗传因素对自闭症和自闭症风险的影响同样重要。自闭症儿童的相对复发风险为10.3，同母异父的兄弟姐妹为3.3，同父异母的兄弟姐妹为2.9，表亲为2.0[1]，自闭症的遗传率约为50%。

---

[1] Sandin S, Lichtenstein P, Kuja-Halkola R, et al. The familial risk of autism [J]. Jama, 2014, 311 (17): 1770-1777.

（二）基因研究

自闭症表现出很高的异质性，从遗传学的角度来看，这种高异质性很可能是由于它涉及多个基因，且每个个体涉及的基因不尽相同。然而，目前我们还不知道自闭症的遗传模式，有许多自闭症人士未表现出已知的遗传异常。许多遗传性疾病也具有自闭症的某些行为特征，但是因为具有明确的遗传学机理，所以不符合自闭症的诊断标准。如脆性 X 染色体综合征，已被证明是一种 X 连锁不完全外显性遗传病，与自闭症在很多症状方面存在相似，除语言障碍、行为异常外，还有些自闭症样的行为，如目光回避、触觉异常和重复性行为等。一项研究发现，高达 47% 的脆性 X 染色体综合征患者符合自闭症的诊断标准[1]。研究发现，两种疾病患者之间的共享基因比例为 0~12.5%，大多数研究发现，自闭症个体中约有 3% 同时患有脆性 X 染色体综合征。然而，尽管脆性 X 染色体和自闭症的遗传密码之间存在适度的关系，但这两种疾病在某些领域有共同的症状特征（如上所述）。此外，脆性 X 染色体综合征患者和自闭症人士往往还有注意问题、多动症、社交环境中的焦虑和有限的眼神接触等共同点。

雷特综合征是一种神经发育障碍，其主要特征是早期发育正常，但在 6~18 个月大的时候开始出现严重的认知障碍、沟通能力差、刻板的手部动作和广泛的发育不良。在退行期，精细动作技能、有效的眼神交流和沟通能力都会丧失。此时会出现自闭症的特征，包括眼神接触受限、社交或互动能力差，以及哭闹不止或易怒。该类行为是短暂的，持续数周或数月不等。在早期，也经常会将雷特综合征与自闭症混淆，后来因发现其致病基因是甲基化 CpG 结合蛋白 -2（methyl-CpG-binding protein 2，简称 MECP2），所以将其从自闭症谱系障碍的分类中移除。

通过将已经阐明基因改变的疾病与自闭症作对比，能在一定程度上说明基因对自闭症的影响。近年来，基因在自闭症个体发育过程中的作用研究已

---

[1] Demark J L, Feldman M A, Holden J J A. Behavioral relationship between autism and fragile X syndrome [J]. American Journal on Mental Retardation, 2003, 108 (5): 314-326.

经取得了巨大进展，为我们了解自闭症的病理打开了一扇窗。现在的研究发现，与自闭症有关的基因突变有超过1100个不同的基因[1]。这些突变的出现频率大都较低（0.1%～1%），包括单核苷酸变异（single-nucleotide variant，简称SNV）以及拷贝数变异（copy number variant，简称CNV）。拷贝数变异是指从1000个到数百万个碱基对的丢失或插入。除了遗传自父母的基因突变，自闭症个体还出现了很多新的基因突变，这些突变在家族的基因组中首次被发现。与健康的兄弟姐妹相比，自闭症儿童新的拷贝数变异增加了3倍，导致功能丧失的新的突变增加了1倍。据估计，这些概率较低的突变，不管是遗传的还是新发的，都引起了10%～30%的自闭症发生。一些常见的突变也可能会导致自闭症，幸运的是，单个常见基因突变引发的风险很低。

为了研究基因对自闭症的潜在风险，研究者对不同类型的自闭症家庭进行研究，包括有一个自闭症孩子的家庭、有多个自闭症孩子的家庭（可能跨越多代）以及有血缘关系的人。通过全基因组序列检测，发现了AMT、MECP2、NLGN4X、PAH、PEX7、POMGNT1、SYNE1和VPS13B等基因的特定突变。在这些基因中，MECP2、NLGN4X、SYNE1已被证实与自闭症有关。基因集富集分析表明，涉及自闭症风险的已知基因和基因位点参与到不同的生物过程中，如突触发育、染色质重塑、WNT信号传导、早期转录调控、与FMR1及更广泛的MAPK信号路径的相互作用，这些功能多与儿童早期的发育有密切的联系。

（三）基因研究对保健工作的启示

20世纪90年代，大量研究发现自闭症还有多种伴随症状，如胃肠道紊乱、免疫异常、睡眠障碍、癫痫、智力障碍等。基因学的研究发现，这些症状也与基

---

[1] Human Gene Module. SFARI Gene. [EB/OL]. (2024-03-28).

因的改变有关（见表 1-1）[1]。如 1 号染色体 q21.1 区域的缺失除了可以导致智力障碍、精神分裂症外，还会引起小头畸形、心脏缺陷、眼睛异常、身材矮小、癫痫等。再比如基因 SCN2A 的突变，不仅会增加自闭症的风险，还与智力障碍、癫痫与共济失调等有关。确定这些基因与临床症状的关系，对临床疾病管理有重要意义。首先，可以在高风险人群出现症状前就进行积极的检测和早期干预。其次，遗传学可以阐明特定的生物机制，某些情况下，可以指导临床用药。最后，遗传疾病常与特定的认知和行为特征有关，遗传信息可以指导行为治疗（见图 1-1）。

表 1-1 与自闭症相关的染色体异常及其影响

染色体异常	发生率	常见共病	常见症状
缺失 1q21.1	8%	智力障碍，注意缺陷/多动障碍，精神分裂	小头畸形，心脏缺陷，眼睛异常，身材矮小，癫痫
复制 1q21.1	36%	智力障碍，精神分裂	癫痫，大头畸形，心脏缺陷
缺失 2q23.1	100%	智力障碍，注意缺陷/多动障碍，语言障碍，动作发展迟缓	癫痫，肥胖，短头畸形，小头畸形，身材矮小
缺失 2q37	25%~42%	智力障碍，注意缺陷/多动障碍	癫痫，身材矮小，肥胖，心脏缺陷
缺失 3q29	27%	智力障碍，语音发展迟缓，语言障碍，焦虑症，精神分裂，双相情感障碍	胃肠道问题，心脏缺陷，喂养问题，复发性耳部感染，牙列异常

[1] Vorstman J A S, Parr J R, Moreno-De-Luca D, et al. Autism genetics: opportunities and challenges for clinical translation[J]. Nature Reviews Genetics, 2017, 18 (6): 362-376.

（续表）

染色体异常	发生率	常见共病	常见症状
缺失 5q14.3	43%	智力障碍，言语丧失	癫痫，毛细血管畸形
复制 7q11.23	41%	智力障碍，注意缺陷/多动障碍，焦虑症，对立违抗障碍，语言发展迟缓	癫痫，大头畸形，扁头综合征，升主动脉扩张，动脉导管未闭，慢性便秘，肾脏异常
缺失 8p23	未知	智力障碍，注意缺陷/多动障碍	心脏缺陷，先天性膈疝
复制 15q11~q13	69%	智力障碍，注意缺陷/多动障碍	癫痫，心脏缺陷，肌张力减退，身材矮小
缺失 15q11.2	32%	智力障碍，注意缺陷/多动障碍，精神分裂，强迫症，语言发展迟缓	癫痫，共济失调，心脏缺陷
复制 15q11.2	43%	智力障碍，注意缺陷/多动障碍，语言发展迟缓	癫痫，共济失调，肌张力减退
复制 15q13.2~q13.3	80%	智力障碍，语言发展迟缓	癫痫，泌尿生殖系统异常，反复感染
缺失 15q13.2~q13.3	60%	智力障碍，注意缺陷/多动障碍	—
缺失 16p11.2	15%	智力障碍	癫痫，肌张力减退，骶骨酒窝，言语发音问题
复制 16p11.2	未知	精神分裂，双相情感障碍	癫痫，肌张力减退，震颤，共济失调，骶骨凹陷，言语发音问题
复制 16p13.11	25%	注意缺陷/多动障碍，语言发展迟缓	癫痫

（续表）

染色体异常	发生率	常见共病	常见症状
缺失 17p11.2	未知	—	癫痫
缺失 17q12	未知	精神分裂	大头畸形，肾脏异常
缺失 22q11.2	30%	精神分裂，注意缺陷/多动障碍，语言发展迟缓，焦虑症	心脏缺陷，腭裂异常，低钙血症，喂养困难，复发性感染，等等
复制 22q11.2	18%	智力障碍，注意缺陷/多动障碍	心脏缺陷，听力损失，泌尿生殖系统异常，腭异常
缺失 22q13.3	>50%	智力障碍，语言障碍	癫痫，心脏缺陷，肾脏异常，斜视

对很多家长而言，了解导致孩子自闭症的原因非常重要，即使目前还没有十分有效的治疗方法。家长会困惑自己的孩子为什么会得自闭症，一直在苦寻答案。了解了这些原因，可以帮助家长少走弯路，避免昂贵的、无效的干预和治疗，还可以在生育二胎方面给予家长建议。目前，在没有遗传测试结果的情况下，我们只能对二胎自闭症的发生率进行一般估计。如果头胎是自闭症，那么二胎是自闭症的风险为 10%~15%；如果有两胎是自闭症，那么第三胎是自闭症的风险为男孩约 50%、女孩约 12%。如果有了基因检测的结果，就能更加准确地进行风险预测。如果变异遗传自父母，那么临床医生可以更加准确地估算自闭症的复发风险。例如，当自闭症孩子存在 22 号染色体 q11.2 重复时，那么父母再生育的后代，携带 22q11.2 重复的概率是 50%。若家族成员中有人携带了同样的变异，那么也会影响到孩子父母的决策。

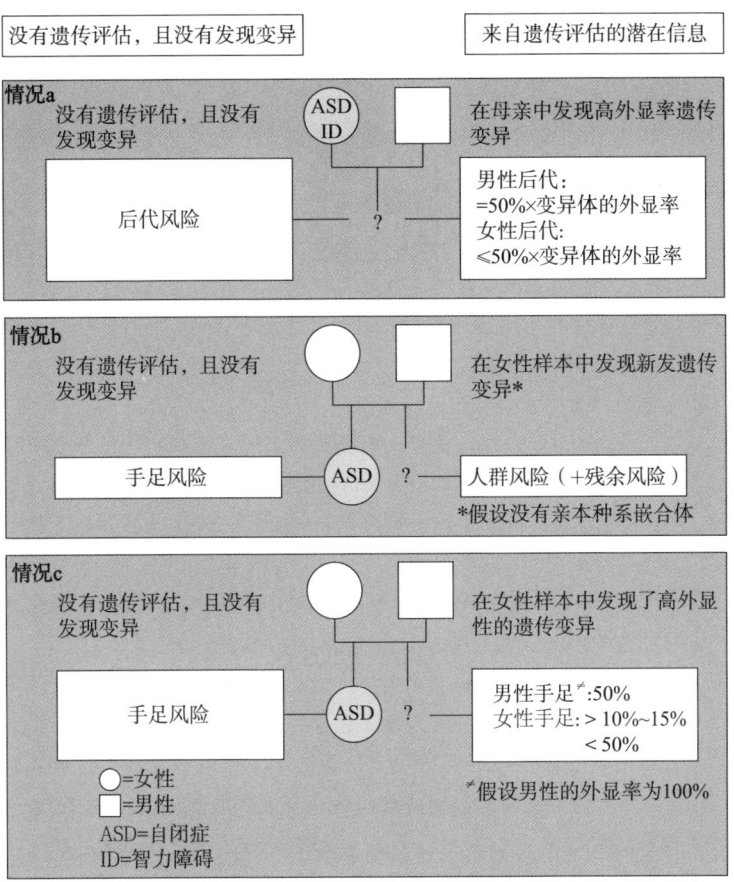

图 1-1 基因评估的潜在贡献

图 1-1 的左侧是在没有任何特定遗传信息的情况下,对三种不同情况下后代复发率的估计;图的右侧是相同的家庭,但是有相关基因变异。随着从大量家庭(单代和多代)中收集样本,对自闭症复发率的估计也在不断发展变化,图 1-1 的内容基于目前可用的知识。

情况 a:母亲有自闭症和智力障碍。在没有基因检测的情况下,只能粗略估计后代发生自闭症的风险,因为目前很少有数据可以提供基于证据的估计。后代风险可能高于人群风险(约 1%),接近手足风险(10%~15%)。经过遗传评估,在母亲身上发现了一个高外显性的变异。对于许多遗传变异,准确的外显率仍在不断发展变化。例如,在这种情况下,根据遗传知识,男性后代的复发率可能在4%(例如,在外显率为8%的遗传变异的情况下)和50%(假设100%外显率)之间变化。

情况b:未受影响的父母有一个自闭症女儿。对于所有兄弟姐妹都有自闭症的人,复发率(手足风险)估计为10%~15%。女性兄弟姐妹的风险可能低于男性兄弟姐妹,尽管这并非一致的发现。尽管发现了新的基因变异,但是受影响孩子的兄弟姐妹在未来出现类似问题的概率与普通人相同,都是1%。更准确地说,由于残余风险的影响,复发率可能略高于1%。这种情况假设从头变异发生在亲本生殖细胞或产生的受精卵中;如果该变异在亲本生殖细胞发育过程中较早发生,它可能仍以嵌合形式存在于父母之一的生殖系中,这将增加未来后代的复发风险,具体取决于携带该变异的生殖细胞的比例。

情况c:未受影响的父母有一个自闭症儿子。兄弟姐妹的复发率估计等于标准手足风险(10%~15%)。经过遗传评估,发现了孩子的遗传性、高外显性变异,由未受影响的携带者(母亲)传播(该变异在女性中表现出不完全外显率,在男性中表现出100%外显率)。因此,男性后代的复发率估计为50%(50%×男性后代的100%外显率),女性后代的复发率约为10%~50%(50%×女性后代的<100%的外显率)。

需要注意的是,图中这些示例有所简化,因此不能完全反映遗传咨询的复杂性。例如,选型交配现象可能会进一步影响复发率(例如在部分描述的情况a中)。此外,据报道,女性保护作用和父母年龄也是影响因素,但对其对复发率影响的准确估计尚未确定,并且可能会随着所涉及的特定致病变异而变化。例如,在SHANK3缺失携带者中,自闭症的外显率在男性和女性中似乎相同。

基因研究有助于揭示自闭症的神经机制,遗传学证据研究的深入,可能提供潜在的治疗方法。我们根据自闭症的遗传表型,将自闭症分成不同的亚组,不同亚组的临床表现和治疗方法是有区别的。前些年已经有一些潜在的临床方法,但是这些方法有待进一步验证。目前的药物都是针对自闭症的某一共存症状,如多动、焦虑、睡眠障碍等,尚无有效的针对自闭症核心症状的药物,这主要是因为尚不清楚治疗核心症状的靶点在哪里。基因研究则有助于寻找有效的药理学靶点,为自闭症的药物治疗研究提供理论指导。

二、自闭症的环境因素

目前已经发现很多基因与自闭症密切相关，但是这些基因的特异性不高，有些人虽然携带这些基因，但并未表现出自闭症样的行为。因此，自闭症更大可能是多因素遗传，或只是存在一些易感基因，在与环境中某些因素作用时，诱发了基因表达异常，从而导致个体产生自闭症样的行为。因此，环境因素可能在自闭症的发生过程中起了更大的作用。这里讲的环境不光是指个体出生后的生活环境，也包括孕期母体的疾病、心理状态以及接触到的有害物质等。无论哪种有害因素，都可能扰乱个体发育尤其是大脑发育的进程，从而导致相关的病理变化。正因为致因的多样性，受损伤的大脑部位和程度也不相同，所以自闭症儿童的行为表现出较大的差异，也就是通常说的异质性。为了便于理解，以下按照孕前、产前、围产期、产后四个阶段，分别介绍与自闭症有关的环境因素。

（一）孕前环境风险

孕前指新生命受孕之前，即受精卵形成之前，也就是我们所说的备孕阶段。此阶段，父母的生理因素起决定性作用，比如父母的年龄。此外，影响父母身体的其他因素也发挥着重要作用，如父母的生活习惯、职业等。

1. 父母年龄

父母受孕时的年龄与自闭症的发生有关，母亲和父亲的年龄既可以单独发挥作用，也可以联合发挥作用。当父母双方年龄都较大时，后代发生自闭症的风险最高，而在父母年龄相差悬殊的情况下，风险会进一步增加[1]。

---

[1] Sandin S, Schendel D, Magnusson P, et al. Autism risk associated with parental age and with increasing difference in age between the parents [J]. Molecular Psychiatry, 2016, 21 (5): 693-700.

（1）父亲年龄

父亲的年龄与自闭症显著相关，赫尔特曼（Hultman）的一项研究表明[1]，在控制了一系列有记录的风险因素（包括父母、围产期和社会经济变量以及出生年份）后，结果表明，父亲年龄的增加与后代的自闭症风险之间存在很强的单调上升关系。与年龄在29岁或以下的父亲相比，父亲年龄在30岁以上，后代发生自闭症的风险开始增加；父亲年龄为40~49岁，后代发生自闭症的风险是父亲年龄为29岁或以下的1.42倍（95% CI 1.07~1.87）；父亲年龄在50岁以上，其后代发生自闭症的风险是父亲年龄为29岁或以下的2.21倍（95% CI 1.26~3.88）；父亲年龄在55岁以上，后代发生自闭症的风险则升至是父亲年龄为29岁或以下的4.36倍（95% CI 2.09~9.09）。

关于这种结果的原因，有两种猜测，一种是随着男性年龄的增长，精子中的新突变会增加。男性的精原细胞是形成精子的干细胞，在一生中每隔16天进行一次复制。精子发生*过程中的突变风险会随着年龄的增长逐渐累积，这可以解释为何父亲年龄较大时，精子的突变数量会增加。最近的研究还发现，当自闭症孩子的基因出现新突变时，这些突变通常来自父亲而非母亲，并且与父亲年龄较大有关。另一种可能的解释是，有遗传风险的男性更有可能晚育，这可能是因为他们具有广义自闭症的特征，使他们对人际关系不太感兴趣，或者他们不容易吸引女性。

（2）母亲年龄

母亲年龄与后代发生自闭症的风险之间亦存在关联，考虑到母亲与父亲的生殖细胞不同，其致病机制（至少部分）与父亲导致后代发生自闭症的机制是不

---

[1] Hultman C M, Sandin S, Levine S Z, et al. Advancing paternal age and risk of autism: new evidence from a population-based study and a meta-analysis of epidemiological studies [J]. Molecular Psychiatry, 2011, 16 (12): 1203-1212.

* 精子发生（spermatogenesis），指男性生殖细胞（精原细胞）经过一系列复杂的细胞分裂和分化过程，最终形成成熟精子的生物学过程。

同的。一项元分析研究显示[1]，与 25~29 岁的母亲相比，35 岁以上的母亲生育自闭症孩子的可能性会增加 50%。这些研究在控制了父亲年龄、孩子性别以及其他潜在混杂因素后发现，产妇年龄的影响是相同的。同样值得注意的是，产妇年龄低于平均年龄是一个保护因素，与 25~29 岁的母亲相比，青少年母亲生育自闭症孩子的相对风险（relative risk，简称 RR）为 0.76。高龄产妇带来的风险适用于整个自闭症谱系，包括阿斯伯格综合征和广泛性发育障碍等。

母体的这种年龄效应可能部分源于染色体异常的风险增加。染色体异常既与高龄产妇有关，也与某些自闭症个体有关。母体内的卵圆细胞自出生就存在了，在进入育龄期后，每月成熟一颗卵子，随着年龄的增加，其突变的概率会增加。此外，年长的母亲接触环境毒物的机会会增加，这些毒物可以影响生殖细胞的甲基化，从而影响后代基因的表达，对后代的发育造成影响。

（3）父母年龄的共同影响

父亲和母亲的年龄不仅会产生独立的影响，还会产生相互影响。桑丁等人发现（见图 1-2）[2]，父亲和母亲年龄对自闭症相对风险的共同影响与育儿年龄分布呈反向形式，也就是说，最常见的、大多数的生育年龄，特别是 29~39 岁的父亲和 25~35 岁的母亲，其所对应的是最小的风险。随着父母年龄差异的增加，相对风险从该区域向各个方向增加。此外，对于 40 岁以上的母亲，相对风险以 U 形模式增加，即无论伴侣年龄越小还是越大，风险都会增加。对于 45 岁或以上的父亲，相对风险随着母亲年龄的增长而单向增加。

---

[1] Sandin S, Hultman C M, Kolevzon A, et al. Advancing maternal age is associated with increasing risk for autism: a review and meta-analysis [J]. Journal of the American Academy of Child & Adolescent Psychiatry, 2012, 51 (5): 477-486. e1.

[2] Sandin S, Schendel D, Magnusson P, et al. Autism risk associated with parental age and with increasing difference in age between the parents [J]. Molecular psychiatry, 2016, 21 (5): 693-700.

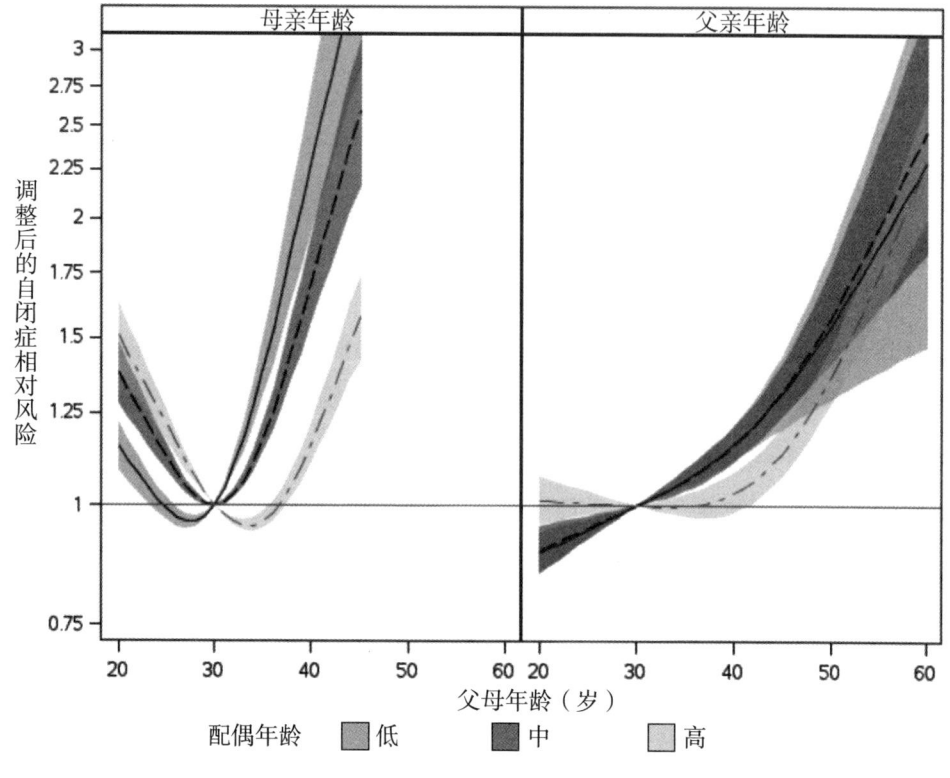

图 1-2 父母年龄对自闭症相对风险的影响

所有的相对风险都是基于父母另一方每个亚组中的年龄（30岁）单独计算的。母亲年龄亚组：低年龄组＜27岁，中年龄组27~31岁，高年龄组＞31岁。父亲年龄亚组：低年龄组＜29岁，中年龄组29~34岁，高年龄组＞34岁。通过调整地点（丹麦、以色列、挪威、瑞典、西澳大利亚）、性别（男性/女性）和出生年份（4年间隔）的普通逻辑回归估算的相对风险结果见图1-2。

此外，在父亲年龄超过45岁的夫妇中，自闭症的风险最高，与母亲年龄无关。其次为父亲年龄35~44岁，母亲至少年轻10岁；母亲年龄30~39岁，父亲至少年轻10岁。在父亲小于45岁、母亲小于40岁的夫妇中，相对风险随着父母年龄差异的增加而增加。

2. 家庭状况

父母的家庭状况（如职业、收入等）与自闭症之间的关系是一个复杂且备受关注的领域。虽然家庭状况不直接导致自闭症的发生，但一些研究表明，一些家庭因素可能与自闭症风险有一定关联。

环境暴露是其中的一个重要因素。某些职业可能将人们暴露于化学物质环境或其他环境，这些因素可能与自闭症的风险有关。例如，某些工业或农业职业可能涉及有毒物质或污染物，这些可能会影响胎儿或婴儿的发育。一项研究发现，由于居住地靠近喷洒农药的田地，怀孕前8周与有机氯农药接触更密切的妇女生育自闭症孩子的可能性要高出数倍[1]。

考虑到家庭状况的经济、社会、教育和心理层面，自闭症儿童及其家庭常常处于不利地位[2]。这主要是由于经济压力、职业压力和心理压力，这些因素使家庭不可避免地面临不健康的生活条件。由于无法获得适当的医疗保健和休闲娱乐，这些家庭成员可能会遭受感染性疾病和身体健康问题。此外，持续的压力和焦虑（例如与配偶的家人同住）可能会给父母，特别是孕妇带来心理紧张，从而增加孩子的自闭症风险[3]。

同时，母亲的孤立以及沟通和社会互动的不畅，可能会对母亲的心理状态产生负面影响，进而影响母亲和胎儿的健康。

多项研究已经评估了父母受教育水平与儿童自闭症风险之间的关系，但得出了不同的结论[4]。一些研究证实，父母的受教育水平较低与自闭症风险增加

---

[1] Roberts E M, English P B, Grether J K, et al. Maternal residence near agricultural pesticide applications and autism spectrum disorders among children in the California Central Valley [J]. Environmental Health Perspectives, 2007, 115 (10): 1482–1489.

[2] Lee L C, Harrington R A, Louie B B, et al. Children with autism: Quality of life and parental concerns [J]. Journal of Autism and Developmental Disorders, 2008, 38: 1147–1160.

[3] Zhang X, Lv C C, Tian J, et al. Prenatal and perinatal risk factors for autism in China [J]. Journal of autism and developmental disorders, 2010, 40: 1311–1321.

[4] Karimi P, Kamali E, Mousavi S M, et al. Environmental factors influencing the risk of autism [J]. Journal of Research in Medical Sciences, 2017, 22 (1): 27.

有关，而其他研究则发现，受过高等教育的父母与自闭症发生率之间存在正相关关系。

因此，虽然家庭状况与自闭症没有直接的联系，但这些因素可能会间接地通过不同的机制增加自闭症风险。为了更全面地了解自闭症的致因，并有效地支持这些家庭，需要进一步研究这些社会和环境因素是如何与自闭症发生相互作用的。

（二）产前环境风险

产前指从受精卵形成至分娩的这段时间。在此期间，单细胞受精卵分化发育成一个包含数十万亿个细胞的胎儿。在发育过程中，细胞的分化与复制速度惊人，机体内外的有害因素极易对发育中的个体造成伤害，有些是不可逆的，尤其是受精卵形成的第 3~8 周，被称为致畸敏感期。

1. 外源性产前环境风险

外源性产前因素指母体接触到的药物、有害物质等。这些物质有些是无法避免的，如母亲服用的抗癫痫药物、感染时服用的抗生素等，有些是无意接触到的环境毒物，如环境中的铅、杀虫剂等。

（1）丙戊酸钠

丙戊酸钠是一种常用的治疗癫痫、躁郁症的药物。它被广泛地使用，有研究发现，20% 的癫痫孕妇会服用丙戊酸钠。然而，孕期使用丙戊酸钠可能会增加胎儿先天畸形和神经发育障碍的风险，包括自闭症风险。研究发现，宫内暴露于丙戊酸钠的婴儿有 10% 的概率在出生时存在先天性畸形，并且存在发育迟缓、语言问题和执行功能受损的风险。一些临床观察结果显示，宫内丙戊酸钠暴露与自闭症之间可能存在关联，在怀孕期间使用丙戊酸钠导致后代发生自闭症的风险显著增加。

医学研究中广泛使用的小鼠自闭症模型，就是在孕鼠孕 12.5 天的时候，单次注射大剂量的丙戊酸钠，便模拟出新生鼠的典型自闭症模型，新生鼠表现出刻板行为和重复行为增加、对疼痛敏感性降低、探索性活动减少、社会交流行为减少等典型行为异常。利用该模型，研究者还揭示了一些可能的表观遗传机制。丙戊酸钠可能会影响中枢神经系统发育的基本过程，尤其是在早期阶段。它还可能会抑制组蛋白的去乙酰化，影响基因的转录。此外，丙戊酸还能抑制大脑 DNA 的去甲基化，扰乱 Wnt/β-catenin 信号传导通路。该信号传导通路是早期神经发育的重要调控因子。

（2）选择性 5- 羟色胺再摄取抑制剂

选择性 5- 羟色胺再摄取抑制剂（selective serotonin reuptake inhibitors，简称 SSRIs）是一种常用的抗抑郁药物。据报道，有 7%～13% 的孕妇会出现抑郁症，SSRIs 是最常使用的药物。在英国，有 4% 的孕妇在怀孕期间使用 SSRIs。在美国，这一比例为 5%～10%。SSRIs 可以穿过胎盘屏障，而血清素在胎儿早期大脑发育过程中发挥重要作用。因此，宫内接触 SSRIs 可能对发育结果产生潜在影响，包括导致自闭症[1]。一项纳入了四篇高质量对照研究的元分析发现，母亲孕期使用 SSRIs 与孩子日后被诊断为自闭症之间存在显著相关[2]。然而，也有研究发现，SSRIs 与自闭症之间的关系不显著。因此，还需要进一步的研究来确定宫内接触 SSRIs 是否会对自闭症产生影响。值得注意的是，即使存在这种风险，风险也是相对较小的。

（3）有毒化学物质

多种有毒化学物质会对胎儿神经发育产生有害影响，尤其是在妊娠头三个月。这些化学物质包括重金属（如铅、甲基汞、砷、锰）、酒精和化学杀虫剂（如

---

[1] Mandy W, Lai M C. Annual Research Review: The role of the environment in the developmental psychopathology of autism spectrum condition [J]. Journal of Child Psychology and Psychiatry, 2016, 57 (3): 271–292.

[2] Man K K C, Tong H H Y, Wong L Y L, et al. Exposure to selective serotonin reuptake inhibitors during pregnancy and risk of autism spectrum disorder in children: a systematic review and meta-analysis of observational studies [J]. Neuroscience & Biobehavioral Reviews, 2015, 49: 82–89.

多氯联苯、有机磷、滴滴涕）。前瞻性研究与回顾性研究发现，与儿童自闭症风险增加有关的化学物质包括杀虫剂、邻苯二甲酸盐、多氯联苯、溶剂、有毒废料、空气污染物和重金属。由于人类在生活中接触到的化学物质非常多，各种干扰因素错综复杂，故这类研究的可靠性会受到一定的限制。

有研究对空气污染、硫柳汞（乙基汞）、无机汞和头发中的重金属水平进行了分析。一项元分析发现[1]，空气污染与自闭症的风险之间存在微小但显著的关联，相较于小于10微米的空气颗粒物，小于2.5微米的颗粒物带来的风险要更大，不过不同的研究结果存在差异。另一项元分析发现[2]，儿童硫柳汞暴露与自闭症之间无明显相关，但是无机汞暴露水平越高，发生自闭症的风险越大。这表明早期接种疫苗所接触到的汞不会增加自闭症的风险，但环境中的无机汞暴露可能与自闭症风险增加有关。一项比较自闭症个体和对照组个体头发中重金属浓度的研究发现[3]，头发中的汞、铜、镉、硒和铬含量与自闭症没有关联。然而，该研究分析发现，自闭症个体头发中铅的含量明显高于对照组。有关暴露于有毒物质的研究虽然存在一些限制，但已经取得了一定的进展，并且在某种程度上支持环境毒素与自闭症之间的关联。然而，不同研究的结果并不一致，仍需要更多的研究来进一步验证假设。

2. 内源性产前环境风险

除了外源性因素外，内源性产前环境风险因素也不能忽视。内源性风险因素源于胎儿的宫内环境。宫内环境会对胎儿的发育产生重要的影响，包括发生

---

[1] Lam J, Sutton P, Kalkbrenner A, et al. A systematic review and meta-analysis of multiple airborne pollutants and autism spectrum disorder [J]. PloS One, 2016, 11 (9): e0161851.

[2] Yoshimasu K, Kiyohara C, Takemura S, et al. A meta-analysis of the evidence on the impact of prenatal and early infancy exposures to mercury on autism and attention deficit/hyperactivity disorder in the childhood [J]. Neurotoxicology, 2014, 44: 121–131.

[3] De Palma G, Catalani S, Franco A, et al. Lack of correlation between metallic elements analyzed in hair by ICP-MS and autism [J]. Journal of Autism and Developmental Disorders, 2012, 42: 342–353.

自闭症的风险，虽然这对胎儿来讲是环境，但却是母子遗传倾向的产物，能影响基因的表达，进而决定发育的方向。因此，我们将此看作"母体—胎儿—胎盘单位"。主要的影响因素包括代谢类疾病、高血压、免疫反应等。

（1）肥胖/代谢异常

美国的一项研究表明，孕前严重肥胖的母亲所生的孩子出现不良发育结果的风险会增加，包括自闭症和一系列其他疾病，如发育迟缓、多动症和社会心理问题。一项元分析显示[1]，与体重正常的母亲相比，肥胖母亲的后代发生自闭症的风险更高。母亲的代谢状况，尤其是孕期代谢状况异常（即肥胖、原有2型糖尿病或有妊娠期糖尿病），其后代发生自闭症的风险会增加。母体代谢因素究竟如何影响后代非典型神经发育的风险，目前尚不清楚，但宫内类固醇的调节可能是一种常见的生化途径。在胚胎发育的敏感期，宫内的类固醇激素可以直接影响胎儿的基因转录和表达。在非自闭症个体中，产前睾酮水平与儿童自闭症样的行为和认知特征相关，并对儿童大脑结构组织和情绪处理能力有长期影响。丹麦的一项研究发现[2]，产前类固醇激素生成活性的增加会导致男孩更容易发生自闭症。此外，瑞典的研究者对23748例自闭症个体和208796名对照组个体进行了研究，自闭症个体与对照组个体的出生年月、性别和出生地相匹配，结果表明，在校正了母亲年龄、父亲年龄、父母精神病史、家庭收入、父母教育和母亲的出生国以后发现，母亲多囊卵巢综合征会显著增加后代发生自闭症的风险。当母亲同时有多囊卵巢综合征和肥胖时，后代发生自闭症的概率更高[3]。总体而言，越来越多的证据表明，产前激素环境的变化与自闭症之间存在显著

---

[1] Jo H, Schieve L A, Sharma A J, et al. Maternal prepregnancy body mass index and child psychosocial development at 6 years of age [J]. Pediatrics, 2015, 135 (5): e1198-e1209.

[2] Atladottir H O, Schendel D E, Parner E T, et al. A descriptive study on the neonatal morbidity profile of autism spectrum disorders, including a comparison with other neurodevelopmental disorders[J]. Journal of Autism and Developmental Disorders, 2015, 45: 2429-2442.

[3] Kosidou K, Dalman C, Widman L, et al. Maternal polycystic ovary syndrome and the risk of autism spectrum disorders in the offspring: a population-based nationwide study in Sweden [J]. Molecular Psychiatry, 2016, 21 (10): 1441-1448.

相关。由于类固醇激素与生物性别分化高度相关，因此它们可能是男性自闭症发生率高于女性的原因。

（2）免疫反应

孕期母体感染和免疫反应也被发现与自闭症的风险增加相关。早在20世纪70年代，孕早期风疹感染就被证实会增加自闭症的风险，并与先天性风疹综合征的其他特征表现相关。其他病毒感染也与自闭症有类似的关联。丹麦的一项出生队列研究[1]显示，孕早期母体感染病毒可预测后代自闭症的发生。此外，孕期母体感染并住院治疗，无论是细菌感染、病毒感染还是其他未知感染，都会增加后代发生自闭症的概率。孕期多次感染也与自闭症风险增加有关。这些与母体感染相关的风险可能是由其诱发的免疫反应介导的。虽然后代发生自闭症或发育迟缓的风险与孕期母体暴露于流感病毒无关，但两者都与孕期母体发热有关。另外，母体自身免疫性疾病与自闭症和发育迟缓的风险增加有关，高水平的炎症标志物与后代被诊断为自闭症的风险增加相关。除此之外，自身免疫性甲状腺疾病、糖尿病、银屑病和风湿性关节炎的家族史也与后代发生自闭症的风险有关，风险增加了49%~64%。

免疫失调在自闭症发病中可能起着核心作用。这些内源性环境因素可能与基因的相互作用有关。例如，维甲酸相关孤儿受体（retinoic acid Receptor-related orphan receptor alpha，简称RORα）是自闭症的一个风险基因，它通过性激素和雌激素受体的反馈回路来调节性类固醇激素，RORα表达失调（如缺乏）可影响宫内性类固醇激素环境（如高雄激素），进而影响胎儿的神经发育。总的来说，孕期引发的母体免疫反应可能是自闭症风险增加的一个重要因素，其具体机制有待进一步的研究。

---

[1] Atladóttir H Ó, Thorsen P, Óstergaard L, et al. Maternal infection requiring hospitalization during pregnancy and autism spectrum disorders [J]. Journal of autism and developmental disorders, 2010, 40: 1423-1430.

（三）围产期风险

围产期一般指从怀孕28周到产后1周这段时间。围产期的多种因素都会对胎儿的一生产生重要的影响，尤其是分娩过程中的一些因素。有些影响因素会产生直接影响，有些会产生间接影响，但是特异性都不高——既可能导致自闭症，也可能引起其他发育障碍。常见的风险因素（如新生儿贫血、胎粪吸入、产伤和极低出生体重等）以及与缺氧有关的围产期风险因素与自闭症风险的增加相关。

氧气对大脑发育非常重要，缺氧会对发育中的大脑造成损害，从而增加自闭症的发生率。携带自闭症易感基因的新生儿可能对低氧环境更为敏感，从而面临更高的自闭症风险。需要注意的是，只有少数围产期风险因素被证明是自闭症的特异性风险因素。许多与自闭症相关的围产期风险因素也是导致智力障碍等其他神经发育障碍的风险因素。因此，围产期风险因素可能既是自闭症风险增加的因素，也是导致其他神经发育障碍的风险因素（如多动症、智力障碍、癫痫和脑性瘫痪）。

（四）产后风险

关于产后风险因素，有些是自闭症发病的潜在因素，有些会影响自闭症症状和发展趋势，需要进行区分。自闭症一般在出生后第二年就会表现出明显的外显特征，因此，出生后的风险因素往往在第一年就产生了明显的影响。之后的风险因素可能会加重行为的严重程度，影响自闭症的发展和预后。

亲子互动是指父母和子女间的相互交往活动，具有血缘性、亲情性和长期性等特点。亲子互动对婴儿的早期发展具有深远的影响，不仅影响他们的情感、认知、身体和大脑发育，还影响他们解决问题和处理生活挑战的能力。因此，提供丰富的亲子互动对婴儿的早期发展至关重要。然而，社会环境特征，如照护者与婴儿之间的互动，可能在自闭症易感性和表型之间起到部分中介作用。在婴儿出生后的第一年或数年，可能出现自闭症早期征兆，包括社交减少的倾向，这可能扰乱婴儿与照护者之间的社交互动，增加自闭症障碍的风险。有证据支持遗传环境相关性模型，即自闭症的遗传风险会影响婴儿对环境的体验，并影响环境本身，促进更多自闭症表型的出现[1]。然而，目前对于自闭症早期症状的研究还不足以最终证实或否定这种模式。婴儿在社交参与和与照护者互动方面的非典型特征可能只是自闭症的早期标志，而不会真正影响自闭症表现。

格林（Green）等人研究了一种称为"促进积极养育的视频干预"（iBASIS-video interaction to promote positive parenting，简称 iBASIS-VIPP）的方法[2]，旨在帮助父母适应孩子的沟通风格，以提高父母的敏感度。在一项规模相对较小但严格执行的随机对照试验（randomized controlled trial，简称 RCT）研究中，将 iBASIS-VIPP 与无治疗方法进行比较。研究结果显示，iBASIS-VIPP 对父母的教养方式产生了显著的影响，他们变得更有技巧，然而，婴儿出现自闭症早期症状的趋势变得不那么显著。这些发现需要在更大规模和更有力量的试验中进行详细阐述，并在幼儿期和儿童早期进行跟踪，以进一步了解治疗效果的大小、意义和持续性。尽管如此，格林等人关于早期干预的初步研究结果与以下观点一致：照料者与婴儿的关系可能会对有较高自闭症遗传易感性的儿童形成完整自闭症表型的风险产生一定的影响。

总之，自闭症的致因有多种，不同的个体可能涉及不同的环境风险因素，也可能携带不同的易感基因，基因与环境因素之间复杂的相互作用导致自闭症的发生。因此，自闭症的发生既有必然性，又有偶然性，就像我们看到的，同一对父母的两个孩子，有的两个都是自闭症，有的只有一个是自闭症。笔者见过一

---

[1] Mandy W, Lai M C. Annual Research Review: The role of the environment in the developmental psychopathology of autism spectrum condition [J]. Journal of Child Psychology and Psychiatry, 2016, 57 (3): 271-292.

[2] Green J, Charman T, Pickles A, et al. Parent-mediated intervention versus no intervention for infants at high risk of autism: a parallel, single-blind, randomised trial [J]. The Lancet Psychiatry, 2015, 2 (2): 133-140.

对同卵双胞胎，他们在出生早期均存在类似自闭症的交流障碍。然而在3岁后，情况发生了显著分化：其中一名儿童发育正常，学业表现优秀，在班级中名列前茅；而另一名儿童则至今未发展出功能性语言，被确诊为典型自闭症。我们在面对自闭症儿童时，一定要分析致因和伴随症状，尽管很难去分辨这两者谁是因、谁是果，但是可以帮助我们更好地理解儿童本身。从这些伴随症状入手，不是要治愈自闭症，而是去改善自闭症儿童的生活质量。

第三节 自闭症的症状

自闭症的致因具有多样性，不能将其作为诊断标准。诊断自闭症，主要是以个体的行为表现尤其是核心行为作为诊断依据。从坎纳首次描述自闭症以来，关于自闭症行为表现的描述不断变化，与之相应的是诊断标准不断完善。在过去几年里，专家和家长倡导用"自闭症谱系障碍"（autism spectrum disorder，简称ASD）替代"自闭症"（autism），因为这是一个更直接的术语。有人认为，"自闭症谱系障碍"这一术语反映了自闭症是最典型的核心综合征，在该谱系中，自闭症共同的核心症状是社交障碍、沟通障碍、重复和受限的行为等；非核心障碍表现多样，彼此之间差异很大。本节将自闭症的行为表现分为核心症状和非核心症状，分别进行介绍。

一、自闭症的核心症状

美国《精神障碍诊断与统计手册》第五版（DSM-V）总结了自闭症核心症状的五个方面[1]。

一是在社会交往和社会互动层面有持续性缺陷。暂时或既往表现出以下情况：

（1）在社交及情感交互方面有缺陷。比如，社交方法不正确和无法展开正常交流，较少的兴趣、情绪或情感分享，无法主动开始或回应社交互动。

（2）用于社交互动的非语言交流表现有缺陷。比如，语言及非言语交流的整合能力差，眼神对视或肢体语言存在异常，对身体语言应用的理解力差，缺乏面部表情和非语言交流。

（3）在发展、维持和理解社会关系上有缺陷。比如，不会根据不同的社交情境调整行为，合作、想象性游戏或交朋友存在困难，对同龄人无兴趣。

二是重复和受限的行为方式、兴趣、活动。暂时或既往表现出下述至少两项：

（1）刻板或重复的动作、物体使用情况或语言（比如简单的刻板动作，将玩具排列成行或拍击，自言自语，特殊用语）。

（2）对同一性的坚持，对常规的固执，或在语言/非语言行为上存在仪式化的情况（比如对微小改变极端痛苦，过渡转换困难，思维方式僵化，打招呼具有仪式化的程序，每天需要行走同样的路线或进食相同的食物）。

（3）高度受限、固定的兴趣，在强度或注意点上不同寻常（比如，对特别事物的强烈依恋或全神贯注，过度局限或兴趣执着）。

（4）对感觉输入具有高反应性或低反应性，或在感觉方面对环境存在异常兴趣（比如，对痛觉/温觉明显不在意，对特定声音或质地存在不良反应，过多

---

[1] American Psychiatric Association D, American Psychiatric Association. Diagnostic and statistical manual of mental disorders: DSM-V [M]. Washington, DC: American Psychiatric Association, 2013.

地嗅或触摸物品，对光线或运动的物体着迷）。

三是以上症状在早期发育阶段就出现（但可能不会完全表现出来，直至社交需求超过其有限的能力，或可能在晚期阶段被习得的应对策略掩盖）。

四是以上症状已经在社交、职业或其他重要功能方面导致明显的损害。

五是难以用智力障碍或广泛性发育障碍来解释这些症状。智力障碍常和自闭症谱系障碍同时发生。作出智力障碍及自闭症谱系障碍的共病诊断时，个体的社会交往能力低于一般发育水平。

核心症状是自闭症诊断的主要依据，包括社交功能受损、语言交流障碍以及兴趣范围狭窄等。《精神障碍诊断与统计手册》（DSM-V）将前两者合并，统称为在社会交往和社会互动等多个层面存在持续的缺陷。

（一）社交障碍

社会交流的基础从出生开始就存在了，新生儿更喜欢看周围人的面孔而不是其他身体部位，他们更喜欢照护者而不是陌生人。9~12个月大的婴儿发展出其他社会交流技能，如眼神交流、面部表情、手势和声音的使用。沟通本质上就是社交：它要求人们能够以适当的方式分享个人的感受或想要表达的内容，并能够理解和回应他人的感受或言论。在普通人群中，沟通障碍可能涉及语言问题，但不涉及社交互动问题。然而，自闭症儿童在社交环境中的沟通存在着特殊挑战。

当坎纳在1943年写下关于自闭症的第一篇论文时，描述了他所观察到的孩子们在社交沟通方面的许多问题。例如，他注意到孩子们没有眼神接触或不会回答问题，并且倾向于被迫交流。从那时起，语言和沟通障碍始终是自闭症定义的一部分，但并不是诊断的唯一标准。随着研究人员对自闭症儿童语言发展的了解越来越多，对语言和社交互动是否作为单独问题还是伴随问题的观点已经多次发生变化。几十年来，关注点一直放在重度自闭症的个体身上，他们可能只有很少的词汇，很少主动互动，几乎不作出回应。因此，自闭症诊断要求在对话能力方面有明显的损害。但临床医生开始意识到，自闭症儿童可以具备较强的口头表达能力。最初，这些人似乎在社交沟通方面没有任何问题，但过去十年的研究表明，他们在沟通方式上常常被认为是"笨拙的"，并且比同龄典型人群更容易出现语言错误。最新的观点认为，语言是社交沟通的组成部分，而整体上，社交沟通对许多自闭症儿童来说是一个长期的问题。

自闭症儿童在社交沟通方面最常见的问题是在口头和非口头交流技能方面面临一系列挑战，包括语法、正确使用代词以及对他人的言语作出回应。沟通的某些非语言方面的差异，如面部表情和语速，可能解释了他们被认为交流"笨拙"的原因。

自闭症个体之间的沟通存在巨大的差异。尽管如此，自闭症人士在沟通时有两个方面的问题比较突出，即语用和韵律。语用是指在社交情境中适当使用语言。例如，能够在对话中持续话题并轮流发言，提出适当的问题，并在相应的场合使用适合的语调（例如，在教室里发出较轻的声音，在游乐场上发出较大的声音）。许多自闭症疗法针对这些技能进行具体训练。韵律是言语的节奏，涵盖了口语和非口语沟通的各个方面。韵律通过口语和其中的间隙传达信息。例如，上升的音调可以表示疑问。韵律还能传递情感，可以是积极的、消极的或中性的情感，这取决于说话的方式。韵律是让听者意识到差异的因素。韵律的问题可能各不相同。有些人说话单调，而其他人则夸张地使用高低音调，以至于听者觉得他们的语言不自然。

临床医生正在努力改进基于语用学的治疗方法，因为它对多数自闭症个体都具有广泛的作用。一些研究人员专注于识别更微妙的社交沟通问题，即使对于具有良好语言和认知能力的个体，这些问题也使得互动具有挑战性。利用新的声学分析和动作捕捉技术可以对声调等变量进行详细测量，并对构成面部表情的微小动作进行测量。自闭症个体与非自闭症个体之间的沟通是一个双向问题。自闭症个体可能面临沟通挑战，亲友应更多地接纳他们在表达方式上的差异，以便更好地与他们交流。

（二）重复和受限的行为

重复和受限的行为（repetitive and restricted behaviors，简称RRBs）是自闭症的共同特征。重复的行为可能包括反复摇晃身体或反复地打开和关闭抽屉。受限的行为，现在通常称为固定的兴趣，可能包括对特定的活动、对象或主题有强烈的关注。典型发育（typical development，简称TD）儿童在早期发育过程中也可能会表现出一些仪式性的、重复的行为。重复的行为在典型发育的学步儿中比学龄前幼儿更常见。在婴儿发育早期，刻板行为被认为是中枢内在运动程序的一种表现。典型发育儿童的重复行为可能随着年龄的增长而减弱。然而，自闭症儿童的重复和受限的行为随年龄增长而持续或加重。

重复的行为和固定的兴趣在DSM-V中被描述为自闭症的特征。这些行为通常被描述为无目的、强迫性的、高度选择性和不变的。专家称这些行为是"刻板"的，是"持续的言语"。不同类型的持续和重复在其他障碍/疾病中也会出现。刻板行为指一种行为的持续重复，持续的言语指持续重复之前已经说过的单词、短语或短句。学界对此有不同的看法，认可度比较高的是博德菲什（Bodfish）等人开发的六因素模型[1]，即刻板行为、自残行为、强迫行为、仪式行为、相同行为和受限的行为。拉姆（Lam）等人将仪式行为和相同行为合并，开发了五因素模型，并证明比原始的量表有更好的稳定性和重复性[2]。

在自闭症中，重复的行为和固定的兴趣可能因人而异。对一些人来说，他们一遍又一遍地说或谈论同样的事情，可以包括背诵电视剧本，或者连续多次问同样的问题。对另一些人来说，可以包括身体动作，如重复的摇摆或拍打。对于更严重的自闭症，刻板的行为可能是危险的，比如撞头。一些自闭症人士经常出现重复的行为，而另一些人只是在压力、焦虑或不安时才会出现。即使

---

[1] Bodfish J W, Symons F J, Parker D E, et al. Varieties of repetitive behavior in autism: Comparisons to mental retardation [J]. Journal of autism and developmental disorders, 2000, 30: 237-243.

[2] Lam K S L, Aman M G. The Repetitive Behavior Scale-Revised: independent validation in individuals with autism spectrum disorders [J]. Journal of autism and developmental disorders, 2007, 37: 855-866.

是非自闭症人士，当他们被要求停止或改变某种行为时，也可能会变得恼火，但自闭症人士可能会对这种要求作出极端的反应。

重复的行为并不是自闭症人士独有的。大多数人都有一些这样的行为。常见的表现形式如强烈地"需要"看同样的电视节目或体育赛事、强迫症、洁癖、抖腿等。对于某些自闭症人士来说，这些行为的确不存在任何问题，因为他们和其他人一样，只会在压力情况下出现，且不会引起他人注意。这种重复、刻板的行为有时也有一定的好处，它可以使人专注于某件事情，成为兴趣甚至是特长。然而，对许多自闭症人士来说，重复的行为和固定的兴趣不仅扰乱了他人，而且阻碍了他们与外界的交流。

自闭症为什么表现出重复和受限的行为？有很多研究者从不同的角度进行解释，这些解释可能使我们对自闭症的重复和受限的行为有更深的认识。在早期阶段，蒂尔内（Turner）认为，重复和受限的行为是由执行功能（executive function）障碍引起的[1]。执行功能在人出生后第一年末开始发育，并在 2～5 岁时迅速发展，这与重复和受限的行为随年龄的变化是一致的。大量研究证实，重复和受限的行为水平的升高与自闭症儿童和典型发育儿童的执行功能障碍密切相关，如定势转换、抑制性控制、认知灵活性和工作记忆。另一种观点认为，执行功能受损是重复和受限的行为的另一种表现，而不是导致重复和受限的行为的原因。例如，抑制控制和定势转移的受损似乎与"高阶"重复和受限的行为（以程序性和仪式性行为模式为特征的"高阶"重复和受限的行为，坚持同一性、抗拒变化、重复的语言和有限的兴趣）更相关，这表明我们可以通过不同的视角看待相同的普遍现象。

强化理论认为，生物体会被激励去寻求奖励刺激（例如愉快的经历或积极的结果）或实现特定的目标，这增加了重复特定行为的频率。这个过程被称为强化。自闭症儿童表现出社会动机减弱和对非社会刺激的偏好。非社会刺激

---

[1] Turner M. Annotation: Repetitive behaviour in autism: A review of psychological research [J]. The Journal of Child Psychology and Psychiatry and Allied Disciplines, 1999, 40 (6): 839–849.

和社会刺激之间的动机失衡反映了奖励系统的功能障碍,这可能是限制性兴趣(重复和受限的行为的一种亚型)的神经生物学基础。影像学研究显示,与奖励系统相关的腹内侧前额叶皮质(ventromedial prefrontal cortex,简称 vmPFC)—腹侧纹状体(ventral striatum,简称 VS)—杏仁核回路在自闭症儿童中功能失调,并在一定程度上导致其奖励反应异常。纹状体区域的激活随着自闭症儿童兴趣的限制而增加。科尔斯(Kohls)等人报道,与典型发育儿童相比,自闭症儿童的奖励系统对其受限兴趣的反应强于社交奖励[1]。

重复和受限的行为也与学习的习惯化有关,习惯化是指由于刺激重复发生而无任何有意义的结果致使个体对这种刺激(例如警报、防御、攻击)的自发反应减弱或消失的现象,而这种减弱不是由感觉神经的适应或运动疲劳引起的。例如,重复的情感和面部表情刺激导致自主神经系统和杏仁核反应的习惯化。此外,习惯化反过来又有助于儿童从熟悉的事物中分出精力来更多地关注未知事物,从而促进儿童的学习和对环境变化的适应性反应。目前的研究发现,自闭症儿童也存在异常习惯化。由于对正常感觉信号输入的异常习惯化,自闭症儿童对环境刺激表现出异常的高反应性。自闭症儿童的感觉皮质和杏仁核对刺激的习惯性减弱,表明这种过度反应是由于未能适应对环境刺激的过度反应,与负面情绪反应(如焦虑)和对环境的高度不确定感知有关。此外,焦虑和重复和受限的行为之间存在明显的相关性。重复和受限的行为在缓解焦虑方面发挥着潜在作用,焦虑是重复行为的内在动机。因此,我们推测,重复和受限的行为可能会减少由感觉过度反应和环境不确定性引起的一些不愉快情绪反应。

二、非核心症状

自闭症儿童除了社交障碍、刻板重复行为以及兴趣狭窄等核心症状外,还

---

[1] KOHLS G, ANTEZANA L, MOSNER M G, et al. Altered reward system reactivity for personalized circumscribed interests in autism [J]. Molecular Autism, 2018, 9 (1): 9.

常常伴随很多非核心症状，如感觉异常、胃肠道疾病、睡眠障碍等。这些非核心症状不仅会影响自闭症儿童的生活质量，也可能加重其核心症状，甚至可能引起自闭症，如肠漏综合征就被推测为自闭症的潜在影响因素。

（一）感觉异常

感觉问题在自闭症儿童中很常见，甚至在自闭症谱系障碍的诊断标准中也有提及。自闭症儿童可能的敏感因素有光线、声音、气味、碰触、前庭刺激和本体觉刺激等。自闭症儿童会对各种刺激产生超敏反应（过反应性）和低反应性（反应性不足），多数人是两者兼而有之。许多自闭症儿童对明亮的光或特定波长的光（如LED或荧光灯）敏感，对某些声音、气味、纹理和味道也可能是不堪忍受的，这可能会导致感官回避，导致他们试图远离普通人习以为常的刺激。感官回避常表现为远离身体接触，遮住耳朵以避免听到噪声或不可预测的声音，或者不穿某种面料的衣服。低敏感性也很常见，常表现为对运动的持续需要，难以识别饥饿、疾病或疼痛等感觉。低敏感的人会从环境中寻求更多的感官刺激，获得感官输入。例如，自闭症儿童可能会通过制造噪声、触摸人或物体，或来回摇晃身体等刺激自己的感官。

如果对某些类型的感官输入有过高的敏感性，在学校、工作或社区等日常环境中就会面临诸多挑战。对于超敏的人来说，整天处于LED灯或荧光灯下，在拥挤的空间里穿梭，或者在嘈杂的房间里聊天都需要很多精力。这可能会让人感到身心疲惫，无法安心做其他重要的任务。许多自闭症儿童将刺激作为一种寻求感官输入的方式，以保持感官系统的平衡。重复的动作、发出声音或"坐立不安"可以帮助自闭症儿童保持冷静，缓解压力或阻止不舒服的感官输入。然而，在某些情况下（比如工作场所），持续的运动会不合适或具有破坏性，所以自闭症儿童经常需要抑制他们的刺激。在这种情况下，自我调节就会变得越来越困难，导致感官超负荷、疲惫或倦怠。当强烈的感官刺激超过了自身的应对能力时，就会发生感官超载，这可能由单一事件触发，比如意外的噪声，也可能是由日常环境中的刺激太多而超出了本身的负荷引起。感官超载就像感受到强烈的焦虑时需要逃避一样,当大脑必须将所有的资源投入到感官处理时,它可以关闭其他功能,如语言、决策和信息处理。

自闭症儿童在感觉异常时通常会表现出以下行为中的一种或几种:(1)运动增加,如跳跃、旋转或撞向物体;(2)寻求刺激,如拍手,发出重复的噪声或来回摇晃;(3)说话更快、更大声,或者根本不说话;(4)捂住耳朵或眼睛;(5)难以识别的内部感觉,如饥饿、疼痛或需要使用浴室;(6)拒绝或坚持吃某些食物或穿某些衣服;(7)经常咀嚼非可食用物品;(8)经常触碰到他人或动作粗暴;(9)情绪崩溃或者逃跑。

(二)胃肠道疾病

胃肠道疾病是自闭症最常见的共病之一,自闭症儿童有胃肠道疾病的风险显著高于非自闭症儿童,不同研究中的发生率差异较大。一项详尽的元分析表明[1],自闭症儿童出现胃肠道问题的可能性是非自闭症儿童的4倍以上。尽管胃肠道疾病很普遍,但常常被忽视。有研究发现,胃肠道疾病与自闭症的严重程度呈正相关[2]。在自闭症儿童报告的胃肠道问题中,最常见的是慢性便秘、腹泻和腹痛。此外,常见的症状还包括胀气、恶心、呕吐等。

胃肠道症状常令人痛苦、沮丧和烦心,普通儿童在经历胃肠道疾病(如胃痛和便秘)时也可能会出现负面行为。自闭症儿童由于缺乏解释自己疼痛或不适的能力,因此在外在行为上"表现出来"成为他们唯一的选择。胃肠道症状会导致消极行为、注意力不集中和其他通常与自闭症有关的行为问题。因此,治疗

---

[1] McElhanon B O, McCracken C, Karpen S, et al. Gastrointestinal symptoms in autism spectrum disorder: a meta-analysis [J]. Pediatrics, 2014, 133 (5): 872-883.
[2] Wang L W, Tancredi D J, Thomas D W. The prevalence of gastrointestinal problems in children across the United States with autism spectrum disorders from families with multiple affected members [J]. Journal of Developmental & Behavioral Pediatrics, 2011, 32 (5): 351-360.

胃肠道症状可以在一定程度上改善自闭症儿童的行为、学习和社交技能。

大量研究发现[1]，自闭症儿童表现出肠道微生物群的失调或构成的改变。尽管与普通儿童相比，自闭症儿童体内发生改变的微生物的具体种类在不同的研究中有所不同，但三项采用不同方法的研究报告称，自闭症儿童肠道内梭状芽孢杆菌的数量显著升高。越来越多的证据表明，共生微生物组成的变化可以改变复杂的行为，包括焦虑样行为、情绪或抑郁行为以及运动活动等。微生物群的变化是否会导致自闭症症状的发展尚不清楚。在自闭症儿童的尿液中检测到梭状芽孢杆菌的代谢物对甲酚以及其他各种细菌的代谢物的含量显著增加，这表明自闭症儿童的肠道菌群失调、肠道渗透性和代谢功能障碍之间可能存在相互作用。因此，采用粪便微生物移植的方法来改善自闭症的症状越来越受到研究者的重视。

（三）睡眠障碍

许多自闭症儿童和青少年有睡眠问题，这给孩子和照护者带来了诸多困扰[2]。《科学美国人》（American Scientist）的一篇报道称，"至少有50%的自闭症儿童难以入睡，而对其家长的调查显示，这个比例可能超过80%"，而对于典型发育儿童，其比例从1%到16%不等。有些儿童很难入睡和保持睡眠，或者早醒后很难重新入睡。如果儿童有重复和受限的行为（摇晃、拍手）、焦虑或感官问题，那么睡眠问题会更常见，并可导致注意力不集中，感到不安，会生气和发脾气。电视节目或网络游戏很可怕或很暴力，可能导致自闭症儿童有更多的睡眠问题。所有自闭症儿童和青少年都应该检查是否有睡眠障碍，询问其关于就寝时间、休息时间以及就寝习惯的具体问题。父母可以学习如

---

[1] Madra M, Ringel R, Margolis K G. Gastrointestinal issues and autism spectrum disorder [J]. Child and adolescent psychiatric clinics of North America, 2020, 29 (3): 501–513.

[2] Gail Williams P, Sears L L, Allard A M. Sleep problems in children with autism [J]. Journal of Sleep research, 2004, 13 (3): 265–268.

何帮助孩子改善睡眠，比如减少玩电脑或电子游戏的时间。

自闭症儿童失眠的具体原因尚不清楚。一些可能的（但未经证实的）理论包括：（1）遗传学。自闭症的遗传原因本身可能会对自闭症儿童入睡、保持睡眠和觉醒的能力产生一定的影响。（2）感觉问题。大多数自闭症儿童对感官输入反应过度，这也许会导致他们更难入睡，因为他们不能轻易屏蔽干扰他们的噪声和其他感觉问题。（3）褪黑素缺乏。一些研究表明，自闭症儿童在夜间产生的褪黑素（一种与睡眠相关的激素）比普通儿童要少。（4）身体或精神疾病。除了直接影响睡眠的因素外，许多自闭症儿童还有其他可能影响睡眠的身体和精神疾病，如睡眠呼吸暂停、胃酸反流、癫痫发作、强迫症、多动症和焦虑症等，这些都会使入睡更加困难。

自闭症儿童常伴发多种生理或心理疾病，这给他们的生活带来了很多困扰，也会对他们的行为产生很大影响。家长或教师在遇到这些日常行为问题时，如果能先从他们的生理和心理特征考虑，那么一定能为有效地干预其问题行为提供有益的指导，同时能减少由于沟通不畅给自闭症儿童带来的二次伤害。

第二章
自闭症儿童的保健理论

健康是指一个人在身体、精神和社会等方面都处于良好状态。健康包括多个方面:(1)躯体健康。人体主要脏器无疾病,身体形态发育良好,体形均匀,人体各系统具有良好的生理功能,有较强的身体活动能力和劳动能力。(2)心理健康。人的内心世界丰盈充实、和谐安宁,始终保持良好的心理状态,并与周围环境保持协调。(3)社会适应良好。个人和社会相协调,即社会适应能力强。(4)道德健康。不仅关注个体的身心健康,也强调对他人的尊重,行为符合道德规范。此外,世界卫生组织提倡健康生活方式包括以下四个核心原则:均衡饮食、规律运动、避免烟草和限制酒精。随着我国社会的发展,物质生活和卫生医疗水平的提高,加之近些年来家庭平均子女数量普遍偏少,儿童的健康状况受到家庭的广泛关注。然而,家长们关注最多的是孩子的躯体健康,而对心理健康和社会适应等方面,家长的关注度则偏低。正确认识健康的内涵,有助于运用合适的方式促进儿童的健康。

第一节 自闭症儿童保健的内涵

截至目前,尚没有治愈自闭症的有效方法。自闭症儿童常伴有多种生理疾病和心理疾病,并在社会适应上存在障碍,因此,自闭症儿童存在较多的健康问题,有较大的保健需求。在实际生活中,很多人对健康与保健的理解过于片面,以为只有去医院找医生才能进行保健。事实上,我们可以采取很多措施,让自闭症儿童在身体、心理以及社会适应等方面得到更好的发展,这些都是保健工作的一部分。

一、儿童保健的演化和内涵

在了解自闭症儿童保健之前,需要先熟悉儿童保健的演化过程,因为自闭症儿童首先是儿童,自闭症儿童需要的保健是在普通儿童保健基础上提出的更高要求。

(一)健康的观念

儿童的角色在整个人类历史上发生多次变化。在农业社会和工业社会早期,儿童夭折率普遍较高。存活下来的孩子往往从小就参与家庭劳作,分担力所能及的工作,以改善家庭经济状况,并赡养父母。在当时,几乎没有可以提供的改善健康的教育和服务,人们对影响健康的环境因素也知之甚少。现代社会反对儿童进入劳动力市场,技术时代要求儿童有更长的受教育时间,习得更高水平的劳动技能。近几十年来，儿童健康保护日益受到重视。20 世纪的观察与实证研究为理解儿童的认知、情感、社会性以及家庭和社会对儿童影响等方面奠定了理论基础。比较重要的研究包括约翰·沃森（John B. Watson）的行为主义理论、阿诺德·格塞尔（Arnold L. Gesell）的成熟势力说、西格蒙德·弗洛伊德（Sigmund Freud）的精神分析论、埃里克·埃里克森（Erik H. Erikson）的社会发展理论、约翰·鲍尔比（John Bowlby）的依恋理论以及尤瑞·布朗芬布伦纳（Urie Brofenbrenner）的生态理论等。

在现代社会，童年的社会转型反映了父母不再对儿童拥有全部和无限制的监护权，儿童的福利越来越被视为一种共同的社会责任，社会需要对儿童的教育、健康等进行投资。与此同时，儿童的发展受到家庭、社会以及文化属性的共同影响。因此，儿童的健康、发展和成就需要家庭和社会的共同努力。近些年来，我国相继出台了多部法律法规、文件等来促进儿童的健康，如《中华人民共和国未成年人保护法》《中华人民共和国母婴保健法》《中国儿童发展纲要（2011—2020 年）》《中华人民共和国母婴保健法实施办法》以及 2024 年颁布的《中华人民共和国学前教育法》等，这些法律法规对保障儿童的健康权益作出了详细的规定。对于特殊儿童，除了有以上政策保障外，还有《"十四五"特殊教育发展提升行动计划》《第二期特殊教育提升计划（2017—2020 年）》等国家层面的政策支持，各地也有诸多的支持政策和策略。其中，对自闭症儿童的支持力度很大，比如上海市"阳光宝宝卡"政策中的康复训练补贴，自闭症儿童的补贴标准显著高于其他障碍类型的儿童。

（二）健康概念的转变

健康的概念随着社会的发展而演变。在 19 世纪末 20 世纪初，传染病对健康构成最大的威胁，健康被认为就是没有疾病或没有受伤。疾病的因果关系通常用简单的因果模型来描述，以细菌理论（即仅由病原体引起疾病）和孟德尔遗传理论（即单独的基因产生外在的表现）为代表，其中的因果关系是直接的。20

世纪初建立的公共卫生监测体系侧重于衡量生存率，并将不同的条件和不同年龄组的死亡率作为衡量健康的主要指标。直到20世纪上半叶，健康的定义仍然是没有疾病，常见的健康指标是一种疾病影响特定人群的比例或者数量。《疾病和相关健康问题的国际统计分类》（ICD）就是源于1893年用于监测全球死亡和疾病数据的《国际死因清单》（International List of Causes of Death），1948年后，世界卫生组织负责每十年编写和发布ICD修订版，目前已经更新到ICD-11，它使跨时空系统地记录、分析、解释和比较发病率与死亡率成为可能。

随着发病率和死亡率的改变、传染病治疗效果的改善以及慢性病发病率的增加，人们对健康的理解也发生了改变。健康促进和疾病预防的模型开始考虑饮食、运动以及长时间暴露于某种因素的影响。比如，饮食与运动会影响肥胖，而这需要与特定个体的基因相互影响才能发挥作用。为了提供一个统一的分类标准，以便更好地理解和描述人类健康和残疾的各个方面，世界卫生组织在2001年5月第54届世界卫生大会上通过了《国际功能、残疾和健康分类》（International Classification of Functioning, Disability and Health，简称ICF）。ICF的制定基于生物—心理—社会的理论模型，该模型从生物、心理和社会角度来全面认识损伤所造成的影响。这个模式强调，残疾不仅是一个身体或生理问题，也涉及个体的日常生活和社会参与。ICF的主要目的是提供一种通用的语言和框架，以便在不同领域和专业之间进行交流和比较。它可以帮助医生、治疗师和其他医疗保健专业人员更好地了解患者的健康状况，并制订更有效的治疗计划。此外，ICF还可以用于研究、政策制定和公共卫生实践。

对健康的定义已争论了几个世纪，随着时间的推移，人们越来越认识到健康不仅是没有疾病。1989年，世界卫生组织对健康作了新的定义，即"健康不仅是没有疾病，而且包括躯体健康、心理健康、社会适应良好和道德健康"。

（三）儿童健康的定义

美国国家科学委员会（National Research Council）将儿童健康定义为，"单个儿童或儿童群体能够：(1)开发和实现其潜力，(2)满足其需求，(3)发展使其成功地与生物、物理和社会环境互动的能力的程度"[1]。这一定义指出，健康是一种积极的资源，使儿童能够与周围环境互动，并对生活中的挑战和变化作出反应。此外，定义中包含了发展，并指出了发展的一个基本原则，即随着时间的推移，功能能够维持并优化。同时，它关注儿童的内在特征及其与环境互动的资源。我们基于美国国家科学委员会对健康的定义来评估儿童的健康。

1. 健康状况

健康状况是指健康状态的改变，体现为疾病、伤害或损伤，或者作为疾病的病理生理表现（体征和症状）。健康状况通常使用 ICD-10 进行分类，它是根据疾病的病因、病理、临床表现和解剖位置等特性，将疾病分门别类，使其成为一个有序的组合，并使用编码的方法来表示的系统。

2. 功能

功能反映了一种或多种健康状况对人产生的直接和间接的影响，或者说多种健康问题对儿童日常生活和活动造成的影响。它包括儿童在日常生活中的行为和在活动中表现出来的身体、心理、认知和社会功能的所有方面。医疗保健提供者通过功能来衡量损伤的严重程度，并衡量其对急性和慢性健康状况的影响。虽然生理功能的测量属于健康状况的范畴，但不是所有的生理改变都能引起功能的改变（例如白头发）。在日常生活中，生理上的损伤和功能的改变很难一一对应，即使两名患者的诊断相同，生化检验的结果相同，他们的生活体验也可能相差非常大。就像自闭症儿童，诊断的程度相差无几，但是其外显表现和社交功能会表现出巨大的差别。此外，同一疾病对功能的影响程度受到儿童内在因素（如人格、共病、易感性）与环境的影响。

---

[1] National Research Council, Division of Behavioral, Board on Children, et al. Children's health, the nation's wealth: assessing and improving child health [J]. 2004.

身体功能主要指充分参与活动（日常活动或学校活动等）的能力。心理功能包括认知（如警觉性、困惑、解决问题的能力、接受性语言能力）和情感（如情绪、气质）。由于儿童期的生长发育非常迅速，这些不同的功能也会不断变化，这给准确测量心理缺陷带来了重大挑战。例如，某种特定的疾病会导致儿童的情绪或认知能力退化。然而，如果不重复测量该儿童的功能，就很难确定是否发生了退化。社会功能受限是指儿童在日常活动和关系领域受到限制。对于幼儿来说，社会角色功能包括参与普通游戏的能力、上学和参加所有与学校相关活动的能力。社会功能还包括社会融合和社会联系的能力，如结交朋友和维系友情的能力，以及在他人生活中发挥支持性作用的能力。

功能的改变包括身体、认知、情绪和社交的障碍以及由健康状况、污名和社会评价的不利因素导致的发展机会减少。这些功能改变通常是可以测量的，具体包括：粗大动作和精细动作技能，幼儿的口腔运动技能，身体生长和体重的变化，活动、行动和自我照顾方面的限制，以及心理功能（即认知功能，如解决问题、接受性和表达性语言）和社会角色（如依恋、关系、情感、情绪和行为）方面的障碍。

3. 健康潜力

健康潜力是一种健康资产，它能使个体有效地应对威胁健康的各种挑战。这一概念包含多个子领域，包括有助于形成积极关系、调节情绪和认知状态、有效应对疾病和身心应激的能力。与传统观念将功能仅仅分为正常或者缺陷不同，健康潜力强调了个人有效应对健康威胁的能力，它包含了功能积极的方面，如保持健康所需要的资源以及弹性因素。弹性因素指个体的好奇心、反应性、自我效能感、问题解决能力和疾病抵抗力等。虽然传统的功能测量会忽视这一积极方面，但是认识和培养健康潜力有助于更全面地理解健康。

4. 健康的模型

为了准确地反映多种因素相互作用影响健康的动态过程，美国健康委员会提出了一种类似万花筒的模型。在一个万花筒中，单块彩色玻璃以固定形式排列，但当万花筒旋转时，玻璃的特定颜色和形状相互作用，形成各种颜色和形状。同样地，健康受到的特定影响会随着时间的推移和整个发展过程中影响的改变及相互作用而改变，从而产生健康的结果。在这个模型中，各种影响被呈现为重叠的圆圈，它们在政策和服务的广泛背景下相互作用。随着儿童进入新的发展阶段，各种影响因素的重要性和相互作用也会发生变化。随着儿童年龄的增长，万花筒转动了，模式也在变化，反映了他们健康状况的变化。在某些年龄段，儿童的转变非常迅速，反映了实质性的发展变化。然而，在某些方面，儿童的转变不那么明显（尽管仍然比成人更快）。

二、自闭症保健的必要性

从健康的定义来看，自闭症儿童都有保健的需求。自闭症儿童的能力和需求各不相同，并且会随着时间的推移而发生变化。虽然有些自闭症儿童可以独立生活，但有些儿童有严重障碍，需要终身照护和支持。因此，相对于其他儿童，自闭症儿童的保健更加复杂且更具挑战性，也更有必要。

自闭症儿童常见的并发症包括癫痫、胃肠道疾病、喂养或进食的挑战、睡眠障碍、注意缺陷/多动障碍、焦虑症、抑郁症、双相情感障碍、肥胖等[1][2][3][4]。

---

[1] Antshel K M, Russo N. Autism spectrum disorders and ADHD: Overlapping phenomenology, diagnostic issues, and treatment considerations [J]. Current psychiatry reports, 2019, 21: 1–11.

[2] Munesue T, Ono Y, Mutoh K, et al. High prevalence of bipolar disorder comorbidity in adolescents and young adults with high-functioning autism spectrum disorder: a preliminary study of 44 outpatients [J]. Journal of affective disorders, 2008, 111 (2–3): 170–175.

[3] Hammond R K, Hoffman J M. Adolescents with high-functioning autism: An investigation of comorbid anxiety and depression [J]. Journal of Mental Health Research in Intellectual Disabilities, 2014, 7 (3): 246–263.

[4] Relia S, Ekambaram V. Pharmacological approach to sleep disturbances in autism spectrum disorders with psychiatric comorbidities: a literature review [J]. Medical Sciences, 2018, 6 (4): 95.

这些问题可能持续一生，也可能在不同的发展阶段出现或减轻。令人担忧的是，多项研究表明，自闭症人士的寿命明显缩短，这不是由于自闭症本身，而是由于伴随的心理和身体健康状况。共病的诊断具有挑战性，因为许多自闭症人士难以识别和表达他们的症状。身体不适可能会导致自我安抚的重复行为激增，以及出现易怒、攻击、自伤和其他挑战性行为。这使得我们很难判断这些行为是与自闭症有关，还是与共病引起的身体不适有关。

一是癫痫。癫痫影响25%~40%的自闭症儿童[1]，而普通人群中的比例只有2%~3%。癫痫是自闭症儿童的家庭关注的主要领域。研究发现，智力障碍、癫痫家族史和严重的认知障碍都增加了自闭症儿童患癫痫的风险。需要与家长探讨的症状包括反复出现的、无法解释的行为突然变化，如凝视、肌肉僵硬、四肢不自主抽搐、突然嗜睡或睡眠障碍。其他症状可能是突然的、无法解释的、明显的易怒或攻击行为。如果发生癫痫发作或疑似癫痫发作，应将儿童转诊给熟悉自闭症的神经科医生。

二是胃肠道疾病。胃肠道疾病影响85%的自闭症儿童[2][3]，尽管如此，还没有发现任何遗传或神经机制来解释这种现象。自闭症儿童和成人感觉不舒服，可能是因为胃肠道疾病。患者可能经历与胃肠道问题（腹泻、便秘、胀气或排便困难）有关的疼痛，其行为表现是拱背、按压腹部或磨牙。胃食管反流病患者可能会出现拉伸颈部、抬下巴、轻拍喉咙、不愿躺下、睡眠中断或拒绝进食等行为表现。在某些情况下，药物可能会引起胃肠道副作用。虽然一些家长报告说，无麸质饮食有助于改善自闭症孩子的行为，但并没有研究支持这一观点。

三是喂养或进食的挑战。儿科医生发现，选择性饮食和肥胖是自闭症儿童

---

[1] Canitano R. Epilepsy in autism spectrum disorders [J]. European child & adolescent psychiatry, 2007, 16: 61-66.

[2] Hsiao E Y. Gastrointestinal issues in autism spectrum disorder [J]. Harvard review of psychiatry, 2014, 22 (2): 104-111.

[3] McElhanon B O, McCracken C, Karpen S, et al. Gastrointestinal symptoms in autism spectrum disorder: a meta-analysis [J]. Pediatrics, 2014, 133 (5): 872-883.

最常见的喂养或饮食障碍[1]，30%的自闭症儿童存在肥胖，而普通人群中这一比例为13%。感觉问题、焦虑、药物副作用、社会孤立和低活动水平都可能是潜在的因素，应该与儿童及其家属进行讨论。

四是睡眠障碍。慢性睡眠问题影响50%～80%的自闭症儿童[2][3]，同时影响他们的父母。问题包括难以入睡，频繁和长时间地醒来，或者极早起床。睡眠问题与白天的行为密切相关，并影响着整个家庭的生活质量。基因、药物治疗和焦虑症都可以在睡眠障碍中起到一定的作用。一般的睡眠干预措施会有所帮助，专家们已经创建了由父母指导的教程，以帮助改善自闭症儿童的睡眠。在某些情况下，有严重睡眠障碍的儿童可能需要睡眠专家对其进行评估。

五是精神病。有研究报道，多达85%的自闭症儿童也有某种形式的精神病共病[4]，35%的儿童服用至少一种精神药物。多动症、焦虑和抑郁是最常见的共病，焦虑和抑郁在年龄较大的儿童中（尤其是认知较高的儿童）尤为常见，因为他们变得更加有自我意识。

总之，自闭症儿童除了本身的自闭症以及上述共病以外，还可能存在其他影响健康的伴发疾病。这些疾病或健康问题可能持续整个生命周期。它们还导致了自闭症群体中惊人的过早死亡率。最近的一项研究发现，自闭症人群的平均寿命为36岁，是普通人群的50%[5]。因此，自闭症儿童的保健更多的不是针对自闭症障碍本身，而是有效地管理其共病，这样不仅能改善其健康状况，提高

---

[1] Baraskewich J, von Ranson K M, McCrimmon A, et al. Feeding and eating problems in children and adolescents with autism: A scoping review [J]. Autism, 2021, 25 (6): 1505–1519.

[2] Sivertsen B, Posserud M B, Gillberg C, et al. Sleep problems in children with autism spectrum problems: a longitudinal population-based study [J]. Autism, 2012, 16 (2): 139–150.

[3] Souders M C, Mason T B A, Valladares O, et al. Sleep behaviors and sleep quality in children with autism spectrum disorders [J]. Sleep, 2009, 32 (12): 1566–1578.

[4] Mutluer T, Aslan Genç H, Özcan Morey A, et al. Population-based psychiatric comorbidity in children and adolescents with autism spectrum disorder: A meta-analysis [J]. Frontiers in Psychiatry, 2022, 13: 856208.

[5] Guan J, Li G. Injury mortality in individuals with autism [J]. American journal of public health, 2017, 107 (5): 791–793.

生活质量，还能延长寿命。

第二节 自闭症儿童保健的原则

自闭症儿童保健是指除了完成普通儿童常规的保健流程，还要针对自闭症儿童的自身健康状况和特殊健康需求，采取一系列综合性的干预措施，促进他们的身心健康发展，提高其生活质量。这些干预措施包括早期诊断、治疗共病、康复训练、教育支持、家庭支持等多个方面。在实施过程中，要遵循一定原则并采用适当方法，才能达到良好的保健效果，否则不仅达不到理想的效果，还有可能给他们带来伤害，导致适得其反的结果。下面是自闭症儿童保健的几条原则。

一、早期发现原则

许多自闭症儿童在出生后第一年内就表现出特定的迹象，他们似乎与同龄人同步发展，但随后突然或逐渐变得孤僻，失去了原有的语言技能。大多数儿童在 2 岁或 3 岁之前就表现出明显的自闭症症状。然而，一些轻度症状的儿童可能直到儿童后期甚至青春期才被确诊自闭症。自闭症婴儿和学步儿的父母可能会注意到，他们的孩子不像同龄孩子那样与成人和其他孩子交流或互动。最初，家长可能会认为问题出在孩子的视力或听力上，而不是孩子的发育迟缓，或者认为随着孩子年龄的增长，这些问题都会消失。然而，通常情况是，随着孩子慢慢长大，自闭症孩子与普通孩子的差距会越来越大，因为他们发展的速度是不同的，普通孩子的发展速度要快于自闭症孩子。所以在实际中观察到的情况是，自闭症（也包括其他障碍）孩子在学业上面临的挑战越来越大。

因此，家长或社区医生应该多注意观察儿童，尽早发现异常迹象，并尽早采取干预措施。早期治疗对自闭症儿童来说至关重要。研究显示，越早开始治疗，儿童的改善程度就越大，这是因为大脑在儿童时期具有极高的可塑性，特别是在3岁之前。在这个关键阶段，通过适当的干预和训练，可以帮助自闭症儿童改善社交能力、沟通能力和其他必要的生活技能。

在人类生命的早期阶段，大脑发育和变化的速度是惊人的。尤其是在婴儿和幼儿时期，大脑的结构和功能都在不断地调整和完善。这个改变过程被称为大脑的可塑性。人类出生后，大脑的神经元数量基本不再增加，但是我们的脑却越来越大，智商越来越高。这是因为在生命的初期，神经元结构主要包括椭圆形的胞体和两端纤细的突起。它们在迁移到目的地后，会固定下来，开始生长轴突。这个过程就像是一场精心策划的旅程，每个神经元都在寻找自己的目的地。在这个过程中，目的地的神经元会释放各类化学物质，引导轴突朝着靶神经元不断地生长。轴突到达目的地后，会发出许多分支，与附近功能相同或相似的神经元建立连接，形成突触。突触是两个神经元的接触点，是我们大脑传递信息的位置。前一个神经元传递信息的化学物质（即神经递质）通过突触到达后一个神经元，引起后一个神经元产生不同的反应。在巅峰期，每个神经元可以形成约1.5万个突触，这意味着在胎儿出生后两个月到两年，大脑始终保持着每秒产生180万个突触的速度。为了适应大量突触的形成，轴突和树突大量生长。故婴儿出生后，神经细胞的数量基本不再增加，但是脑的体积却在不断增大。

在婴儿期以及幼儿早期，我们的大脑会产生大量的突触，这是大脑发育的关键时期。然而，随着年龄的增长，大脑会开始对已形成的突触进行分析，那些平时使用率不高或者不活跃的突触将被剪切。这个过程被称为"突触修剪"，是一场"用进废退"的进化过程。通过这个过程，原来杂乱无章的神经回路变成清晰、独立且高效的信息传递通路，大脑的信息处理也变得更加高效。然而，这意味着我们的创造力和想象力可能会有所下降。因为神经回路的减少，可能会影响我们的思维模式和创新能力。但是，这也是大脑的一种自我保护机制，通过精简突触，帮助我们更好地适应环境的需求。

在早期的大脑发育过程中，突触的产生和修剪对后期的大脑功能有重要影响，是大脑进行思维活动的物质基础。这个过程跟我们日常的经历有着直接的关系，我们每天接收的感官刺激和经历不同，形成的突触也会相差巨大。早期的环境刺激越丰富，形成的突触连接就越多。基因仅赋予神经元生长并建立网络连接的能力，但是建成什么样的网络是受日常经历的影响，就像同卵双胞胎，其基因型完全相同，但是如果放在不同的环境中抚养，那么长大后可能在人格、能力等方面存在很大的区别。因此，对于包括自闭症在内的所有障碍儿童，早期发现并进行适当的干预，能最大限度发掘其大脑的潜能，减少障碍带来的认知损伤。

二、自闭症儿童视角原则

"视角"一词源于拉丁语"perspective"。"视"意为看、看透、透视、观点等，"角"就是角度，视角即看的角度。在教育领域，儿童视角是透过儿童的眼睛看世界，从儿童的角度去观察、思考问题，通过倾听儿童的声音来了解儿童的想法。儿童视角有两种情况，一种是成人站在儿童的角度看世界，这种角度有时候与儿童的理解一致，有时候不一致；第二种是儿童站在自己的角度看世界，这是真正的儿童视角。由于儿童早期语言表达能力有限，成人必须站在儿童的角度，体会儿童的想法，后期可以通过儿童自己的描述来了解儿童的真实想法和对世界的理解。

自闭症儿童视角就是以自闭症儿童的角度和体验来解读世界，才能真正理解他们对周围环境的真实感受。这是我们给予自闭症儿童教育、康复、保健等支持服务的基础。由于自闭症儿童的神经发育存在异常，所以对周围的人和物的感受和体验与普通儿童存在差异。他们普遍存在感觉异常，对很多人来说习以为常的声音，如风声、时钟滴答声等，却被有些自闭症儿童视为难以接受的噪声，并可能引起一些逃避行为或攻击行为。从视觉上看，他们喜欢明亮的灯光（如城市灯、天花板灯、火光、电脑屏幕），却不喜欢过滤光（光线透过百叶窗照射），也不喜欢从明亮的房间过渡到黑暗的房间（如灯被关上）。由于多方面的差异，人们常对他们的某些行为表示不理解，甚至形成误解。我们可以从一些表达能力较好的高功能自闭症儿童或成人身上理解他们对世界的感知。正如埃米莉·凯蒂（Emily Katy）所说："孤独对我来说是一种熟悉的感觉，即使周围都是人，我也经常感到孤独。过去是因为我觉得没有人理解我，我无法用语言表达我的感受以及我对这个世界的体验，所以我觉得与其他人脱节。很多时候，焦虑让我不知所措，我无法参与朋友们正在做的有趣的事情。"[1] 詹姆斯·沃德·辛克莱（James Ward-Sinclair）这样描述自己："自闭症会让我感觉很难'融入'，社交和交朋友等事情可能会让我感到有压力或不知所措。"[2] 这些描述能让我们在很大程度上了解自闭症人士的真实感受。

如何才能从自闭症儿童的视角出发，为他们提供必要的支持呢？最重要的是正确认识自闭症儿童的认知特点和感知特征。比如，家长和教师会给自闭症儿童做认知训练，他们考虑的首要因素常常是年龄，会与同龄的普通儿童作对比，五六岁普通儿童可以进行简单的计算，家长也对自闭症儿童作同样的要求。他们忽略了一个重要的问题，即自闭症儿童往往伴有认知障碍，其实际智商低于同龄普通儿童。所以，我们要按自闭症儿童的心理年龄进行认知方面的训练。根据洛克定律，当目标既是具有未来指向的，又是富有挑战性的时候，它便是最有效的。目标并不是越高越好，根据个体的实际情况制订的切实可行的目标才有效。这个目标既不能太容易达到，也不能高到永远碰不着，只有具备一定的指向性和激励性，执行以后才可以看到有效结果。现实中，成人给自闭症儿

---

[1] The Autistic Perspective. National Autistic Society [EB/OL] (2024-9-12).
[2] 同上。

童制订了过高的目标，这导致他们不仅没有办法完成目标，还容易产生挫败感。再如，自闭症儿童在嘈杂的环境中会产生很强的焦虑或者不适，这时，家长就不能强迫他们待在这样的环境里，需要让他们逐渐地适应，让他们在有安全感的时候再去尝试。研究还发现，自闭症儿童也有社交的意愿，只是缺乏适宜的方式，他们可能会表现为凑在别人身边，或者拉一下别人。作为成人，我们想象一下，对于一个不能表达自己想法的儿童，怎样才能发起一场社交呢？所以，如果站在自闭症儿童的视角，我们便能理解他们的行为。

三、综合保健原则

自闭症儿童从被发现异常开始，就频繁地奔走于医院和康复机构。他们之间存在很大的异质性，这种异质性不仅表现在核心的外显行为上，也表现在非核心行为以及他们的身体健康状况方面。故他们的健康需求也存在较大的差异。有的儿童以矫正行为的需求为主，有的儿童可能需要治疗身体的共病，如过敏、胃肠道异常等。他们经常获得医学治疗和支持、行为的健康护理和治疗（如应用行为分析）以及其他重要的适应疗法（如职业疗法、物理疗法和言语－语言疗法）[1][2]。在早期，儿童可能在同一时段接受多种治疗或护理。由于自闭症儿童的体质较差，所以他们比普通儿童有更多的就医需求。在确实需要就医的时候，如经历癫痫发作、出现过敏症状等，应该根据医生的指导进行相应的医学治疗。教师和家长在平日里应该采取一些保健措施，来改善儿童的体质，促进儿童的健康。在日常保健中，我们既要考虑每个儿童自身体质和健康需求的不同，也要考虑他们之间的一些共性。

---

[1] Granpeesheh D, Tarbox J, Dixon D R. Applied behavior analytic interventions for children with autism: A description and review of treatment research [J]. Annals of clinical psychiatry, 2009, 21 (3): 162-173.

[2] LeBlanc L A, Gillis J M. Behavioral interventions for children with autism spectrum disorders [J]. Pediatric Clinics, 2012, 59 (1): 147-164.

在日常保健活动中，我们可以通过多种措施改善自闭症儿童的整体健康状况，并将其作为医院治疗的有益补充。这些措施包括调整饮食、改善睡眠、增加运动等。自闭症不是由营养不良或与食物相关的问题所导致，但自闭症与食物之间存在联系。研究表明，与食物相关的挑战对许多自闭症儿童产生了重大影响。睡眠对于自闭症儿童的发育和行为非常重要，睡眠不足可能导致情绪不稳定和行为问题。自闭症儿童通常比其他儿童更容易受到睡眠不足的影响，这可能会导致他们的情绪变得更加不稳定，表现出更多的焦虑、愤怒和攻击行为。睡眠可以帮助改善注意力和学习能力。良好的睡眠可以提高大脑的功能，包括注意力、记忆力和学习能力[1]。对自闭症儿童来说，这可能有助于提高他们的学习和社交技能。自闭症儿童也比其他儿童更容易受到情绪波动的影响，而良好的睡眠可以帮助调节情绪，减少焦虑和抑郁等负面情绪的出现。虽然运动对自闭症儿童的影响因人而异，但良好的运动习惯可以帮助他们改善社交互动、言语沟通和认知能力等方面的表现。此外，运动影响神经递质的分泌和活动，能增加血清素、多巴胺的分泌并促进其功能。与普通儿童相比，自闭症儿童这些神经递质的分泌经常出现紊乱，影响到神经系统的发育。

四、保证家长健康原则

家长是自闭症孩子健康最重要的保障，家长的健康得不到保障的话，自闭症孩子会受到很大的影响。养育自闭症孩子充满挑战，家庭成员可能会经历多种情绪，包括欢乐、沮丧和压力，也可能经历痛苦。与没有自闭症孩子的家庭相比，自闭症孩子的父母经历了更多的婚姻压力，离婚率是普通家庭的两倍。有自闭症孩子的家庭在孩子的整个生命周期都会经受压力。当家长第一次注意到

---

[1] Morrow E L, Duff M C. Sleep supports memory and learning: Implications for clinical practice in speech-language pathology [J]. American Journal of Speech-Language Pathology, 2020, 29 (2): 577-585.

孩子发育迟缓时，他们很难获得必要的支持，然后不得不努力寻找权威的诊断和治疗方法。养育自闭症孩子还涉及与孩子的挑战性行为、沟通困难、孤立和非典型依恋行为相关的压力。若父母在孩子学龄期无法获得适当的资源，压力可能会进一步加剧。当家庭面对照顾自闭症成人的需求增加时，他们可能会感到倦怠。在养育过程中，家庭成员观点不同，会产生很多分歧和争吵。此外，自闭症儿童的家庭成员在社交过程中也可能会经历自卑、无助、孤独、隔离等巨大的心理应激。这些都会给家长的身心健康带来严重的威胁。

目前社会上的教育、康复资源都集中在自闭症孩子身上，对其家庭尤其是父母的关注极少。自闭症孩子的父母在承受巨大养育压力的同时，还要承受一系列的精神压力。长期生活在这种压力下，自闭症孩子父母的身体健康将面临很大的威胁。因此，我国的残联、民政等部门在给予自闭症儿童支持的同时，也要关注其家长的健康状况，比如成立家长俱乐部，组织家长论坛，为家长提供交流的平台，让他们的负面情绪有一个发泄口。家长健康了，自闭症孩子才能有一个坚实的保障。

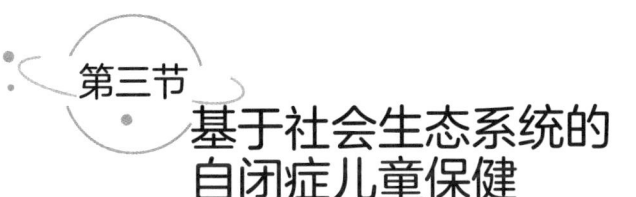

第三节 基于社会生态系统的自闭症儿童保健

自闭症儿童生活在社会这个大的生态系统中，他们的健康也依赖于这个生态系统。讨论自闭症儿童的健康，一定离不开社会生态系统，因为对自闭症儿童而言，最理想的状态就是能融入社会，成为社会的一分子，能从事合适的工作，能通过工作取得一份报酬以维持生计。除了在康复室里对自闭症儿童进行个训，更需要让其在社会中进行学习和康复训练，当他们真正融入社会的时候，就是处于健康的状态了。

一、生态系统理论

虽然在健康领域提及生态学是一个相对较新的现象，是一种新的观点，但生态学方法起源于一个多世纪前的多个学科，包括科学、哲学、政治学等。生态系统是指自然生态系统，通过类比，源于自然系统的概念被用来帮助人们理解人类社会的系统和环境。这是一种隐喻，即通过唤起人们熟悉的场景来解释他们不熟悉的现象。第一次世界大战后，与芝加哥学派有关的社会学家将生态语言和思维引入了城市研究。后来人们对这些观点的接受度逐渐下降，因为当生物学中的各种观点如"竞争"和"适者生存"等，与道德上不可接受的行为和政策结合在一起时，就变得令人不安。其中一个典型的案例就是纳粹政权使用进化生物学中的多种术语来证明他们对自然选择理论的特殊解释。正如贝蒂（Beatty）所观察到的，达尔文的进化论可以为人类可能的攻击性、自私行为提供一个方便的、合理的解释。因此，生态学这种隐喻本身就不受欢迎了[1]。

目前，人们在公共卫生领域使用生态语言和思维的兴趣被再次唤起，这可能要归结于一系列的因素，比如，人们越来越意识到公共卫生问题的复杂性，以及居住地对健康的影响，等等。生态视角包含物理、社会、文化和历史以及在其内部的人的属性和行为。此外，生态分析的主题是人与环境的相互依赖和相互作用，强调研究自然环境下的行为。公共卫生领域的生态学思维方式的贡献者有许多，包括罗杰·巴克（Roger Barker）、吉姆·凯利（Jim Kelly）、尤里尔·布朗芬布伦纳（Urie Brofenbrenner）及鲁道夫·穆斯（Rudolph Moos）等。

---

[1] Beatty J. Ecology and evolutionary biology in the war and postwar years: Questions and comments [J]. Journal of the History of Biology, 1988, 21 (2): 245-263.

二、布朗芬布伦纳的生态系统理论

布朗芬布伦纳的生态系统理论是一种独特的理论框架[1][2]（见图2-1），它以全新的视角解释了个体与环境之间的关系。这一理论不仅为我们理解人类行为提供了新的视角，也为社会工作、教育、心理咨询等领域的实践提供了重要的理论支持。布朗芬布伦纳的生态系统理论的核心观点是，个体的行为和发展受到周围环境的强烈影响。他将环境分为五个层次：微系统、中系统、外系统、宏系统和时间系统。这五个层次相互交织，共同构成了一个复杂的生态系统，对个体的行为和发展产生深远影响。

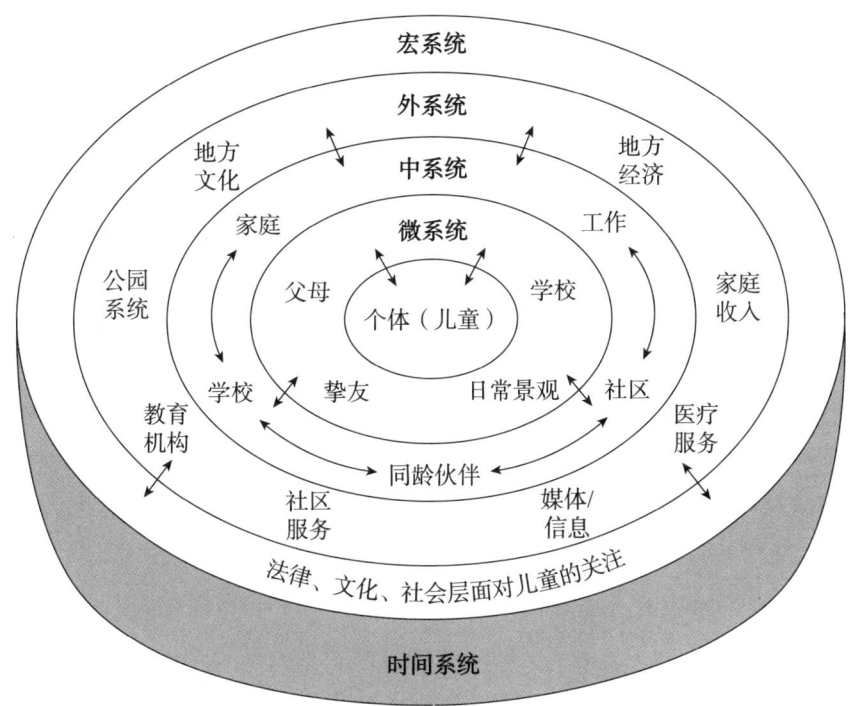

图2-1 布朗芬布伦纳的生态系统理论模型

---

[1] Ryan D P J. Bronfenbrenner's ecological systems theory [J]. Retrieved January, 2001, 9: 2012.

[2] Tudge J, Rosa E M. Bronfenbrenner's ecological theory [J]. The encyclopedia of child and adolescent development, 2019: 1–11.

微系统被描述为个体直接互动的环境，它像是一个小型生态岛，对儿童的心理、生理和社会发展产生直接而深远的影响。这里的一砖一瓦、一草一木都深深印在个体的成长轨迹中。家庭、学校和同伴群体等环境因素，如同精心编织的网，捕捉着个体发展的每个瞬间。它们通过提供安全感或引发应激反应，塑造着个体的情绪状态、社交能力和认知发展。中系统则进一步展现了发展环境的多维度性。它描绘的是微系统之间的互动和联系，如同错综复杂的道路网络，各个节点——家庭、学校和社区——通过这些道路相互连接，形成了一个个发展中的社区网络。这些非直接的联系在儿童的社会化过程中起着重要作用，它们影响着儿童如何与外界互动、如何理解世界以及如何形成自我认知。外系统像是宏观世界中的巨大山脉，虽然个体无法直接与之互动，但它通过影响中系统而对个体发展产生深远影响。例如，一个地区的经济状况或文化背景就像是一片连绵的山脉，它们决定着家庭和社区的结构与功能，从而间接地影响着儿童的成长轨迹。宏系统作为整个生态系统的基础框架，汇集了影响个体发展的更广泛的社会和文化力量。它如同一股汹涌的暗流，渗透在微系统、中系统和外系统中，悄无声息地改变着个体发展的方向。文化、社会制度、经济结构和政治环境等宏观因素，虽然看似遥不可及，却实实在在地塑造着每个个体的生命历程。

除了理论完整性外，布朗芬布伦纳的生态系统理论还强调发展的动态性。环境不是静止的，而是随着时间和社会变迁而不断演变。对儿童而言，适应这种变化是一项持续的挑战，也是一个不断学习和成长的过程。在实践应用层面，这一理论为教育者和政策制定者提供了宝贵的指导。它敦促我们深入探索和评估儿童成长的每个环节，从微观的家庭关系到宏观的社会背景，无一不包括在内。只有这样全面的视角，才能真正理解儿童发展的全貌，从而为他们提供更加精准和有效的支持。

尽管生态系统理论具有深远的影响和重要的价值，但它也面临着一些挑战和批评。例如，一些学者认为该理论过于强调环境的作用，相对忽略了遗传因素在个体发展中的作用。未来的研究需要在这一框架的基础上进一步完善，充分考虑各种因素的交互作用，以便更全面地揭示个体发展的奥秘。

三、基于生态系统理论的自闭症儿童保健

受到布朗芬布伦纳人类发展生态模型的启发，我们从生态学的视角来看待自闭症儿童的发展。自闭症儿童也处在生态系统之中，其中的各级生态系统也对他们的发展发挥着作用。可以将自闭症儿童的生态学理论模型抽象为多维同心圆，自闭症儿童处于中心。他们自身以及他们的需求、特征、经历和体验是我们必须考虑的。目前多数评估针对的是儿童的认知、能力发展以及特定行为模式。从这个角度来看，干预是在个人层面进行的，它试图改变儿童，促进儿童适应外部环境。而在实际操作中，我们也需要通过改变环境来适应自闭症儿童。

微系统是环境的第一层次，包括自闭症儿童与照护者（父母、老师）、同龄人、兄弟姐妹之间的互动，以及家庭、学校和社区日常环境的物理结构。在这一系统中，认识到行为的双向作用是非常重要的。照护者会影响自闭症儿童，自闭症儿童的行为也会影响照护者。在应对非正常社交和情绪行为时，照护者为了让指令更有指导性，表情会更加严肃，微笑也会更少，而这又会反过来影响自闭症儿童的反应。对他人的异常反馈可能会影响幼儿的神经发育（例如突触修剪），随着这个过程的不断循环，幼儿的行为会变得更加非典型。在微系统中，家庭、学校、社区的物理结构也应该被考虑在内，人群、噪声、日程的可预测性等都可能影响自闭症儿童的行为。

中系统代表个体与微系统之间的相互作用。在这里，儿童能够感受到他所有的支持网络，包括父母及其单位、学校、治疗师、朋友和社区网络。父母的单位能给家庭提供经济来源，学校能提供教育支持，社区医院能提供医疗支持，亲戚朋友能提供情感、物质支持等。在这一系统中，也有诸多因素影响自闭症儿童，包括父母的婚姻压力、家庭关系，以及父母和老师、学校之间的关系等。生态学将冲突视为一个影响因素，因此，需要将其作为自闭症儿童保健的一部分

来看待。

外系统由影响儿童的间接环境构成，作为一种间接环境，它通常会被人们忽视。外系统由整个社会及其制度组成：政府、政治、经济和教育体系、法律、大众传媒和工业水平等。对儿童提供的健康和教育服务是由具体的政策规定的。外系统的影响不容易评估，但是影响很大，比如社会经济会影响家庭的收入，家庭的收入又会影响自闭症儿童的健康。

宏系统包含儿童所处环境的文化、价值观、经济、政治和社会政策等。家庭、学校、医院的资源、对个体差异的接受度以及为自闭症儿童提供的服务与机会等在很大程度上受到宏系统的影响。2007年12月，联合国大会通过决议：从2008年起，将每年的4月2日定为"世界自闭症关注日"，以提高人们对自闭症和相关研究与诊断以及自闭症儿童的关注。在这一天，我国多地会举办相关的义诊、宣传活动，为自闭症儿童提供健康咨询服务。许多城市的地标建筑（如"水立方""冰丝带""东方明珠"等）都会为自闭症儿童举办独特的亮灯仪式——用蓝色星空灯光秀，意为点亮"星宝"的孤独星球，也可以让人们更多地关注自闭症。

时间系统表示个人一生中的时间和个人生活的历史背景，随着时间的推移，孩子和家庭的成长都会影响每个生态系统。一个人的生活背景会影响他获得的支持与服务。与1980年之前相比，自闭症儿童的情况发生了很大的变化，一个关键的区别在于，现在世界范围内，对自闭症的定义都更加科学和明确，对自闭症的支持也更加明确。鉴于自闭症的特殊性，在所有障碍类型的儿童中，政府对于自闭症儿童的支持力度需要持续加强。

四、基于生态系统的自闭症儿童保健措施

自闭症儿童生活在我们的身边，生活在这个真实的社会中，我们最终的目标是让他们与社会融合。因此，我们为之所作的努力应该以生态理论为指导，

在其生活的生态环境中进行，而不是仅仅在训练室中进行。我们可以结合生态理论以及自闭症儿童的身心特征，加强对自闭症的科普，让更多的人理解自闭症、接受自闭症，为自闭症儿童们创造一个宽容的社会环境和文化氛围。同时，对家长和学校来说，可以从以下具体举措入手，促进自闭症儿童的健康发展。

（一）环境创设

越来越多的证据表明，行为问题与这些行为发生的感官环境有关[1]。自闭症儿童的感觉功能障碍会导致他们对世界的感知不同，他们可能对日常环境中的刺激高敏感或低敏感。作为一种补偿机制，他们对缺乏或丰富的感觉输入作出反应，通常表现出与自闭症相关的特定异常行为、体征和症状。研究表明，改变或调整环境中的感官输入可能会促进更积极的行为。因此，考虑到物理环境对自闭症儿童的功能和社会表现、感知、行为以及最终的生活质量的潜在影响，有必要调整建筑环境以满足他们的特定需求。生活在为非自闭症儿童设计的社会中，会加剧自闭症儿童所经历的许多日常生活挑战。因此，我们迫切需要重新思考环境中的空间设计。

（二）饮食管理

饮食和营养在每个人的生活中扮演着重要的角色，平衡膳食有助于形成健康的身体和聪明的头脑。我们知道富含营养的食物可以清除体内毒素，促进免疫系统发展，缓解饥饿。自闭症儿童通常会受到饮食障碍的影响，他们对低营养、高能量食物的偏好会改变他们的新陈代谢，使氧化自由基积累，导致他们的精神和身体退化。自闭症儿童对食物的厌恶和敏感以及行为问题，使得用餐

---

[1] Nagib W, Williams A. Creating "therapeutic landscapes" at home: The experiences of families of children with autism [J]. Health & place, 2018, 52: 46–54.

时间尤其具有挑战性。自闭症儿童在用餐时间发生诸如发脾气、极端挑食和仪式性饮食行为等挑战性行为的可能性较其他儿童高出 5 倍。在自闭症儿童群体中，营养不足问题比未受自闭症影响的儿童更常见，特别是钙和蛋白质的摄入量总体较低。钙对强健骨骼至关重要，充足的蛋白质对生理、心理发育和健康很重要。研究人员指出，长期饮食问题会增加儿童社交困难和学习成绩不佳的风险。这可能增加青少年和成年期肥胖和心血管疾病等饮食相关疾病的风险。现在，医生和家长必须与营养学家和营养师携手，一起帮助这些儿童做到健康饮食，以保持健康，提高生活质量[1]。

（三）运动指导

体育活动关乎每个人的健康和幸福。对自闭症儿童来说，运动发挥着更重要的作用。研究表明，与同龄人相比，自闭症儿童的运动技能通常较差。这种差异会增加与缺乏运动相关的健康问题，如肥胖。有规律的体育活动可以帮助降低这些风险，改善健康状况和生活质量。锻炼对自闭症儿童有很多益处。首先是身体受益，定期锻炼有助于改善平衡、身体协调、视觉运动控制和其他行动技能。此外，运动干预已被证明对自闭症儿童的代谢健康有积极影响，降低了与肥胖相关的风险。其次是心理受益，锻炼有助于控制压力和缓解焦虑，而自闭症儿童的压力和焦虑往往更高。有规律的体育活动还可以提高睡眠质量，这对自闭症儿童尤其有益，因为睡眠障碍在这类人群中很常见。最后是社会效益，锻炼为社会互动提供了一个平台，有助于发展社交技能。结构化的体育活动，如团队运动或武术，可以在口头要求较低的环境中提供社交参与的机会。大量

---

[1] Boyle S A, McNaughton D, Chapin S E. Effects of shared reading on the early language and literacy skills of children with autism spectrum disorders: A systematic review [J]. Focus on Autism and Other Developmental Disabilities, 2019, 34 (4): 205–214.

研究表明，运动对自闭症儿童的各项发展指标都有积极的治疗作用[1][2]。因此，我们需要给自闭症儿童提供更多的运动机会和指导。

（四）共病管理

共病是指与原发性疾病或障碍同时存在的一种或多种其他疾病或障碍。共病是一种二级诊断，其核心症状与原发性疾病不同。共病在自闭症人群中比普通人群更常见。例如，自闭症人群发生湿疹或皮肤过敏的可能性是普通人群的1.6倍，发生哮喘和食物过敏的可能性是普通人群的1.8倍，发生频繁耳部感染的可能性是普通人群的2.1倍。发生严重头痛的可能性是普通人群的2.2倍，发生腹泻或结肠炎的可能性是普通人群的3.5倍，发生胃肠道问题的可能性是普通人群的7倍[3][4]。其心理健康问题也很常见，如焦虑症、双相情感障碍、痴呆、抑郁症和精神分裂症。自闭症儿童除了有自闭症的核心症状外，还可能有其他并发症的症状。

许多共病会刺激或加剧自闭症儿童出现异常行为。一旦这些疾病得到治疗，问题行为就会停止。有效学习的前提条件是具备健康的身体状态，如果身体不适，表现也会不佳，一些自闭症儿童可能会因为自身的疾病而不能学习某些技能。由于多种因素，如沟通障碍、症状的模糊性、与一般人群的偏差等，识别自闭症儿童的并发症并不那么容易。这些异常行为和症状因被误认为是"自闭症的一部分"而变得更加复杂。许多被归因为自闭症的症状可能是由其他器

---

[1] Bodnar I R, Hamade A F. The effect of physical activity interventions on development of children with autism spectrum disorder. content-analysis of researches [J]. Pedagogics, Psychology, Medical-biological Problems of Physical Training and Sports, 2019 (3): 118-125.
[2] Sowa M, Meulenbroek R. Effects of physical exercise on autism spectrum disorders: A meta-analysis [J]. Research in Autism Spectrum Disorders, 2012, 6 (1): 46-57.
[3] Isaksen J, Bryn V, Diseth T H, et al. Children with autism spectrum disorders–the importance of medical investigations [J]. European Journal of Paediatric Neurology, 2013, 17 (1): 68-76.
[4] Koceski A, Trajkovski V. Health status of people with autism spectrum disorder[J]. Advances in Autism, 2022, 8 (3): 252-263.

质性疾病。例如，摇头可能是由头痛或心情沮丧且无法表达引起的。如果儿童经常坐立不安，可能是因便秘而痛苦。攻击行为和自残行为也可能与疼痛以及儿童无法表达有关。异食癖可能是营养缺乏的征兆，尤其是铁缺乏，这在自闭症儿童中相对常见[1]。食物拒绝可能与自闭症儿童观察到的高食物选择性有关，但也可能反映了食物过敏或不耐受的存在，或者是更局部的原因，如牙齿问题。因此，家长需要仔细关注孩子的身体状态和日常表现，及早发现其潜在的健康问题。

（五）家长支持

养育自闭症孩子要面对很大的挑战，不仅要承受精神上的巨大压力，还要支付高昂的训练费用，这对很多家庭来说都是一笔不菲的开销。鉴于家长学历与素质的普遍提高，对家长进行培训，让其能够在日常生活中对孩子进行干预和保健，不仅可以帮助家庭节省开销，还能让孩子在生活中随时随地地接受训练，显著提高训练效果。世界卫生组织也强调了对家长进行教育的重要性，比尔斯（Bearrs）提出了"家长支持"计划和"家长介导干预"计划[2]，家长是"家长支持"的直接受益者；"家长介导干预"侧重于技术，家长是变革的推动者，孩子成了直接受益者。然而，在现实实践中，许多针对自闭症孩子的育儿计划都是"混合模式"，其中"家长支持"的教育目标聚焦于家长（包括讲座和与家长的讨论等教学方法），"家长介导干预"的教育目标聚焦于儿童（包括家访或视频指导等教学方法），以观察和指导亲子互动。

---

[1] Bilgiç A, Gürkan K, Türkoğlu S, et al. Iron deficiency in preschool children with autistic spectrum disorders [J]. Research in Autism Spectrum Disorders, 2010, 4 (4): 639-644.
[2] Bearss K, Johnson C, Smith T, et al. Effect of parent training vs parent education on behavioral problems in children with autism spectrum disorder: A randomized clinical trial [J]. Jama, 2015, 313 (15): 1524-1533.

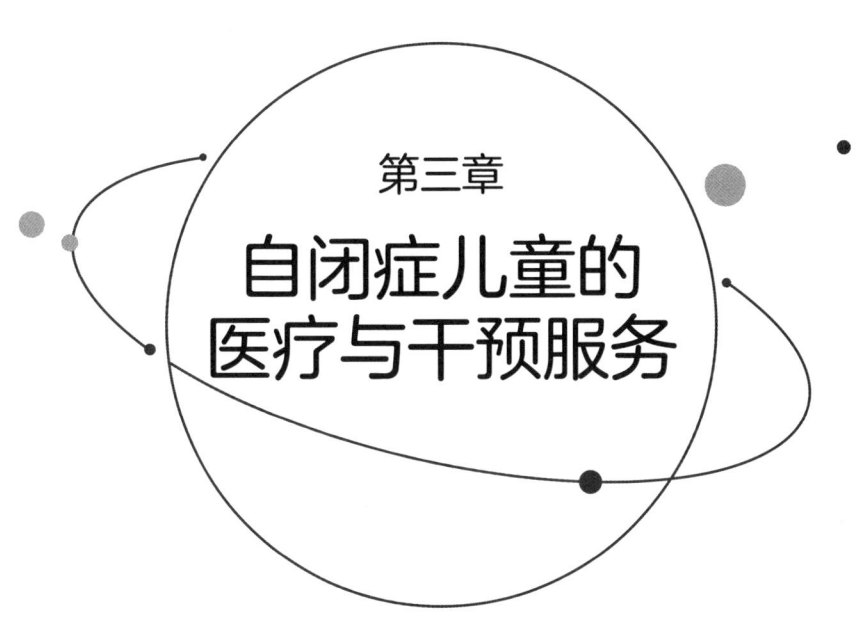

第三章
自闭症儿童的医疗与干预服务

自闭症儿童及其家长在相当长的一段时间内,尤其是在儿童早期阶段,往往需要频繁寻求医疗帮助。家长了解自闭症儿童的医疗流程和相关基础知识,将有助于实现早期鉴别、早期诊断和早期干预,从而选择更为适宜的干预方法。此外,自闭症儿童常伴有多种共病症状,往往需要服用一些药物。了解这些药物的基本作用机制和注意事项,有助于家庭与医生之间形成良好的配合,提升治疗效果。值得注意的是,近年来虽然出现许多新型生物疗法,但其中大多缺乏循证医学的支持。家长深入了解这些疗法,不仅有助于建立合理的治疗预期,还能避免不必要的资源浪费,从而为孩子的康复提供更为科学有效的支持。

第一节 自闭症儿童的诊断与干预

在自闭症儿童的保健中,早发现、早治疗非常重要。自闭症早期诊断的意义在于尽早采取干预措施,帮助孩子改善社交互动、语言沟通和行为等方面的问题。早期诊断还可以帮助家长和其他照护者更好地了解孩子的需求和特点,提供适当的支持和教育。通过早期诊断,医生可以为儿童制订个性化的治疗计划,包括行为疗法、言语-语言治疗和职业治疗等。这些干预措施可以帮助儿童发展社交技能,增强自我管理和情绪调节能力,提高生活质量。

判断儿童是否存在自闭症看似很困难,因为儿童即使不存在这种障碍,也可能表现出相同的行为。不少自闭症儿童直到三四岁或更大时才得到诊断。但其实,2岁时就可以作出相对可靠的自闭症诊断。有的父母甚至在孩子1岁之前就注意到了自闭症的早期迹象,并在孩子18个月大时意识到孩子有些不同。然而,家长大多存在逃避心理,认为等孩子大一点就会好了,导致诊断延误。

一、自闭症的早期迹象

自闭症儿童通常在早期就会表现出一些异常的行为或发育特征,家长在养育过程中如果发现这些迹象,必须高度重视。

1. 0~6个月自闭症迹象

- 不跟随移动的物体转动眼睛。
- 对响亮的声音敏感。
- 对某些声音不感兴趣(例如不转向声源的方向)。

- 面孔识别能力较差（尤其是对新面孔）。
- 似乎缺乏感情。
- 很少或没有灿烂的笑容或其他温暖、快乐和迷人的表情。
- 很少或没有眼神交流。

2. 7~9 个月自闭症迹象
   - 很少或没有发声、微笑或其他面部表情交流。

3. 10~12 个月自闭症迹象
   - 很少或没有咿呀学语的行为。
   - 很少或没有指点、展示、伸手或挥手等相互交流的手势。
   - 对自己的名字很少有反应或没有反应。

4. 13~16 个月自闭症迹象
   - 语言很少或没有语言。

5. 17~24 个月自闭症迹象
   - 很少或没有有意义的双词句（不包括模仿或重复）。

6. **所有年龄段自闭症症状**
   - 丧失之前获得的言语、咿呀学语或社交技能。
   - 避免眼神接触。
   - 对自闭的持续偏好。
   - 难以理解他人的感受。
   - 语言发育迟缓。
   - 持续重复单词或短语（言语模仿）。
   - 对日常或环境微小变化的抵抗。

- 重复行为（拍打、摇晃、旋转等）。
- 对声音、气味、味道、质地、光线和颜色有异常强烈的反应。

二、自闭症筛查

目前我国一些省市已经建立自闭症筛查、干预的流程与规范，例如，2023年上海市印发《上海市0～6岁儿童孤独症筛查干预工作方案（试行）》[1]，为自闭症的早期诊断提供了有益的借鉴。这里介绍自闭症筛查的主要流程，供家长和教师参考。

初筛机构使用《儿童心理行为发育问题预警征象筛查表》《CHAT-23 A 筛查量表》(Checklist for Autism in Toddlers Section A，简称 CHAT-23A)和《高危社交警示行为测试》等对儿童进行初筛。对于初筛异常者，复筛机构采用《0～6岁儿童行为发育评估量表》(简称《儿心量表-II》)或其他等同的发育量表、《CHAT-23 B 筛查量表》(Checklist for Autism in Toddlers Section B，简称 CHAT-23B)、《自闭症行为量表》(Autism Behavior Checklist，简称 ABC)等进行复筛。筛查项目及时间见表 3-1。

表 3-1 上海市 0～6 岁儿童自闭症筛查项目及时间表

年龄		3个月	6个月	8个月	12个月	18个月	24个月	30个月	36个月	4岁	5岁	6岁
初筛	《儿童心理行为发育问题预警征象筛查表》	√	√	√	√	√	√	√	√	√	√	√

---

[1] 关于印发《上海市 0～6 岁儿童孤独症筛查干预工作方案（试行）》的通知 [Z]. 上海卫生健康委员会，2023.

（续表）

年龄		3个月	6个月	8个月	12个月	18个月	24个月	30个月	36个月	4岁	5岁	6岁
初筛	《CHAT-23 A筛查量表》和《高危社交警示行为测试》					√	√*					
复筛	《儿心量表-II》或其他等同的发育量表	√	√	√	√	√	√	√	√	√	√	√
复筛	《CHAT-23 B筛查量表》					√	√					
复筛	《自闭症行为量表》							√	√	√	√	√

* 若在儿童18月龄时未使用《CHAT-23 A筛查量表》和《高危社交警示行为测试》进行筛查，则必须在儿童24月龄时完成一次筛查。

（一）筛查对象

自闭症的筛查对象是0~6岁儿童。

（二）初筛

1. 初筛时间

婴儿期（1岁以内）4次，分别在3月龄、6月龄、8月龄和12月龄时；幼儿期（1～3岁）4次，分别在18月龄、24月龄、30月龄和36月龄时；学龄前期3次，分别在4岁、5岁和6岁时。

2. 初筛项目及方法

（1）对0～6岁儿童，使用《儿童心理行为发育问题预警征象筛查表》（见附件1）进行初筛，检查有无相应月龄的预警症状。相应年龄段任何一项预警征象筛查异常，都是在提示有发育偏差的可能。

（2）对18月龄儿童，同时使用《CHAT-23 A筛查量表》（见附件2）进行初筛，结合《高危社交警示行为测试》（见附录3）。如果儿童在18月龄时未能接受筛查，则需要在24月龄时完成筛查。《CHAT-23 A筛查量表》中的"二、行为及沟通能力问卷"包括23个项目，每个项目都采用两级评分（即"是"或"否"）：除第16项以外，其余项目回答"没有"或"偶尔"算作"否"；回答"有时"或"经常"算作"是"。对于项目11、18、20和22，回答"是"视为不通过；对于其余项目，回答"否"视为不通过。若核心项目2、5、7、9、13、15、23中有2项或以上不通过，或者在全部项目中有6项或以上不通过，视为筛查不通过，提示存在自闭症风险。《高危社交警示行为测试》共2个项目，分别是叫名回应和对语言的回应。每个项目的两轮测试均表现出"无回应"，视为项目不通过。两项均不通过，视为行为测试不通过。

（3）询问家长，了解儿童是否出现语言功能和社会交往能力障碍或倒退。例如，无法用语言表达，无目光对视，有重复性的刻板行为，或者以前可以用语言表达，以前有目光对视，而当前无法用语言表达，当前无目光对视。

（4）存在下列情形之一者，视为初筛异常。

一是儿童心理行为发育问题预警征象筛查存在一项及以上异常。

二是《CHAT-23 A 筛查量表》或《高危社交警示行为测试》提示存在自闭症风险。

三是通过询问病史或观察，在任何年龄段发现儿童出现语言功能和社会交往能力障碍或倒退。

（5）根据筛查结果，填写《上海市 0～6 岁儿童心理行为发育档案》(见附录 4，附表 4-1、附表 4-2、附表 4-3)。未发现异常的，告诉家长定期带儿童接受心理行为发育评估。若发现异常，立即进行健康宣教和干预指导，同时告诉家长及时转诊。

3. 转诊

对初筛结果异常的儿童，初筛机构应指导家长在 30 日内转诊至复筛机构进行复筛。有条件提供复筛服务的筛查机构应在初筛结果异常当天进行复筛。

（三）复筛

1. 复筛项目及方法

（1）了解儿童现病史，询问和观察儿童有无语言障碍、交流障碍、行为刻板、兴趣狭窄等症状，了解初筛结果，等等。

（2）对 0～6 岁儿童，使用《儿心量表 -II》或其他等同的发育量表进行复筛。《儿心量表 -II》从粗大动作、精细动作、适应能力、语言和社会行为 5 个能区来测评儿童发育水平，总得分低于 70 分者，提示存在发育障碍；总得分在 80 分以上，但语言、适应能力或社会行为任何一个能区的单项得分低于 70 分者，提示存在发育偏离；总得分为 70～79 分者，视为结果可疑，应在 3 个月内到原复筛机构进行复查。其他等同的发育量表，使用时应按照规范进行评估，结果可疑者应在 3 个月内进行复查。

（3）对 18～24 月龄儿童，同时使用《CHAT-23 B 筛查量表》(见附件 5)进行复筛。量表中共 4 个项目和 1 个总体测评项目。量表第 1 项回答"没有、偶尔",第 2 项回答"否",第 3 项回答"模仿、否",第 4 项回答"没有、光指、光看",视为项目不通过。第 1~4 项中 2 项不通过者,视为筛查不通过,提示存在自闭症风险。总体测评项目回答"没有、偶尔"视为不通过,仅记录结果。

对 24 月龄以上儿童,同时使用《自闭症行为量表》(见附件 6)进行复筛。量表中共 5 个能区 57 个项目。评估总分大于等于 53 分者,为筛查不通过,提示存在疑似自闭症症状。

(4)存在下列情形之一者,视为复筛异常。

一是通过询问病史或进行行为观察,发现有语言障碍、交流障碍、行为刻板、兴趣狭窄等一项及以上异常。

二是《儿心量表-II》提示存在发育障碍或发育偏离,或者其他等同的发育量表提示存在发育异常。

三是自闭症筛查量表提示存在自闭症风险或疑似自闭症的症状。

(5)根据检查结果,填写《上海市 0~6 岁儿童心理行为发育复筛记录表》(见附录 4,附表 4-4)。此表一式两份,一份由复筛机构留存,另一份交家长。

2. 转诊

对复筛结果异常的儿童,复筛机构应指导家长在 30 日内转诊至自闭症诊断机构。

三、自闭症诊断

自闭症诊断机构承担儿童自闭症诊断服务。自闭症诊断是一件极其严肃的事情,诊断结果可能会给儿童和家长带来深远影响,因此,建议到有相关资质的三甲医院进行诊断。

（一）诊断对象

接受自闭症诊断的对象主要是复筛结果异常的儿童。也可为初筛异常的儿童提供诊断服务。

（二）诊断方法

通过询问病史、行为观察、体格检查与神经系统检查、自闭症量表测评及必要的辅助检查等，根据《疾病和相关健康问题的国际统计分类》（第十版）中的自闭症诊断标准进行综合评估。

1. 询问病史

详细了解儿童的生长发育史，重点询问社交沟通、言语、认知能力、运动等方面的发育情况，了解儿童现病史、既往史以及父母孕育史、家族史等。

2. 行为观察

以对儿童的行为观察为主，重点观察儿童的社会交往、语言和非语言交流。可设置一些特定环境与活动，观察儿童的社交沟通，对人的反应，对环境与玩具的反应，目光对视情况，注意状态，自发性言语表达和特殊言语表达，情绪调节，特殊行为和兴趣，以及躯体活动和运动协调等方面的行为表现。使用发育量表进行测评时的行为表现也应适当记录。

3. 体格检查与神经系统检查

了解体格生长情况，测量头围、身高和体重，了解发育情况，观察面部特征及全身皮肤，检查有无先天畸形、视力障碍和听力障碍，检查神经系统有无异常体征，等等。

4. 量表测评

使用《儿童自闭症评定量表》（Childhood Autism Rating Scale，简称 CARS）等量表进行测评。《儿童自闭症评定量表》共 15 个项目，每个项目采用 4 级评分。总得分小于 30 分为非自闭症，大于等于 30 分为自闭症。

5. 辅助检查

可结合儿童的具体情况，选择必要的辅助检查，如电生理检查（脑电图、诱发电位）、影像学检查（头颅 CT 或磁共振）、染色体和基因检查等。

诊断自闭症，还要将其与言语－语言发育障碍、智力发育障碍、反应性依恋障碍、童年社交焦虑障碍、选择性缄默症、儿童精神分裂症等加以区别。同时注意共病的诊断，如注意缺陷/多动障碍、抽动症、癫痫、强迫症等。

（三）转诊指导

对于确诊自闭症的儿童，向家长说明诊断结果和病情、可采取的干预方法、政府有关部门的干预救助政策及信息，以及可选择的、适宜的干预康复场所。

对于已排除自闭症的儿童，结合临床症状、发育评估及相关检查结果，向家长说明诊断情况。若发现有自闭症以外的健康问题，应告诉家长到相应医疗机构作进一步的诊断和治疗。

对于暂时不能确诊自闭症的儿童，应告诉家长在 2 个月后到原自闭症诊断机构进行复查，并指导家长尽早开展干预。

根据诊断结果，填写《上海市 0～6 岁儿童心理行为发育异常诊断记录表》（见附录 4，附表 4-5）。此表一式两份，一份由自闭症诊断机构留存，另一份交给家长。

需要强调的是，对于自闭症的诊断，家长和医生必须慎重。目前国际上诊断自闭症的金标准工具是《自闭症诊断访谈－修订版》（Autism Diagnostic Interview-Revised，简称 ADI-R）和《自闭症诊断观察量表》（Autism Diagnostic

Observation Schedule，简称 ADOS）。观察自闭症的行为通常需要较长时间，然而，鉴于我国目前的医疗状况，门诊时间往往有限，这可能会对症状较轻儿童的诊断产生一定影响。而家长有充分的时间与孩子生活和互动，若能掌握相关的知识，则能更好地帮助儿童。

四、自闭症干预方法

在孩子被确诊为自闭症以后，家长要为孩子提供必要且适宜的支持和干预。因此，照护者需要了解自闭症的干预原则和常见的干预方法，才能少走弯路，把握儿童早期干预的宝贵时间。

（一）干预原则

自闭症儿童的干预旨在帮助儿童应对在社交、沟通、行为和感官处理等多个发展领域面临的广泛挑战。以下是一些关键的干预原则。

1. 个性化方法

每个自闭症儿童都是独一无二的，有自己的优势和偏好。因此，干预措施要依据每个儿童的具体需求和能力来制订。这可能涉及全面的评估，以了解儿童的优势领域和困难领域，然后设计个性化的干预方案来满足儿童的具体需求。

2. 循证实践

干预措施应以有效的科学证据为基础。有几种循证实践方法已被证明对自闭症儿童有益，包括应用行为分析、关键反应训练（pivotal response treatment，简称 PRT）、言语-语言治疗、作业治疗和社交技能训练。干预计划中必须纳入这些循证实践方法，以确保儿童接受有效的干预。

3. 早期干预

对自闭症儿童来说,早期干预至关重要。研究表明,尽早开始干预可以带来更好的结果。早期干预服务可能包括言语-语言治疗、职业治疗、行为干预和家庭支持。目标是在儿童早期发展的关键阶段为其提供所需的支持,帮助他们充分发挥潜力。

4. 以家庭为中心的方法

让家庭参与干预过程是自闭症儿童干预能否成功的关键。父母和照护者在儿童的发展中起着核心作用,他们可以成为儿童需求的强有力倡导者。干预计划应努力通过提供信息、资源和支持来增强家庭的力量,帮助他们在家庭和社区中有效地支持儿童的发展。

5. 结构化和可预测的环境

自闭症儿童通常在结构化、可预测和一致的环境中茁壮成长。提供明确的常规、视觉日程和明确的期望,可以帮助自闭症儿童在他们所处的环境中感到更加舒适和自信。不同环境(例如家庭、学校、治疗中心)之间的一致性也可以帮助儿童将所学技能泛化到新情境。

6. 沟通支持

许多自闭症儿童在沟通方面存在困难。干预计划应侧重于发展和增强沟通技能,无论是通过口语、手语还是替代沟通系统,如图片交换沟通系统或一些沟通设备。言语-语言治疗和其他以沟通为重点的干预措施可以帮助儿童学习表达自己的需求和愿望,理解语言并参与社交互动。

7. 发展社交技能

社交技能缺陷是自闭症的一个标志性特征。干预计划中应纳入帮助自闭症儿童发展社交技能的策略,例如理解社会暗示、换位思考、交朋友以及参与互惠对话和游戏。社交技能训练计划、同伴介导和社会故事等干预措施可以帮助自闭症儿童提高社交能力。

8. 行为支持

发脾气、攻击和自伤等挑战性行为在自闭症儿童中很常见。干预计划应包括解决这些行为的策略,如功能性行为评估、积极行为支持计划以及教授替代性行为和适应性行为。应用行为分析技术,包括强化策略和行为管理技术,经常被用来帮助自闭症儿童学习新技能并减少问题行为。

9. 感官整合

自闭症儿童在感官处理方面经常遇到困难,例如对感官刺激的超敏或低敏。干预计划中应包括感官整合策略,帮助儿童调节其感官体验并提高参与日常活动的能力。这些策略可能包括提供感官休息、感官活动和创造感官友好的环境。

10. 包容性和自然主义环境

只要可能,干预措施应在自然的环境中进行,并包括与正常发展的同伴互动的机会。主流教育环境中的包容性可以为自闭症儿童提供宝贵的学习、社交和同伴示范的机会。同伴介导干预、社交技能小组和融合性娱乐活动等措施可以促进融合及与同伴互动。

遵循这些干预原则并实施循证实践方法,可以支持自闭症儿童的发展和学习,并为其带来福祉。有效的干预计划是全面的、个性化的,并注重促进儿童的优势和能力,同时致力于解决儿童面临的独特挑战。

(二)干预方法

自闭症儿童的干预方法包括一系列旨在满足自闭症儿童独特需求和应对各种挑战的策略与技术。这些方法通常根据儿童的个人优势、劣势和发展水平来量身定制。以下是针对自闭症儿童的一些常用干预方法。

1. 应用行为分析

应用行为分析（applied behavior analysis，ABA）是自闭症干预领域中最为人所熟知，并且是研究支持最为充分的方法之一。该方法基于行为主义理论，采用一系列的行为技术来有目的地改善具有社会价值的行为。应用行为分析模式运用诸如正向强化、提示、行为塑造和行为链接等多种策略，在教授新技能的同时减少不必要的行为。

2. 早期密集行为干预

早期密集行为干预（early intensive behavior intervention，EIBI）是专为自闭症儿童设计的应用行为分析的一种强化形式，通常在儿童 5 岁之前、神经可塑性最强的时候开始。它涉及每周进行大量结构化的一对一训练，通常在家庭、医院或专业机构中进行。早期密集行为干预关注儿童发展的核心领域，如交流、社交互动、游戏技巧以及适应能力，旨在在儿童早期发展的关键阶段实现发展潜力的最大化。

3. 言语－语言治疗

自闭症的一个典型特征是沟通困难，而言语－语言疗法是解决这些沟通问题的关键方法。言语治疗专家会根据个体的特定需求采取多种技术，如使用辅助与替代性沟通（augmentative and alternative communication，简称AAC）设备、手语和图片交换沟通系统，以及进行口头表达训练。治疗过程通常专注于增强个体的表达能力、理解能力、日常语言应用（即社会交流技巧）能力以及口语发音的准确性。

4. 作业治疗

在作业治疗（occupational therapy，简称OT）中，专业人员与自闭症儿童协作,旨在提升他们在日常生活活动、感官处理、精细运动技巧以及社交互动方面的功能性和自立性。作业治疗的介入手段可能涉及感官整合方法,动作技能提升,个人卫生与自理能力培养,书写技能指导,以及对环境进行调整以满足特定的感官需求。

5. 社交技能培训

社交障碍是自闭症的关键特点,而社交能力训练的目标是向自闭症儿童传授有效进行社会交往和建立人际关系所需的技能。在社交技能训练中,可能运用的策略包括:模拟练习,示范恰当的社交行为,使用社交故事或剧本,参与团体治疗活动,以及提供有组织的社交互动环境。

6. 视觉支持

众多自闭症人士从视觉支持中受益,这类支持将信息、日常流程和预期以明确且直观的方式呈现出来。视觉支持包括视觉日程表、图片提示、视觉时间表、选择板和社交脚本等,可以帮助自闭症儿童更有效地理解他们所处的环境,指导他们的日常活动。

7. 基于发展、个别差异和人际关系的模式

基于发展、个别差异和人际关系的模式又称地板时光疗法,它侧重于通过互动游戏和共享经验来建立情感联系并促进参与。地板时光法强调跟随儿童的引导,促进互惠,并支持儿童的自然兴趣和优势,以促进社交情感的发展和沟通技能的提升。

8. 结构化教学

结构化教学方法,如自闭症及相关沟通障碍儿童的治疗与教育(treatment and education of autistic and related communication handicapped children,简称 TEACCH),为环境提供视觉结构和组织,以支持儿童的学习、独立性和可预测

性。结构化教学策略包括视觉日程安排、任务组织系统、工作系统和物理支持，以帮助自闭症个体理解期望、遵循常规，并更独立地完成任务。

9. 药物治疗

虽然药物不是治疗自闭症的主要方法，但可能会通过处方药来管理与自闭症相关的共发症状或常见症状，如焦虑、抑郁、多动症或攻击行为。在有医疗资质的保健专业人员的监督下，可能会使用精神类药物，如选择性5-羟色胺再摄取抑制剂、兴奋剂、抗精神病药和α-受体激动剂，以针对特定症状来改善整体功能。

10. 家长培训和支持

为家长提供培训、教育和支持，对于在家庭中实施策略、关注孩子的需求以及营造支持性的家庭环境至关重要。家长培训项目提供了关于行为管理技巧、沟通策略、倡导技能以及获取社区资源的指导。家长支持小组和在线社区为家长提供了相互联系、分享经验以及向理解他们经历的人寻求建议的机会。

总之，自闭症的干预方法包括多种针对自闭症个体独特需求和挑战而设计的方法。有效的干预需要多学科的方法，专业人员之间的协作，以及照护者或家人的积极参与。通过实施基于证据的干预措施以及根据个体的优势和需求制订的策略，有可能获得积极的结果，并提高自闭症儿童的生活质量。持续评估和调整干预措施对于确保干预的有效性和长期相关性至关重要。

第二节 自闭症的常用药物

医生在自闭症治疗中会使用一些药物,这类药物多是精神类药物,家长因为对药物不了解,常表现出抗拒心理。了解这些药物的作用、机制及副作用等基本信息,有利于家长配合医生对孩子的治疗,控制自闭症的一些症状,也有利于家长辨别用药过程中出现的各种情况。自闭症药物治疗主要针对自闭症的伴随症状,如焦虑、抑郁、多动、注意力不集中、强迫行为等。常用的药物有以下几类。

• 抗精神病药物:如利培酮、阿立哌唑、奥氮平等,主要用于治疗自闭症儿童的多动、冲动和攻击性行为[1][2][3][4];

• 抗抑郁药物:如氟西汀、舍曲林等,主要用于治疗自闭症儿童的抑郁症状[5];

• 抗焦虑药物:如苯二氮䓬类药物和SSRI类药物,主要用于治疗自闭症儿童的焦虑症状;

---

[1] Persico A M, Ricciardello A, Lamberti M, et al. The pediatric psychopharmacology of autism spectrum disorder: A systematic review-Part I: The past and the present [J]. Progress in Neuro-Psychopharmacology and Biological Psychiatry, 2021, 110: 110326.

[2] Dodig-Ćurković K, Ćurković M, Radić J. The Medical Treatment of Autism Disorders [J]. Recent Advances in Autism Spectrum Disorders: Volume II, 2013: 137.

[3] Canitano R, Scandurra V. Psychopharmacology in autism: an update [J]. Progress in Neuro-Psychopharmacology and Biological Psychiatry, 2011, 35 (1): 18-28.

[4] Fallah M S, Shaikh M R, Neupane B, et al. Atypical antipsychotics for irritability in pediatric autism: a systematic review and network meta-analysis [J]. Journal of Child and Adolescent Psychopharmacology, 2019, 29 (3): 168-180.

[5] Deb S, Roy M, Lee R, et al. Randomised controlled trials of antidepressant and anti-anxiety medications for people with autism spectrum disorder: systematic review and meta-analysis [J]. BJPsych Open, 2021, 7 (6): e179.

- 中枢兴奋药物：如哌甲酯，主要用于治疗自闭儿童的注意力不集中和多动症状[1][2][3]；
- 抗惊厥药物：如卡马西平、丙戊酸钠和苯巴比妥，主要用于治疗自闭症儿童的伴发癫痫等[4][5]。

一、抗精神病药物

抗精神病药物常用于管理自闭症谱系障碍的症状，如攻击行为、易怒和破坏性行为。常见的抗精神病药物有利培酮、阿立哌唑、奥氮平。

1. 利培酮

利培酮（Risperdal）是一种抗精神病药物，通常以品牌名Risperdal出售。它属于第二代抗精神病药物，被广泛用于治疗多种精神疾病，包括精神分裂症、双相情感障碍和自闭症。利培酮通过调节大脑中多巴胺和血清素等神经递质的

---

[1] Ventura P, de Giambattista C, Spagnoletta L, et al. Methylphenidate in autism spectrum disorder: a long-term follow up naturalistic study [J]. Journal of Clinical Medicine, 2020, 9 (8): 2566.

[2] Pearson D A, Santos C W, Aman M G, et al. Effects of extended release methylphenidate treatment on ratings of attention-deficit/hyperactivity disorder (ADHD) and associated behavior in children with autism spectrum disorders and ADHD symptoms [J]. Journal of Child and Adolescent Psychopharmacology, 2013, 23 (5): 337–351.

[3] Challman T D, Lipsky J J. Methylphenidate: its pharmacology and uses [C]//Mayo Clinic Proceedings. Elsevier, 2000, 75 (7): 711–721.

[4] Frye R E, Rossignol D, Casanova M F, et al. A review of traditional and novel treatments for seizures in autism spectrum disorder: findings from a systematic review and expert panel [J]. Frontiers in Public Health, 2013, 1: 31.

[5] Watkins L V, O'Dwyer M, Shankar R. A review of the pharmacotherapeutic considerations for managing epilepsy in people with autism [J]. Expert Opinion on Pharmacotherapy, 2022, 23 (7): 841–851.

活动来发挥作用。这些神经递质与情绪、认知和行为控制等方面有关。利培酮的主要作用是减轻幻觉、妄想、思维紊乱和其他精神症状，从而帮助患者恢复正常的日常功能。

除了作为抗精神病药物外，利培酮也被用于治疗6～17岁自闭症儿童的症状，特别是易怒、攻击行为和破坏性行为。临床研究表明，利培酮可以改善自闭症儿童的相关症状，并提高他们的生活质量。然而，利培酮也可能引起一些副作用，包括嗜睡、体重增加、食欲改变、运动障碍等。因此，在使用利培酮之前，应咨询医生或专业医疗人员的建议，并在他们的指导下用药。

2. 阿立哌唑

阿立哌唑（abilify）和利培酮都是第二代抗精神病药物，用于治疗精神分裂症、双相情感障碍和自闭症等。尽管它们有一些相似之处，但也存在一些区别。

首先，阿立哌唑和利培酮的药理机制略有不同。阿立哌唑主要作用于多巴胺D2受体和5-HT1A受体，而利培酮则同时作用于多巴胺D2受体、5-HT2A受体和α1肾上腺素能受体。这意味着它们对不同神经递质的影响有所不同。其次，阿立哌唑和利培酮在临床应用中也有一些差异。一般来说，阿立哌唑对于减轻阴性症状（如情感淡漠、社交退缩等）的效果更好，而利培酮对于减轻正性症状（如幻觉、妄想等）的效果更好。此外，阿立哌唑还可以改善自闭症儿童的易怒、攻击行为和破坏性行为等。最后，与利培酮相比，阿立哌唑的副作用较小。阿立哌唑相对较少引起锥体外系症状、体重增加和代谢问题，对催乳素水平的影响也较小。但是，由于每个人的身体状况和反应不同，所以到底哪种药物更合适，需要医生根据儿童的具体症状和身体情况来决定。

3. 奥氮平

奥氮平（olanzapine）是一种第二代抗精神病药物，常用于治疗精神分裂症、双相情感障碍和抑郁症等疾病。它属于多受体阻断剂类药物，通过作用于多巴胺、5-羟色胺、去甲肾上腺素、组胺等多种神经递质受体来调节神经传递。

奥氮平对于阳性症状（如幻觉、妄想等）和阴性症状（如情感淡漠、社交退缩等）都有一定的改善作用。此外，奥氮平还可以减轻焦虑和敌对情绪，改善睡眠质量。与其他抗精神病药物相比，奥氮平的副作用相对较轻，但仍然可能出现嗜睡、体重增加、血糖升高、血脂异常等不良反应。

奥氮平需要在医生的指导下使用，剂量应根据儿童的具体情况进行调整。在使用过程中，应注意监测自闭症儿童的症状和身体状况，及时处理可能的副作用。同时，长期使用奥氮平的人士需要定期进行血液检查和心脏监测等，以确保安全使用。

二、抗抑郁药物

在自闭症儿童中，抑郁症状并不罕见，尽管有时可能难以识别。自闭症儿童往往在情感表达方面存在困难，或者可能表现出一些行为而被误解为非抑郁症状。自闭症儿童出现抑郁的一些常见迹象可能包括：行为变化，如易怒或攻击行为增加；退出社交活动，或对以前喜欢的活动兴趣减少；睡眠模式改变，如失眠或过度睡眠；食欲或体重发生变化；等等。照护者和医疗专业人员要警觉这些迹象和症状，并寻求适当的评估和支持。当自闭症儿童出现抑郁症时，要采取全面的方法，不仅要改善抑郁症状，还要改善潜在的自闭症症状。这可能涉及多种疗法的组合，如认知行为疗法、社交技能训练及环境支持等。必要时医生可能会开抗抑郁药物来帮助管理抑郁症状。常用的抗抑郁药物是选择性5-羟色胺再摄取抑制剂，如氟西汀或舍曲林。然而，在儿童中使用药物始终应谨慎，并在医生的指导下进行。

1. 氟西汀

氟西汀（Prozac），以其商品名称"百忧解"广为人知，是一种选择性5-羟色胺再摄取抑制剂的抗抑郁药物。在治疗自闭症的某些症状时，医师有时会考虑开具此药。尽管美国食品药品监督管理局（U.S. Food and Drug Administration，简称FDA）等监管机构没有正式批准氟西汀用于自闭症治疗，但部分医疗实践仍使用该药物治疗自闭症儿童常见的焦虑、刻板行为和易怒等症状。

关于氟西汀对自闭症儿童的疗效，研究结论并不一致。一些研究发现氟西汀可能减少刻板行为，提升社交能力，并有助于减轻某些自闭症儿童的焦虑。与此同时，其他研究并未观察到显著改善，还对药物的副作用以及用药者的耐受性提出了疑虑。

2. 舍曲林

舍曲林（Zoloft）以其商品名称"郁乐复"而知名，也是一种选择性5-羟色胺再摄取抑制剂的抗抑郁药物。在治疗与自闭症相关的特定症状时，有时会考虑使用这种药物。尽管像美国食品药品监督管理局这样的监管机构没有正式批准舍曲林用于自闭症的治疗，但它在临床上可能被用来管理自闭症所经历的一些常见问题，如焦虑、抑郁、强迫行为和易怒。

舍曲林对自闭症儿童的疗效研究结论也不一致。有些研究发现，它可能有助于减轻焦虑、改善社交互动能力，以及降低某些自闭症儿童的重复行为。然而，并非所有研究都支持这些发现，并且对其副作用和用药者的耐受性表示担忧。

需要强调的是，每个自闭症儿童的情况都是独特的，适合个别儿童的治疗方法不见得适用于其他儿童。此外，对儿童（包括自闭症儿童）使用任何药物都必须格外审慎，仔细权衡其潜在利弊。在考虑使用氟西汀或舍曲林治疗自闭症之前，照护者应与有经验的医疗专业人员深入讨论，考量潜在的利益、风险以及其他可选方案。决定用药应是综合治疗策略的一部分，策略中还应包含行为疗法、教育介入以及针对个人需求制订的支持措施。

三、抗焦虑药物

在自闭症人群中，焦虑是一种广泛存在的伴随症状。研究显示，相较于普通人群，自闭症儿童会更频繁地遭受焦虑的困扰。自闭症儿童的焦虑症状可以以多种方式表现，通常与自闭症本身的核心症状重叠。由于自闭症儿童固有的沟通和社交困难，识别其焦虑症状可能具有挑战性。在自闭症儿童中观察到的一些常见焦虑症状包括：烦躁或易怒增加，重复行为、回避行为增加，感觉敏感性增强，睡眠困难以及出现一些身体症状，如胃痛、头痛、心跳加速、出汗或者颤抖等。此外，在某些情况下，焦虑可能导致先前获得的技能或行为退化，如语言丧失、如厕能力退化或对照护者的依赖增加。

治疗自闭症儿童焦虑的药物有选择性 5- 羟色胺再摄取抑制剂（SSRI 类）、苯二氮䓬类药物及丙咪嗪等。SSRI 类药物在前面已经介绍过，所以这里主要介绍后两种。

1. 苯二氮䓬类药物

苯二氮䓬类药物（Benzodiazepines）是一类常用于治疗焦虑和紧张情绪的药物。然而，在自闭症儿童中使用这类药物时需要格外谨慎。虽然苯二氮䓬类药物可以迅速缓解焦虑症状，但它们存在一些潜在的风险和副作用。首先，苯二氮䓬类药物可能会引起嗜睡、乏力、注意力不集中等不良反应，这些反应可能会影响自闭症儿童的日常生活和学习能力。其次，长期使用苯二氮䓬类药物可能导致依赖性和耐受性，使药物逐渐失去疗效。最后，苯二氮䓬类药物还可能与其他药物相互作用，增加不良反应的风险。

因此，在考虑使用苯二氮䓬类药物治疗自闭症儿童的焦虑时，医生应该仔细权衡利弊，并与家长充分沟通。如果决定使用这类药物，医生应该确定适合儿童的药物剂量，并密切监测用药者的反应和副作用。此外，医生还可以考虑结合其他治疗方法，如认知行为疗法或心理支持，以提高治疗效果。最重要的是，家长应该积极参与治疗过程，提供必要的支持和指导，确保孩子得到最佳的关怀和照顾。

2. 丙咪嗪

丙咪嗪（Imipramine）是一种三环类抗抑郁药，尽管监管机构并未明确批准该药物用于自闭症儿童，但在临床上，医生有时会使用该药物来控制自闭症儿童的焦虑、攻击行为、刻板行为等。

关于丙咪嗪治疗自闭症焦虑的研究非常有限，由于潜在的副作用和其他药物的相互作用，使用时应谨慎。然而，一些研究和临床报告表明，丙咪嗪可能有助于减轻部分自闭症儿童的焦虑症状。

对于被开具丙咪嗪治疗焦虑的自闭症儿童，医疗提供者需要密切监测，因为这些儿童可能更容易出现某些副作用，如嗜睡、口干、便秘和体重增加。此外，像丙咪嗪这样的三环类抗抑郁药可能会对心脏产生影响，对于有某些既往史的自闭症儿童可能不适用。

四、中枢兴奋药物

中枢兴奋药物主要用于治疗注意缺陷/多动障碍（attention-deficit/hyperactivity disorder，简称 ADHD）。尽管它们在注意缺陷/多动障碍的治疗中已被证明是有效的，但关于这些药物在自闭症治疗中的使用仍然存在争议。一些研究表明，某些中枢兴奋药物可能对自闭症儿童的特定症状有所帮助，如多动、冲动和注意力不集中。然而，对于自闭症的核心症状，如社交互动和沟通困难，目前的证据并不支持使用这些药物。常用的中枢兴奋药物是哌甲酯。

哌甲酯是一种用于治疗注意缺陷/多动障碍的药物，它的作用是刺激中枢神经系统，帮助改善注意力分散、多动和冲动等症状。对于自闭症儿童，尽管哌甲酯不是主要的治疗药物，但在某些情况下，医生可能会考虑使用它来缓解部分症状。

在探讨哌甲酯对自闭症儿童的作用时，目前的资料并不充足，尤其是与它在注意缺陷/多动障碍领域的研究相比。有研究提示，对于那些同时存在明显的注意缺陷/多动障碍症状的自闭症儿童，使用哌甲酯可能有助于改善他们的多动和冲动问题。但是，在处理自闭症的核心问题，例如社交互动的挑战和重复的行为模式方面，哌甲酯的效果还没有得到充分的证实。因此，通常需要综合考虑自闭症的治疗方法，如行为干预和教育策略，以帮助自闭症儿童取得更全面的进步。

值得注意的是，哌甲酯等中枢兴奋药物可能会带来一些副作用，包括食欲下降、失眠、易怒以及心率和血压的升高。需要密切监测这些副作用，并根据具体情况来调整药物剂量，以使不良反应最小化。与所有自闭症治疗方法一样，哌甲酯也应作为多学科治疗策略的一部分，将其与行为疗法、教育干预和其他支持措施结合起来使用。此外，家长要定期与医生保持沟通，以便医生评估药物效果，监测药物的副作用，并根据需要调整治疗方案。

五、抗惊厥药物

自闭症儿童有时会出现癫痫发作，抗惊厥药物可以用于治疗癫痫。常用的抗惊厥药物有卡马西平、丙戊酸钠和苯巴比妥。

1. 卡马西平

卡马西平（Carbamazepine）是一种钠通道阻滞剂，通过抑制神经元的异常放电来减少癫痫发作。它被广泛用于治疗多种类型的癫痫，包括部分性发作和全面性发作。对于有癫痫的自闭症儿童，卡马西平可以帮助控制癫痫发作，并减轻相关的症状。但是，卡马西平可能会引发过敏症状，也可能会导致肝功能损害，因此须根据情况谨慎用药。

2. 丙戊酸钠

丙戊酸钠（Sodium Valproate）是一种抗癫痫药物，通过增加神经递质

GABA的水平来减少神经元的异常放电。它也被广泛用于治疗多种类型的癫痫，包括部分性发作和全面性发作。对于伴发癫痫的自闭症儿童，丙戊酸钠可以有效地控制癫痫发作，并且在一些研究中显示出对改善行为和社交互动的积极影响。丙戊酸钠的常见不良反应为肝功能损害、皮疹、疲劳乏力等，须密切监测。

3. 苯巴比妥

苯巴比妥（Phenobarbital）是一种巴比妥类药物，通过增强抑制性神经递质的作用来减少神经元的异常放电。它在过去被广泛用于治疗癫痫，但由于其副作用较多且患者容易产生耐药性，现在已经较少使用。对于伴发癫痫的自闭症儿童，苯巴比妥的使用可能会带来一些风险和副作用，因此并不是首选的治疗药物。

需要注意的是，每个自闭症儿童的情况是独特的，应根据儿童的具体情况制订个性化的治疗方案。只有经过医生的评估和指导，才能确定最适合儿童的药物治疗方案。

第三节 自闭症生物疗法的是与非

虽然目前还没有发现能够治愈自闭症的治疗方法，但研究者仍在不懈努力，着力开发一系列治疗手段，以减轻症状，提高自闭症儿童生活质量。目前正处于探索阶段的创新治疗方法和干预措施有基因治疗、干细胞治疗、微生物治疗、脑刺激技术以及虚拟现实等。重要的是，家长应当关注这些新疗法的进展，同时要保持谨慎，避免过早投入高额成本或寄予过高期望。

一、基因治疗

近年来，基因治疗已成为解决与自闭症相关的潜在遗传异常的一种有前途的方法[1][2][3]。基因治疗将治疗性基因或基因编辑工具递送到靶细胞中，以纠正或调节遗传缺陷。基因治疗瞄准与自闭症直接相关的特定基因或生物通路，有望提供定制化和精准的治疗方案，满足自闭症个体的需求。

（一）基因治疗的方法

基因治疗首先要确定遗传靶标。遗传学研究的进展已经识别出多个与自闭症有关的基因，例如 SHANK3、FMR1、MECP2 等[4][5][6]。这些基因在突触运作、神经细胞发育以及神经传递信号的过程中扮演着重要角色。基因治疗的目标是通过对这些特定基因进行干预，修复或重建细胞的正常功能，从而减轻自闭症症状。其次，要进行基因替换和编辑技术。在特定已知的基因变异或缺陷导致自闭症的情况下，可以采用基因置换疗法，该策略涉及将功能性基因导入细胞中，以补充或修复异常基因或丢失的基因。此外，利用像 CRISPR/Cas9 这样的先进基因编辑工具，有可能在 DNA 层面精确地修正特定基因序列，以此纠正基

---

[1] Benger M, Kinali M, Mazarakis N D. Autism spectrum disorder: prospects for treatment using gene therapy [J]. Molecular autism, 2018, 9 (1): 39.

[2] Pena S A, Iyengar R, Eshraghi R S, et al. Gene therapy for neurological disorders: challenges and recent advancements [J]. Journal of drug targeting, 2020, 28 (2): 111–128.

[3] Mani S, Jindal D, Singh M. Gene therapy, a potential therapeutic tool for neurological and neuropsychiatric disorders: applications, challenges and future perspective [J]. Current Gene Therapy, 2023, 23 (1): 20–40.

[4] Carbonetto S. A blueprint for research on Shankopathies: a view from research on autism spectrum disorder [J]. Developmental neurobiology, 2014, 74 (2): 85–112.

[5] Huguet G, Benabou M, Bourgeron T. The genetics of autism spectrum disorders [J]. A time for metabolism and hormones, 2016: 101–129.

[6] Nisar S, Hashem S, Bhat A A, et al. Association of genes with phenotype in autism spectrum disorder [J]. Aging (albany NY), 2019, 11 (22): 10742.

因突变或调整特定基因的表达水平。

（二）基因治疗的挑战和未来方向

尽管基因治疗在自闭症研究领域具有前景，但必须解决当前面临的几个挑战。自闭症是一种复杂且异质性高的障碍，其发生机制涉及多种遗传因素和环境因素。开发与自闭症相关的广泛遗传异常的靶向基因治疗面临重大挑战。此外，要确保自闭症基因治疗干预措施的安全性、有效性和长期影响。自闭症的基因治疗研究仍处于早期阶段，需要通过大量的工作才能将有前途的临床前发现转化为临床上可行的治疗方法。研究人员、临床医生、行业合作伙伴和倡导组织之间的协作努力，对于推动基因治疗研究并确保其负责任且遵循伦理道德地实施至关重要。综上所述，基因治疗因其针对自闭症潜在基因的精准性，显示出巨大潜力。

尽管面临不少挑战，但对该领域研究的不懈努力与开拓创新，正逐步开启可能彻底改变自闭症治疗现状的大门，为提升疗效和生活质量带来了希望。

二、干细胞治疗

近年来，干细胞治疗作为一种新兴的治疗手段，因其对缓解自闭症核心症状及其潜在的生物学缺陷显示出前景[1][2]，受到广泛关注。由于干细胞具有分化为多种细胞类型的能力，所以在再生医学上，特别是针对神经发育障碍，如自闭症的治疗，干细胞治疗被认为具有极大的应用潜力。

---

[1] Siniscalco D, Kannan S, Semprún-Hernández N, et al. Stem cell therapy in autism: recent insights [J]. Stem cells and cloning: advances and applications, 2018: 55–67.
[2] Kong X, Wang X, Stone W. Prospects of Stem Cell Therapy for Autism Spectrum Disorders [J]. North American Journal of Medicine and Science, 2011, 4 (3).

（一）神经干细胞的类型及作用

目前，研究人员正在研究不同类型的干细胞对治疗自闭症的潜在效用。

1. 间充质干细胞

间充质干细胞（mesenchymal stem cells，简称 MSCs）这类成人干细胞存在于骨髓、脂肪组织、脐带和胎盘等多种组织中。间充质干细胞因其具有抗炎特性和神经保护效果而受到关注，这些特性可能与自闭症相关，因为炎症反应和免疫调节失衡也是自闭症的特征。

2. 诱导多能干细胞

诱导多能干细胞（induced pluripotent stem cells，简称 iPSC）来源于成年细胞（例如皮肤细胞），这些细胞经过重新编程，恢复到多能性状态，进而能够分化成体内的任何细胞类型。通过将成人细胞重新编程为诱导多能干细胞，研究人员可以生成自闭症个体的"人工"细胞模型，从而更好地理解自闭症的发生机制。

3. 神经干细胞

神经干细胞（neural stem cells，简称 NSCs）是一类特化的干细胞，存在于神经系统中，并且能够分化成神经元、星形胶质细胞和少突胶质细胞。神经干细胞有潜力修复或改善自闭症儿童受损或功能异常的神经环路。

近年来的研究表明，干细胞治疗在自闭症治疗领域取得了一些令人振奋的进展。首先，通过将干细胞植入大脑或其他受影响的神经系统部位，可以促进受损神经元的再生和修复。其次，干细胞可以释放生长因子和神经递质，有助于改善神经递质平衡，减轻自闭症儿童的症状。最后，干细胞还可以调节免疫系统功能，减少炎症反应，有助于改善自闭症儿童的整体健康状况。

（二）干细胞治疗的挑战和未来方向

目前，干细胞治疗自闭症仍然面临一些挑战和限制。首先，干细胞治疗的安全性和有效性尚未得到充分验证，需要更多的临床研究来进一步评估其长期疗效和潜在风险。其次，干细胞治疗的成本较高，限制了其在自闭症群体中的普及和应用。最后，伦理和道德考量不可或缺，以确保干细胞研究和治疗的合法性和可持续性。

尽管存在种种挑战，但干细胞疗法是自闭症治疗中一个充满希望的领域。随着技术的不断进步和研究的深入开展，相信在不久的将来，干细胞治疗将为自闭症儿童带来更多福祉和希望，让他们拥有更加美好的明天。

三、微生物治疗

已有研究发现，自闭症儿童的肠道菌群常常出现紊乱[1]，表现为有益菌数量减少、有害菌数量增加。这种微生态紊乱可能与自闭症症状的发生和发展密切相关，这为微生物疗法提供了治疗靶点。微生物治疗自闭症指通过调节肠道微生物来改善与自闭症相关症状的干预措施[2]。该方法包括使用益生菌、益生元、抗生素、粪便微生物移植等，来改变肠道微生物群的组成和功能。

（一）使用益生菌

益生菌（probiotic）治疗自闭症，是一种通过调节肠道微生物群的组成和功

---

[1] Fattorusso A, Di Genova L, Dell'Isola G B, et al. Autism spectrum disorders and the gut microbiota [J]. Nutrients, 2019, 11 (3): 521.
[2] Liu J, Gao Z, Liu C, et al. Alteration of gut microbiota: new strategy for treating autism spectrum disorder [J]. Frontiers in Cell and Developmental Biology, 2022, 10: 792490.

能来改善自闭症儿童症状的治疗方法[1][2][3]。益生菌是一类活性微生物，能够在肠道内定植并生长，与其他微生物相互作用，促进有益菌的增长，抑制有害菌的繁殖，从而改善肠道微生态平衡。该治疗方法的作用机制包括调节肠道菌群、影响免疫系统和产生生物活性物质。益生菌治疗通常与其他干预措施结合使用，如益生元补充、饮食调整等。尽管益生菌治疗在一些研究中显示出改善自闭症儿童的消化系统症状、免疫功能和行为问题的潜力，但仍需要更多的研究来验证其安全性和长期效果，以及确定个性化的治疗方案。

（二）使用益生元

益生元（prebiotics）治疗自闭症，是一种利用益生元补充物来调节肠道微生物群，以便改善自闭症儿童症状的治疗方法[4]。益生元是一类能够促进肠道有益微生物生长和提高其活性的物质，通常是纤维或不可消化的碳水化合物。益生元通过提供食物来支持有益菌的生长，从而改善肠道微生态平衡。该治疗方法的作用机制与益生菌类似，包括调节肠道菌群、影响免疫系统以及可能产生生物活性物质。益生元治疗通常作为益生菌治疗的补充，单独使用或与益生菌一起使用。尽管益生元治疗在一些研究中显示出改善自闭症儿童的消化系统症状、免疫功能和行为问题的潜力，但与益生菌治疗一样，仍需要更多的研究来验证其安全性和长期效果，以及确定个性化的治疗方案。

---

[1] Abdellatif B, McVeigh C, Bendriss G, et al. The promising role of probiotics in managing the altered gut in autism spectrum disorders [J]. International Journal of Molecular Sciences, 2020, 21 (11): 4159.

[2] Liu J, Wan G, Huang M, et al. Probiotic therapy for treating behavioral and gastrointestinal symptoms in autism spectrum disorder: a systematic review of clinical trials [J]. Current Medical Science, 2019, 39: 173-184.

[3] Ng Q X, Loke W, Venkatanarayanan N, et al. A systematic review of the role of prebiotics and probiotics in autism spectrum disorders [J]. Medicina, 2019, 55 (5): 129.

[4] Zhang S, Han F, Wang Q, et al. Probiotics and prebiotics in the treatment of autism spectrum disorder: a narrative review [J]. Journal of Integrative Neuroscience, 2024, 23 (1): 20.

(三)使用抗生素

抗生素(antibiotic)治疗自闭症并不是常见的或主要的治疗方法,因为自闭症与抗生素之间的联系主要涉及对肠道微生物群的影响,而不是直接治疗自闭症的症状。抗生素通常用于治疗细菌感染,但它们也可能杀死有益的肠道细菌,导致肠道微生物群失衡。这可能对自闭症儿童的消化系统和行为产生影响。因此,长期或频繁使用抗生素可能加重自闭症儿童的消化系统问题或其他相关症状。总的来说,抗生素治疗自闭症不是一种常见的或推荐的治疗方法。

(四)粪便微生物移植

粪便微生物移植(faecal microbiota transplant,简称FMT)治疗自闭症是一种新兴的治疗方法[1][2][3],其基本原理是将健康捐赠者的粪便样本中的微生物群,通过灌肠或口服等方式移植到自闭症儿童的肠道内,以恢复或改善自闭症儿童的肠道微生态平衡。这种治疗方法的理论基础是,自闭症儿童的肠道微生物群可能存在异常,而通过引入健康的微生物群可能有助于缓解相关症状。粪便微生物移植治疗自闭症的具体效果和安全性仍需进一步研究和验证。尽管一些初步研究表明,该方法可能对改善自闭症儿童的症状有一定作用,但由于目前的证据有限,还需要更多的临床试验来确定其长期效果和适用范围。此外,粪便微生物移植涉及一些潜在的风险,如传播传染病和引起不良反应,因此在

---

[1] Li N, Chen H, Cheng Y, et al. Fecal microbiota transplantation relieves gastrointestinal and autism symptoms by improving the gut microbiota in an open-label study [J]. Frontiers in cellular and infection microbiology, 2021, 11: 759435.

[2] Zhu D, Jin X, Guo P, et al. Efficacy of Faecal Microbiota Transplantation for the Treatment of Autism in Children: Meta-Analysis of Randomised Controlled Trials [J]. Evidence-Based Complementary and Alternative Medicine, 2023, 2023 (1): 5993628.

[3] Zhang J, Zhu G, Wan L, et al. Effect of fecal microbiota transplantation in children with autism spectrum disorder: A systematic review [J]. Frontiers in Psychiatry, 2023, 14: 1123658.

实施前需要仔细考虑,并由专业医疗团队进行监督和管理。

总之,微生物治疗自闭症是一个不断发展的领域,在部分自闭症儿童的症状管理和整体健康方面具有潜在好处。然而,还需要通过进一步研究来更好地理解其作用机制,优化治疗方案,并应对现有的挑战。

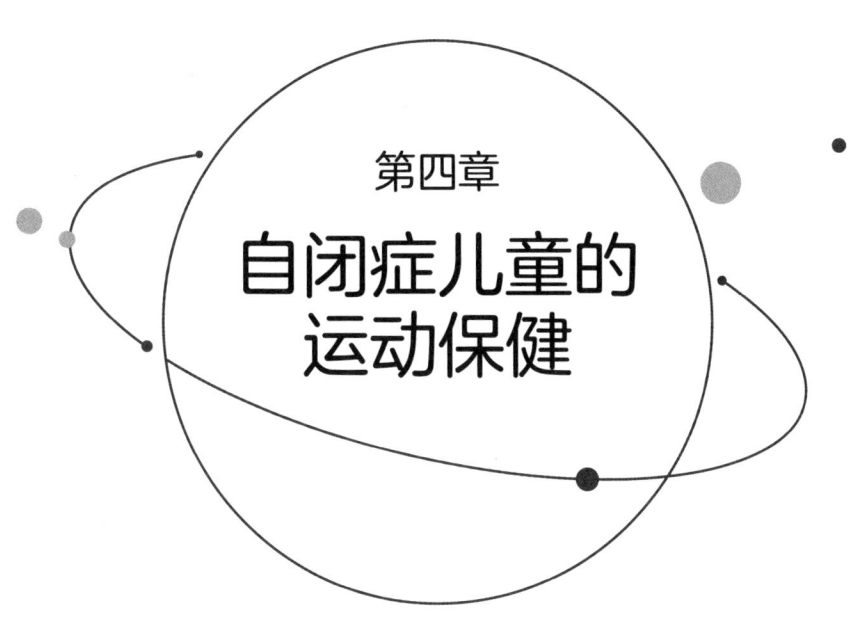

第四章

自闭症儿童的运动保健

大多数成人在说起运动锻炼时会想到在健身房锻炼,在跑步机上跑步,或进行力量训练。对儿童来说,玩耍就是锻炼。他们上体育课、上舞蹈课、踢足球、骑自行车或玩捉迷藏游戏,这些都是运动。运动不仅能促进儿童身体健康,还能促进大脑发育。"运动就是药物",大量研究证实了这一观点,体育活动对自闭症儿童有广泛益处。

第一节 运动对儿童的重要性

一、运动是儿童学习的开始

幼儿在出生的最初几年,首要任务之一是掌控自己的身体,从一开始几乎无法自主活动,到逐渐学会移动和操控身体的各个部位,这个过程不仅涉及肌肉的发展,还包括感知和协调能力的提升。新生儿在出生后的几个月里,开始逐渐意识到自己的肢体和它们的功能。他们学会了通过动作和表情来表达情感和需求,这让他们的父母和其他照护者能够更好地理解他们。随着幼儿的成长,他们开始探索自己的身体,尝试进行各种动作。他们学会了翻身、爬行和坐立,这些动作不仅让他们能够移动得更远,还促进了他们的空间感知和协调性。随着时间的推移,幼儿逐渐学会了站立和行走。这是他们身体控制能力的一个重要里程碑,也是自主探索以及与世界互动的基础。他们开始学会自己寻找感兴趣的东西,自由地探索周围的环境。

在这个过程中,运动促进了幼儿大脑的发育。从出生到 5 岁,幼儿的大脑发育比生命中其他任何时候都要快,早期的大脑发育对幼儿的学习能力以及后期的工作能力有着持久的影响。幼儿在生命最初几年的经历,无论是积极的还是消极的,都能影响他们大脑的发育。

婴儿出生时的大脑体积约为成人的 1/4。令人难以置信的是,在出生后第一年,大脑体积快速增至成人水平的约 60%;到 3 岁时,达到成人的 80%;5 岁时,大脑接近完全成熟,接近成人的 90%。人类大脑的神经元数量在出生时已基本确定,大脑体积的增长主要是由于神经元之间连接的增加,以及不同的神经元通过神经纤维彼此连接。每个神经元能与数千个神经元通过突触形成连接。大脑是人体的指挥中心,但真正使大脑工作的是这些细胞之间的连接。大脑连接使我们能够移动、思考、交流和做几乎所有事情。这些连接主要是在婴幼儿时期建立的,每秒钟至少有100万个新的神经连接(突触)形成,比其他任何时期都多。幼儿两三岁的时候,突触的数量达到顶峰,约为成人的2倍,之后使用得较少的突触会被剪切(见图4-1),幼儿做事的效率也越来越高。而这些连接的形成与剪切受到我们日常经验的影响。

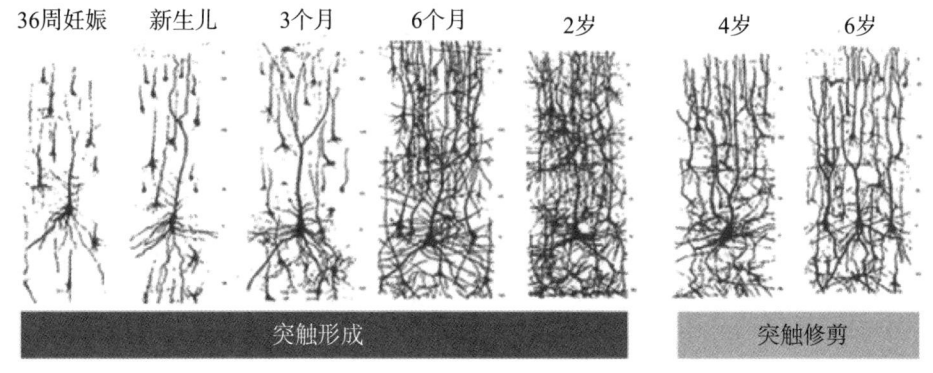

图4-1 婴幼儿的神经元连接

从出生开始,婴幼儿就通过日常经历来发展大脑连接。他们通过与父母和照护者的积极互动,以及通过感官与世界互动而建立起来。幼儿的日常经历决定了哪些大脑连接会发展,哪些会持续一生。他们在早年接受的照料、刺激和互动的数量和质量决定了这一切。幼儿与生活中成人的关系,对于幼儿的大脑发育有着重要的影响。与反应灵敏、值得信赖的成年人建立爱的关系,对孩子的健康发展至关重要。这些关系始于家庭,始于父母和家人,也包括保育员、教师和社区其他成员。

从出生开始,婴幼儿就会发出邀请,与父母和其他成年照护者互动。婴儿通过咕咕叫、微笑和哭泣来表达需求。蹒跚学步的幼儿会更直接地表达他们的需求和兴趣。这些小小的邀请都是照护者回应孩子需求的机会。这种"发球–

回球"式互动的过程是大脑连接的基础。父母和照护者关注、回应并与孩子互动,实际上是在构建孩子的大脑。这就是为什么从孩子出生的那天起,和他们说话、为他们唱歌、陪他们阅读和玩耍,给他们机会探索所处的物质世界,并提供安全、稳定和养育的环境是如此重要。

二、运动促进儿童身体健康

运动对儿童的身心发展至关重要,它不仅是指传统的跑跳玩耍,更是指任何能让儿童呼吸加快、心跳加速的活动。现在儿童的运动时间较以往明显减少,自闭症儿童的运动时间更是明显偏少。儿童每天至少进行60分钟中等到剧烈强度的身体活动,这并不意味着儿童需要连续不断地运动60分钟,而是可以通过分散的活动累计完成。运动对儿童健康的影响是多方面的。

第一,定期的身体活动有助于儿童骨骼、肌肉和关节的健康。在成长的关键时期,运动可以刺激骨骼生长,增强骨密度,预防未来可能出现的骨质疏松症。同时,运动过程中肌肉的收缩和放松,不仅增强了力量,还提高了关节的灵活性和稳定性。再者,运动能显著改善儿童的协调能力、力量和肌肉控制能力。在各种游戏活动中,儿童逐渐学会控制自己的身体,保持平衡。随着时间的积累,这些技能将成为他们身体记忆的一部分,使他们在日常生活中更加自信和从容。身体的柔韧性也是运动带来的另一项重要好处。柔软的身体能够更好地适应外界的冲击,降低受伤的风险。儿童在运动中学习伸展和弯曲,这不仅能提高他们的运动表现,还能预防肌肉紧张和疼痛。身体平衡和姿势的改善也是运动不可或缺的好处之一。良好的姿势意味着正确的肌肉使用和骨骼排列,这有助于防止未来的背痛和其他肌肉、骨骼问题。

第二,心脏和肺作为人体的动力之源,可以通过运动得到强化。运动会提高心率,使血液循环更加顺畅,提高心脏的泵血能力。同时,深长的呼吸使肺充分扩张,吸收更多的氧气,这不仅提升了体能,还增强了免疫系统的功能。

第三，适量的运动能帮助儿童维持健康的体重。在儿童肥胖日益成为全球健康问题的今天，通过运动燃烧卡路里，减少体内脂肪的积累，是预防肥胖及相关慢性疾病的重要手段。

综上所述，运动不仅是儿童嬉戏玩乐的方式，更是塑造他们健康身心的基础。家长和教育者应当鼓励儿童参与各种形式的运动，让运动成为他们日常生活的一部分，从而开启他们活力四射的童年，为其奠定一生的健康基石。

三、运动促进认知发展

运动不仅能促进身体的发育和健康，还能对大脑的发育产生重要影响。然而，动作发展的价值常被忽视，人们甚至将运动和认知对立起来，比如常说的"四肢发达，头脑简单"。幸运的是，这些错误的观念正在被纠正。动作与个体心理发展的功能性联系日益受到重视。一方面，认知、情感、心理状态等因素对动作的产生、执行及结果的影响被广泛认可；另一方面，动作对认知功能发展的影响也得到越来越多的关注。

（一）注意

注意是一种复杂的多维结构，可以概括为选择性地关注一个对象或任务的能力，对于一系列思维活动至关重要；它能将语言和记忆等几种认知功能联系起来。因此，注意被视为学习的基础，它影响信息选择和保留的过程，最终会影响从最简单到最复杂的大多数人类活动。运动对儿童注意的作用主要表现在以下两个方面。

1. 提升注意水平

运动时，身体会分泌各种有益于大脑的物质，包括多巴胺、去甲肾上腺素、血清素等[1][2]。这些物质能够提高儿童的注意力，使他们在学习和其他活动中更加专注。与长时间坐着学习相比，运动后再投入到学习中，儿童的专注力和学习效率会表现得更好。

2. 改善注意缺陷

一些研究表明，多动症儿童常常表现出注意力不集中、注意时间短暂、活动过度和冲动的行为特征。对于这类儿童，适当的运动可能有助于改善这些症状，因为运动有助于释放过剩的精力，从而减轻多动症状[3][4]。

（二）语言

语言是人类用于沟通交流的表达方式，是一套复杂的符号系统。儿童的语言能力常常是认知水平的重要体现。运动对儿童语言的发展有多方面的作用。

第一，运动可以促进大脑的发育，使大脑更加灵活，进而促进语言中枢的发育。这是因为从婴儿期开始，运动就与脑部发展有着紧密的联系，婴儿运动发育的每一步都是其中枢神经系统成熟的一个阶段，同时能促进中枢神经系统功能的进一步完善。例如，婴儿的站立、行走在促进大脑发育的同时，也促进小脑的发育。

---

[1] Chaouloff F. Physical exercise and brain monoamines: a review [J]. Acta Physiologica Scandinavica, 1989, 137 (1): 1–13.
[2] Meeusen R. Exercise, nutrition and the brain [J]. Sports Medicine, 2014, 44: 47–56.
[3] Sun W, Yu M, Zhou X. Effects of physical exercise on attention deficit and other major symptoms in children with ADHD: A meta-analysis [J]. Psychiatry Research, 2022, 311: 114509.
[4] Pontifex M B, Saliba B J, Raine L B, et al. Exercise improves behavioral, neurocognitive, and scholastic performance in children with attention-deficit/hyperactivity disorder [J]. The Journal of Pediatrics, 2013, 162 (3): 543–551.

第二,运动可以促进咽喉部肌肉的发育,使咽喉部位更加灵活,从而更好地发声。此外,运动还可以促进口腔肌肉的发育,使口腔肌肉更加灵活,有利于口腔发育和更好地进行吞咽。

第三,运动可以促进发音,使发音器官更加灵活,从而更好地控制发音。

第四,运动可以提高儿童的自我认知能力,使他们更加明确自身的需要,并且可以更好地完成相应的行为。

综上所述,我们在对特殊儿童进行语言训练时,运动训练是一个非常重要的选项,它在促进大脑发育的同时,还能满足他们的共同需求,提高他们的表达欲望。因此,儿童在进行运动游戏的时候更容易发出声音。

(三)学习和记忆

运动与学习和记忆之间存在密切的联系。运动不仅可以直接促进大脑的健康和功能,提高学习和记忆能力,还可以通过改善情绪、睡眠以及减轻压力和焦虑等间接方式,进一步促进记忆和思维[1][2][3]。

第一,运动能够刺激身体的生理变化,如促进生长因子的产生。这些生长因子是影响大脑中新血管生长的化学物质,它们对新脑细胞的丰度、存活和整体健康都起着重要作用。通过运动,可以增加这些生长因子的产生,从而改善大脑的结构和功能,提高学习和记忆的效果。

---

[1] García-Capdevila S, Portell-Cortés I, Torras-Garcia M, et al. Effects of long-term voluntary exercise on learning and memory processes: dependency of the task and level of exercise [J]. Behavioural Brain Research, 2009, 202 (2): 162-170.

[2] Blomstrand P, Engvall J. Effects of a single exercise workout on memory and learning functions in young adults—A systematic review [J]. Translational Sports Medicine, 2021, 4 (1): 115-127.

[3] Sng E, Frith E, Loprinzi P D. Temporal effects of acute walking exercise on learning and memory function [J]. American Journal of Health Promotion, 2018, 32 (7): 1518-1525.

第二，许多研究表明，经常运动的人，其大脑中控制思维和记忆的区域的体积比不经常运动的人要大。这意味着运动可以促进大脑相关区域的发育和生长，从而提高学习和记忆能力。此外，有规律的中等强度运动与大脑特定区域的体积增加有关，这进一步证实了运动对大脑结构和功能的积极影响。

第三，除了直接影响大脑结构和功能外，运动还可以通过改善情绪和睡眠，间接促进记忆和思维。运动可以释放内啡肽等神经递质，帮助缓解压力，减轻焦虑和抑郁情绪，从而提高学习的专注力和记忆力。同时，运动有助于改善睡眠质量，促进大脑在休息时间的恢复和重组，进一步巩固记忆并提高思维能力。

四、运动对自闭症儿童的作用

自闭症和身体运动之间存在许多关联。自闭症儿童可能在协调和身体意识方面存在一定的问题，他们通常比其他儿童的动作发育要慢一些，并且肌张力较低。尽管研究人员不确定为什么会发生这种情况，但运动技能的延迟会在某种程度上对自闭症儿童产生影响。定期进行体育活动可以帮助自闭症儿童提高运动技能。2023 年的一项研究发现，与对照组中不参加锻炼的儿童相比，完成每周 3 次、每次 1 小时的结构化运动的自闭症儿童在运动技能方面有显著改善[1]。运动还会对自闭症儿童产生多方面的作用。

---

[1] Castaño P R L, Suárez D P M, González E R, et al. Effects of physical exercise on gross motor skills in children with autism spectrum disorder [J]. Journal of Autism and Developmental Disorders, 2023: 1-10.

（一）改善社会关系

锻炼会影响自闭症儿童的社会关系[1][2][3]。通常，自闭症儿童会感到自己与周围的人格格不入。这可能会导致他们出现社交畏缩，包括退出团体运动。退出和分离会使儿童的感觉和行为变得更糟。加入运动队是自闭症儿童逐渐减少社交焦虑的一种方式。运动能让儿童感受到被关注。它会使团队成员产生一种友爱感，这对那些通常感觉像局外人的儿童来说是非常友善的。团队中的每个队友处于同样的地位，学习新事物，建立新联系，并在团队中找到自己的位置。

将体育活动与社会联系结合起来是非常有创造性的，因为这样通常可以帮助自闭症儿童在有压力的情况下得到放松。在运动过程中，儿童的大脑会产生内啡肽或其他令人感觉良好的化学物质。这些化学物质可以帮助自闭症儿童将社交时间与快乐、活力和自信联系起来。随着时间的推移，与一群朋友一起锻炼可以帮助他们改变观点，从而更有信心地进入其他社交场合。让儿童加入运动队听起来似乎太难了，不妨先让他们慢慢适应，比如，让儿童和家人一起参加团体游戏，或者去所在地区观看儿童体育赛事。可以提前计划，让儿童在体验乐趣的同时，也承受一点社交压力。关键是要逐步培养儿童的能力，这样他们才能有足够的自信加入团队，并获得团体锻炼带来的社会效益。

---

[1] Jia S, Guo C, Li S, et al. The effect of physical exercise on disordered social communication in individuals with autism Spectrum disorder: a systematic review and meta-analysis of randomized controlled trials [J]. Frontiers in Pediatrics, 2023, 11: 1193648.

[2] Orhan B E, Karaçam A, Özdemir A S. The Effects of Physical Activity in Individuals with Autism Spectrum Disorder: A Qualitative Study [J]. International Journal of Disabilities Sports and Health Sciences, 2023, 7 (1): 1-12.

[3] Symeonidou S. Effects of Physical Activities on Social Skills and Well-being in Autistic Children: A systematic literature review from 2012-2023 [J]. 2023.

（二）提高认知能力

对任何一个儿童而言，新事物或新挑战都会带来一定的压力。为了平衡大脑中的化学物质并缓解焦虑，自闭症儿童需要定期锻炼。运动已被证实对减少多动症、舒缓压力以及提高思维清晰度具有显著效果。特别值得一提的是，对自闭症儿童来说，运动可以帮助他们更好地应对新体验和感官信息所带来的压力。自闭症是一种影响大脑的疾病，而体育活动对大脑健康有着积极的促进作用。值得注意的是，大脑具有一定的自我修复能力，因此，随着时间的推移，规律的体育活动可能会为自闭症儿童带来积极的累积效益。

为了获得最佳效果，持续的日常体育锻炼至关重要。对于自闭症儿童来说，定期的小规模运动可能比偶尔的高强度体育活动更为有益。选择儿童喜欢并且对他们效果最好的活动是关键。让他们尝试不同类型的体育活动，以便找到最适合他们的运动方式。如果儿童现在能够养成健康的运动习惯，将来就能够避免受慢性成人焦虑的影响，从而提高他们的生活质量。研究表明，无论是自闭症儿童还是非自闭症儿童，运动在减轻焦虑方面都发挥着重要作用[1]。特别是对于那些有重度焦虑的儿童，运动带来的益处尤为显著。

（三）促进良好睡眠

锻炼对自闭症儿童的另一个好处是改善睡眠质量。一夜好眠有助于身体在白天应对压力和焦虑，睡眠不佳会导致焦虑加剧。焦虑程度高的人往往睡不好，随着时间的推移，焦虑会加剧。运动对睡眠的好处包括以下几点。

（1）运动有助于更快入睡。

（2）晚上醒来的次数更少。

（3）睡眠质量有所改善，睡眠时间有所延长。

---

[1] Hale G E, Colquhoun L, Lancastle D, et al. Physical activity interventions for the mental health of children: a systematic review [J]. Child: Care, Health and Development, 2023, 49 (2): 211−229.

（4）在早晨会感觉更加精神。

睡眠不足或睡眠质量差的人在白天往往会出现皮质醇水平升高的情况。这种激素与压力和警觉性有关。通过锻炼，自闭症儿童的睡眠可以改善，这种激素会减少。这可以帮助儿童体验更平静的清醒时间。

大多数儿童每日所需的睡眠时间通常是8~14个小时，具体时长取决于年龄。以下一些迹象可能表明儿童存在睡眠不足的问题。

（1）过度活跃。

（2）注意力和专注力出现问题。

（3）喜怒无常。

（4）白天表现得昏昏欲睡。

如果发现儿童出现这些迹象，首先要确保他们有足够的时间睡觉。如果问题在于质量而不是时间，可以考虑在他们的日常生活中增加更多的体力活动。虽然这似乎违反直觉，但消耗更多的能量实际上可以帮助人们感到更想休息。

第二节 儿童动作的发展

动作的发展不仅是儿童日常生活和学习的基础，更是心理成长的重要标志。每个动作，无论是简单的抓握还是复杂的跑跳，都是儿童与环境互动的方式，是他们适应并理解世界的手段。从最初的反射性行为，逐渐发展到需要意志控制的操作性行为，体现了儿童从被动适应到主动探索的转变。在婴幼儿期，儿童的大部分时间和精力投入到学习和练习各种动作中。从最初的翻身、坐立，到爬行、站立、行走，再到后来的跑、跳、抓握、使用工具等，这些动作的掌握都建立在儿童一定程度的生理成熟基础上，需要通过大量的尝试和实践来完成。每个新动作的习得，都是儿童认知世界、探索环境的一个重要里程碑。此外，儿童动作的发展还与心理发展紧密相连。动作的执行不仅需要身体肌肉和神经系统的协同作用，还需要大脑的认知和判断。因此，动作的发展不仅反映个体身体机能的成熟，也体现心理能力的提升。

动作的发展是儿童与环境互动、理解世界、成长发展的关键，要予以充分关注和培养。鼓励和支持儿童的动作学习和练习，可以促进儿童身心健康发展。

一、先天性反射动作的发生和发展

当人类从四肢行走进化到双腿直立行走时，身体结构就发生了一系列变化，以适应这种新的直立姿势。其中，人的骨盆会变窄，这使得胎儿在通过产道时的空间变小，加之人类在进化过程中，脑容量显著增加，从而增加了分娩的难度。为了解决这一难题，人的孕期逐渐缩短。因此，胎儿娩出后需要更长时间来进行身体和大脑的发育，所以人类新生儿不像很多动物（如马、牛、羊等）的幼崽那样出生不久就能走路。由于出生时大脑发育不完善，所以在出生前后，人类进化出一种本能，即能够对刺激产生自动化的反应，我们称之为反射。婴儿期的反射分为两种，即原始反射和姿势反射。多数原始反射是在宫内形成的，可以帮助胎儿通过产道完成分娩，并在出生后的几个月内发挥作用。姿势反射在婴儿出生后不久就开始发展，可以帮助其实现无需自主意识就能保持平衡。

（一）原始反射

原始反射（primitive reflex）是指婴儿出生时即存在的一些先天性反射行为，如觅食反射、吮吸反射、莫罗反射、抓握反射、巴宾斯基反射、踏步反射等。这些反射行为是婴儿神经系统发育的早期表现,其控制中枢位于脑干。原始反射在婴儿的成长过程中发挥着重要作用,有助于保护婴儿免受伤害,同时为后续的运动技能和认知发展奠定基础。

1. 觅食反射

轻触婴儿嘴巴的周围,婴儿的头会转向刺激的方向,并张开嘴巴,这就是觅食反射(rooting reflex)。觅食反射可以帮助婴儿定位食物,获得营养[1]。这种反射可以持续3~4个月。

2. 吮吸反射

吮吸反射(sucking reflection)可以帮助婴儿做好吮吸的准备。当口唇被触碰时,婴儿就开始吮吸。这种反射大约在怀孕第32周开始出现,并在第36周完全发展成熟。因此,早产儿可能会因为时间问题导致较弱的或未成熟的吮吸能力。随着吮吸和吞咽能力的发展,会形成特征性的进食姿势。此外,婴儿还有一个伴随觅食反射和吮吸反射的手到口反射(hand-to-mouth reflex),使新生儿能够吸吮手指或手[2]。这种反射可以持续3~4个月。

3. 莫罗反射

莫罗反射(Moro reflex)也称"拥抱反射"或"惊吓反射"[3]。当新生儿的头部突然向后仰,或者身体突然失去支撑时,他们会迅速将双臂伸直,然后紧紧抱住自己的身体,仿佛是在试图寻找支撑和安全感。这种反射通常在婴儿出生后的第一个月内最为明显,然后逐渐减弱,通常到大约4个月大时会完全消失。

---

[1] Yoo H, Mihaila D M. Rooting Reflex [J]. 2020.

[2] Rochat P. Hand-mouth coordination in the newborn: Morphology, determinants, and early development of a basic act [M]. Advances in psychology. North-Holland, 1993, 97: 265-288.

[3] McGraw M B. The moro reflex [J]. American Journal of Diseases of Children, 1937, 54 (2): 240-251.

莫罗反射是新生儿的一种生存机制，有助于他们在面对突发情况时快速作出反应，从而保护自己。然而，如果这个反射在超过 4 个月大的婴儿身上仍然存在，或者在出生后的第一个月内没有出现，那么这可能是一种神经病变的迹象，需要寻求医疗帮助。

4. 抓握反射

手掌抓握反射（grasping or palmar reflex）也称"抓握反射"或"握持反射"，是新生儿的一种无条件反射[1]。当手指或笔杆触及新生儿的手心时，他们会立即握紧不放，这种抓握的力量之大，足以承受婴儿的体重，如果借此将婴儿提在空中，他们甚至能够停留几秒钟。这种反射在出生后逐渐增强，在第五周达到最强的程度。然而，随着时间的推移，这种反射会逐渐减弱，到婴儿 3~4 个月大时通常会完全消失，被更为自主和精确的抓握方式所取代。如果抓握反射在超过 4 个月大的婴儿身上仍然存在，那么这可能是一种神经病变的迹象。另外，如果婴儿在出生后第一个月经常紧握拳头，但 2 个月大以后仍然持续握拳，那么这可能是中枢神经系统损伤的迹象。

5. 巴宾斯基反射

巴宾斯基反射（Babinski reflex）是一种神经反射，通常在婴儿和幼儿受到足部刺激时出现[2]。当用钝物从足跟部沿足底外侧缘划向小趾根部时，会引起大趾背屈，其余四趾呈扇形展开。这种反射在新生儿和婴儿期普遍存在，随着年龄的增长，这种反射会逐渐减弱并最终消失。巴宾斯基反射通常用于评估神经系统的发育及其完整性。在正常情况下，这种反射在婴儿期最为明显，然后在大约 1.5~2 岁时逐渐减弱并最终消失。然而，如果这个反射在应该消失的年龄仍然存在，或者如果它在婴儿期没有出现，那么这可能是一种神经系统异常

---

[1] Marques-de-Moraes M V, Dionisio J, Tan U, et al. Palmar grasp reflex in human newborns [J]. Pediatrics & Therapeutics, 2017, 7 (309): 2161.

[2] Capute A J. Early neuromotor reflexes in infancy [J]. Pediatric Annals, 1986, 15 (3): 217-226.

的迹象,需要进一步的医学评估。

6. 踏步反射

踏步反射(stepping reflex)也称"行走反射"或"迈步反射"。这是婴儿的一种自然反射行为,具体表现为当婴儿被竖着抱起,脚接触到平面时,会做出类似迈步的动作。这种反射行为通常在婴儿出生后不久出现[1],大约在婴儿6~10周时逐渐消失。

踏步反射是新生儿神经系统发育的一部分,由于新生儿的神经系统尚未成熟,他们主要通过脑干和脊髓的反射动作来对外界的刺激作出反应。这种反射行为并不需要大脑进行复杂的思考或决策,而是对刺激作出的即时反应。

值得注意的是,如果婴儿在3个月以后仍然表现出踏步反射,这可能是一个信号——表明婴儿可能存在某种脑性疾患。因此,家长应细心观察婴儿的各种反射行为,以便及时发现可能存在的健康问题。

7. 不对称性颈张力反射

不对称性颈张力反射(asymmetric tonic neck reflex,简称ATNR)是婴儿早期的一种重要反射[2]。这种反射通常在婴儿出生后不久出现,并持续到婴儿4~6个月大时逐渐消失。不对称性颈张力反射主要影响婴儿的头部和躯干的控制。当婴儿的头部转向一侧时,该侧的胳膊和腿会伸展,而对侧的胳膊和腿则会弯曲。这种反射帮助婴儿在躺卧时保持身体的对称性,同时为他们的翻身和爬行等动作提供了基础。不对称性颈张力反射的消失标志着婴儿神经系统的进一步成熟,他们开始能够更自主地控制自己的身体。如果这种反射在应该消失的年龄段仍然持续存在,那么可能表明婴儿存在某种神经系

---

[1] Meehan M K, Shackelford T K. Step Reflex [J]. 2021.

[2] Vassella F, Karlsson B. Asymmetric tonic neck reflex: a review of the literature and a study of its presence in the neonatal period [J]. Developmental Medicine & Child Neurology, 1962, 4 (4): 363-369.

统的异常。

8. 对称性颈张力反射

对称性颈张力反射（symmetric tonic neck reflex，简称STNR）是婴儿早期出现的另一种重要反射。这种反射通常在婴儿4~6个月大时出现，并在8~12个月大时逐渐减弱。对称性颈张力反射的特点是，当婴儿的头部向前俯屈时，他们的胳膊会自然地弯曲，腿则会伸展。相反，当婴儿的头部向后仰伸时，胳膊会伸展，腿则会弯曲。然而，当婴儿头部处于中立位置时，对称性颈张力反射不会被激活。这种反射有助于婴儿在颈部运动过程中协调上下肢动作，同时为翻身、爬行和其他基本运动技能的发展奠定基础。对称性颈张力反射与非对称性颈张力反射共同作用，帮助婴儿逐渐获得对身体的控制。随着婴儿神经系统的成熟，这两种反射都会逐渐减弱并最终消失。

了解对称性颈张力反射的特点和消失时间对家长来说非常重要。这可以帮助他们更好地理解和照顾自己的孩子，及时发现并处理可能存在的健康问题。同时，家长需要意识到，每个婴儿的发展速度是不同的，因此，对于婴儿的各种反射行为，应该结合他们的整体发育情况来进行评估。

（二）姿势反射

大多数原始反射通常只能在生命的第一年内观察到，而一些姿势反射却不会消失，并且在整个生命周期都会存在，如状态反射、翻正反射等。与大多数原始反射不同，姿势反射由更高级的大脑中枢支配。这些后发的反射有助于使运动更加流畅，是平衡的理想基础，可以提高幼儿对环境变化的适应性。

1. 状态反射

状态反射（attitudinal reflex）主要表现为当婴儿的头部处于某种姿势时，他们的四肢和躯干会相应地出现一定的张力变化。例如，当婴儿的头部向后仰时，他们的四肢会伸直,呈现出一种"后仰反射"的状态;而当婴儿的头部向前倾斜时,他们的四肢则会弯曲,呈现出一种"前倾反射"的状态。这种反射行为的出现与婴儿的神经系统发育密切相关。随着婴儿的成长,他们的神经系统逐渐发育成熟,颈部肌肉的力量也逐渐增强,这使得他们能够更好地控制头部的位置和姿势,从而减少状态反射的发生。

2. 翻正反射

翻正反射(righting reflex)在多种情况下发挥作用。当婴儿被放置在倾斜的位置或被意外翻倒时,这种反射会使他们迅速调整身体,使自己回到一个更稳定和平衡的姿势。例如,当婴儿仰卧时,如果他们的头部稍微偏向一侧,翻正反射会使他们自动将头部和身体转向另一侧,以恢复平衡。这种反射行为的出现与婴儿的神经系统发育密切相关。随着婴儿的成长,他们的神经系统逐渐发育成熟,对肌肉的控制能力也逐渐增强,这使得他们能够更好地调整身体姿势和保持平衡。

二、粗大动作的发展

反射动作是人类最初的运动形式,随着大脑的发育,个体逐渐出现由大脑皮质控制的自主动作。儿童最初发展的是粗大动作,粗大动作指的是涉及大肌肉群的运动,通常包括身体的整体运动,如抬头、翻身、坐、爬、站、走、跑、跳等。这些运动技能是婴儿和幼儿早期发展的重要组成部分,对于他们的身体发育、平衡能力、协调性以及日后的运动能力都有深远影响。运动是日常生活的一部分。随着粗大动作技能的发展,我们的身体也会发生变化,反之亦然。儿童习得粗大动作技能,不仅可以支持自己探索更多的环境,也可以获得越来越多的学习和实践机会。更具体地说,粗大动作技能对行动能力、独立性和整体健康至关重要。粗大动作技能方面存在困难会影响生活的多个方面,会导致难以完成关键任务，并对自信心和自尊心造成损害。

（一）粗大动作技能的构成

粗大动作技能需要适当的功能协调：骨骼肌（运动背后的力量和动力），骨骼（肌肉附着的地方），神经（大脑的"信使"，告诉你肌肉何时以及如何运动）。它们还与其他功能有关，包括平衡、协调、身体意识和空间意识。任何年龄段的人都可能出现粗大动作的控制问题。但医生非常关注儿童发展中的粗大动作技能。日常的粗大动作技能包括：站立，行走，跑步，没有靠背支撑的坐直，咀嚼，跳，扭动躯干，弯腰，转动/扭动脖子，抬起胳膊和手，挥舞手臂。手眼协调和脚眼协调技能也是粗大动作技能，包括扔球和接球、踢球、做车轮式翻滚、跳、游泳、骑自行车或滑板、滑旱冰或滑冰等。

（二）粗大动作技能的发展

粗大动作技能通常在婴儿期开始发展，并在整个童年时期不断改善。医疗服务提供者和家长通过发育里程碑来跟踪这些进步。这些行为标志着儿童典型的成长阶段。然而，大多数儿童在年龄大致相同的时期经历了特定的变化。在这些特定变化之后，粗大动作技能会继续发展和加强。必须强调的是，每个儿童都以自己的速度发展。如果担心儿童的粗大动作技能的发展是否正常，请及时就医。

第一次明显的胎动发生在胎儿发育过程中，胎儿在宫内踢腿和摆动手臂，大多数孕妇在怀孕19周左右会感觉到这些踢打动作。出生后，粗大动作技能继续迅速发展，包括无意识的（非选择性）反射和有目的的运动（见表4-1）。例如，如果你把一个新生儿直立起来，让他们的脚踩在坚硬的表面上，他们通常会以类似行走的方式移动双腿，这就是"新生儿踏步反射"。有目的的运动往往是从头部向下发展的。婴儿通常先学会在俯卧时抬头，然后学会用胳膊撑起身体，接下来，他们通常学会用胳膊和腿爬行，最终学会走路。随着肌肉力量的增强和大脑的持续发育，婴幼儿掌握的精细动作技能和粗大动作技能的数量也在增加。粗大动作技能在整个童年和青春期都会持续发展，也会变得更加复杂。例如，到6岁时，大多数儿童在有人教的情况下能学会跳绳。这种运动需要肌肉力量、平衡、协调和时机的复杂组合。

表4-1 儿童主要的粗大动作发展过程

年龄范围	动作技能
0~2个月	仰卧时能将头转向两侧。
	仰卧时能交替踢腿。
	俯卧时抬起头部并能向两侧转动。
	从躺姿拉坐起来时，头部向后垂下而不是乱晃。
3~5个月	俯卧位时，能用前臂支撑起身体，并将头部转向左右两侧。
	俯卧位或其他姿势时，能更好地控制自己的头部，保持头部稳定，而不是让它随意晃动或垂下。
	能从俯卧位翻滚到仰卧位。
	仰卧位时能从一侧滚到另一侧。
	被拉着坐起时，头部能随着躯干的动作一致抬起。
	能够短暂地用手臂支撑着自己的身体，保持坐立的姿势。
	随机地拍打周围的物体，例如玩具、家具或其他任何引起他们兴趣的物体。
	能将双手合在一起，并将它们置于身体的中线位置，通常是胸前。
	用手和膝盖支撑身体，尝试向前移动，做出爬行动作。
6~8个月	俯卧位时能转动身体。

（续表）

年龄范围	动作技能
6~8个月	俯卧位时能使用手臂的力量拉动身体向前移动。
	能从仰卧位成功翻滚到俯卧位。
	在没有支撑或帮助的情况下，能短暂地独自坐着。
	能从坐着的姿势改变为肚子朝下趴着的姿势。
	能扶着东西站立。
	能伸手够取放在自己肚子上的物体。
	能用手和膝盖支撑身体，模仿爬行动物的动作。
9~11个月	能独自坐立，并且有能力转动躯干或上半身。
	能在坐立状态下转动和挪动。
	能手和膝盖并用或手脚并用，使身体从一个地方移动到另一个地方。
	能在有支撑的情况下，从坐立或爬行姿势转变为站立姿势。
	在没有任何支撑的情况下，能短暂地独立站立几秒钟。
	能用手扶着东西走。
12~15个月	出现高跪姿势，即膝盖和臀部会抬离地面，形成类似于四足动物的姿态，同时双手和双脚都支撑在地面上。
	能用膝爬的方式（即用手和膝盖支撑身体，并以膝盖移动为主要方式）爬行或移动。
	能自主稳定地站立。
	能完全独立行走，并且做到在行走中启动、停止和转弯而不摔倒。
	能爬上楼梯、椅子或其他家具。
	出现短暂的跑步动作。

（续表）

年龄范围	动作技能
16~18个月	能一只手扶着，一级台阶一级台阶地走上楼梯。
	能爬下楼梯。
	走路时步态自然，脚跟对脚尖，很少摔倒。
	开始尝试横向走和倒退走。
	能在他人的帮助下单脚站立。
	在他人示范后能将大球踢向前方。
	能驾驶玩具车。
19~24个月	在扶着栏杆或牵着手的状态下，一次走下一级台阶。
	从约20厘米高的箱子上跳下。
	能原地跳跃。
	能完成蹲起动作并自己站起来。
	会踢静止的球。
	能在平衡木上一只脚着地、一只脚悬空地行走。
2~3岁	会转换不同的姿势（如坐着、趴着、四肢着地等）。
	在没有扶手的情况下，能一次只迈一个台阶地上楼梯。
	能双脚并拢从一级台阶上跳下来。
	能单脚向前跳跃至少约30厘米。
	能单脚站立保持平衡2~3秒。
	能按照要求用脚尖走路。
	单手扶墙或支撑物，独自走平衡木。
	能攀爬各种游乐设备，如梯子、滑梯。
	能将球举过头顶投掷。

（续表）

年龄范围	动作技能
3~4岁	能独自且稳定地一步一步地上楼梯。
	能单脚跳2~5次。
	能单脚站立保持平衡2~5秒。
	能双脚并拢连续跳跃5次。
	能在平衡木上侧着走。
	会骑三轮车。
	能用整个身体接住反弹的球。
4~5岁	能独自一步一步地下楼梯。
	能在平衡木上直线行走，还能改变方向。
	能单脚站立保持平衡4~8秒。
	能连续跳跃10次。
	能准确绕过障碍物奔跑。
	能安全地进行前滚翻。
	能准确地踢到一个滚动的球。
	能用伸出的手臂准确地接住不同大小的球。
	能用上手投球的方式投掷一个小球。
5~6岁	能拿着物体走上楼梯。
	能悬挂在杆上至少5秒钟。
	能单脚跳10次。
	能单脚站立保持平衡10秒。
	会跳绳。
	被要求时能用脚跟走路。

（续表）

年龄范围	动作技能
5~6岁	会骑自行车。
	会荡秋千,并且能够自己控制摆动。
	投球时,腿与同侧投球的手臂向前迈出。
	能用手接住反弹或投掷的球。

（三）促进粗大动作的发展

儿童在与环境互动的过程中学习许多粗大动作技能。还可以采用一些方法帮助儿童练习粗大动作技能。玩耍是儿童发展粗大动作技能的主要方式,尤其是目标导向的玩耍。这意味着玩耍是围绕一个目标（如学习新东西）或完成一项任务而进行的。

支持儿童粗大动作技能发展的例子如下。

（1）为了鼓励婴儿爬行,请让婴儿趴着,在他/她前面不远处放置一个有吸引力的玩具。

（2）设计一些与年龄相符的运动课程,帮助儿童学习平衡技能和机动能力。

（3）带蹒跚学步的孩子去公园,通过游戏活动练习不同的运动技能。

（4）鼓励儿童进行体育运动,在家里和他们一起练习相关的技能,比如踢球,或用球拍击球。

（5）让儿童帮助家长做适合他们年龄的室内家务,比如擦桌子或丢垃圾。即使他们不能有效地完成这些任务,也会有助于他们的学习。

三、精细动作的发展

精细动作技能是指我们用手、手指、脚和脚趾做出的微小而精确的动作,涉及肌肉、关节和神经的复杂协调。谈到精细动作技能,我们通常会想到手、手腕和手指的动作,比如用食指和拇指捏住物体,也可以用脚、脚踝和脚趾做精细动作。这些动作对于舞蹈和足球等运动,或者对于用脚而不是用手来完成任务的人来说是必要的。精细动作技能包括:拿着铅笔并使用它来写字或画画,使用剪刀,叠衣服,在键盘上打字,扣紧纽扣,拉上拉链,系鞋带,扭动门把手,用叉子和勺子等餐具吃饭,使用控制器玩视频游戏,以及演奏一种乐器(如吉他、长笛或钢琴)。

如果人类没有发展出精细动作技能,生活将会有很大不同。无数的日常任务都需要微小而精确的动作,从拿牙刷到做饭、吃饭再到穿衣,甚至是发短信及给宠物揉肚子,都需要精细动作技能。这些任务对人的独立和自我照顾都很重要,也让人能够享受某些爱好,比如演奏乐器、玩电子游戏和手工制作。对儿童来说,精细动作技能对于做作业很重要,比如画画和写字。一些与工作相关的任务也涉及精细动作技能,比如,使用建筑工具,使用电脑,以及进行手术。

精细动作控制是一个复杂的过程,需要:

- 意识和规划。
- 协作。
- 肌肉力量。
- 手和手指(或脚和脚趾)的正常感觉。
- 精准(灵巧)。

(一)精细动作的发展过程

儿童精细动作的发展从出生就开始了,但是精细动作的发展要以粗大动作为基础,故精细动作的发展更晚一些,发展的周期也更长一些。儿童主要的精细动作发展过程见表4-2。

表4-2 儿童主要的精细动作发展过程

年龄范围	动作技能
0~6个月	用双手抓握东西(3个月)。 只用一只手抓握东西(5个月)。
6~12个月	用拇指和另一根手指捏住物体。 将物体从一只手转移到另一只手。 捡拾、放下玩具,用嘴巴感知玩具。
1~2岁	堆叠三个小积木块。 旋转旋钮。 开始用餐具自己进食。 一次性翻开书的多页纸。
2~3岁	翻开一本书的单页。 用拇指、食指和中指握住蜡笔(而不只是用拇指和食指)。 用剪刀剪出小切口。 滚搓、挤压、拉扯黏土。
3~4岁	用九个小积木块搭建成一座塔。 画出近似圆的图形。 使用非优势手辅助和稳定物体。
4~5岁	用剪刀连续剪出一条线。 写出自己的名字和数字1~5。 独立穿脱衣物。
5~6岁	用剪刀剪出简单的图形。 在图形线条内涂色。 用三根手指握笔的姿势来运笔。
6~7岁	自己系鞋带。 持续按照行书写字。 正确书写大部分数字和字母。

（二）促进精细动作的发展

精细动作技能从出生那一刻就开始发展。例如，婴儿通常天生有一种无意识的（不是选择性的）抓握反射。如果用手指轻触婴儿的手掌，他们通常会合上手掌，紧紧抓住你的手指。这是最早的精细动作类型。随着儿童的成长，这些微小的动作会不断改进，直到成年。随着时间的推移，儿童的肌肉会变得更加强壮，他们会发展更多的协调能力，从而做出更精确的动作。即使是成人也可以改善自己的精细动作技能。例如，攀岩者可能会努力提高他们的握力，以便更好地抓住岩壁。外科医生可能会做有关练习，开展用手进行稳定和精确的运动。另外有一些方法可以促进儿童精细动作技能的发展，见表4-3。

表4-3 促进儿童精细动作发展的活动

年龄范围	活动
0~6个月	通过做俯卧抬头训练来增强力量。 提供各种各样的触摸纹理，进行触摸体验。
3~6个月	当婴儿坐在大人腿上时，为他们提供玩具。 引入"脏玩"（Messy Play）的游戏机会。
6~9个月	玩基本的图形配对玩具。 从大容器中取放物体。
9~12个月	允许婴儿帮忙给书翻页。 用安全的颜料进行手指绘画。 叠杯子。 练习使用餐具。
1~2岁	把水倒入不同大小的容器中。 从纸巾盒里抽出纸巾。 用拇指和食指捡起（通过捏的动作）小东西。
3~4岁	使用不同的工具着色、涂鸦，如使用蜡笔和粉笔。 用积木建构。 用剪刀把东西剪断。

（续表）

年龄范围	活动
4~5岁	通过使用棉签画画来练习铅笔抓握。 用扭扭棒做设计。 用钳子或镊子将物体按照图形或颜色分类。

第三节 自闭症儿童的运动发育特点

自自闭症被正式命名起，医生和科学家们就描述了自闭症人士运动技能的异常，但是这些异常未被纳入自闭症的核心表现，例如在 DSM-Ⅴ中，非典型步态和笨拙仅作为"相关特征"被纳入，与主要表型无关。然而，运动功能的落后和差异对于所有自闭症人士来说，都是一个有意义且没有被充分利用的指标。

一、运动障碍的表现

根据最新估计，大多数自闭症儿童（87%）存在某种运动障碍[1][2][3][4]，往往

---

[1] Motor skills in autism: A missed opportunity. The Transmitter [EB/OL]. (2022-01-04).
[2] Ming X, Brimacombe M, Wagner G C. Prevalence of motor impairment in autism spectrum disorders[J]. Brain and Development, 2007, 29 (9): 565-570.
[3] Green D, Charman T, Pickles A, et al. Impairment in movement skills of children with autistic spectrum disorders [J]. Developmental Medicine & Child Neurology, 2009, 51 (4): 311-316.
[4] Staples K L, Reid G. Fundamental movement skills and autism spectrum disorders [J]. Journal of Autism and Developmental Disorders, 2010, 40: 209-217.

在姿势、平衡、协调和动作规划方面存在困难,表现在从非典型步态到书写问题等。然而,尽管运动障碍很普遍,但并不被认为是自闭症的核心特征,因为可能会与其他疾病/障碍共同发生,如唐氏综合征、脑瘫和注意缺陷/多动障碍等。

自闭症儿童可能存在的运动问题包括:粗大动作问题,如步态笨拙、不协调;精细动作控制困难,如操控物体和写字。一些人可能难以协调身体不同肢体左右两侧的运动,从而难以做出摇摆、跳跃、跳绳或单脚跳等动作。一些人可能肌肉张力低,难以保持姿势或平衡;还有一些人似乎在需要手眼协调的动作上存在困难,如接球或模仿他人动作,以及计划一系列动作或手势。这些困难可以从轻度到重度不等,并可能影响身体的任何运动系统。

运动技能的发展问题从婴儿期就有所体现,例如,被诊断为疑似自闭症的 1 个月大的婴儿,他们手臂的活动频率比普通婴儿要低。大约 4 个月大的时候,一个普通孩子在坐起来的时候,可以把头竖直,但是自闭症婴儿往往缺乏这种力量,他/她的头会向后倒。在 14 个月大的时候,也就是大多数普通孩子会走路的年龄,自闭症孩子可能仍然无法站立。其他运动问题可能包括难以抓取物体或坐起来,不拍手,等等。

二、运动障碍的影响

运动障碍虽然与诊断无关,但与自闭症的核心特征有着内在联系。从发育的角度来看,运动技能在塑造儿童从婴儿时期开始与他人和环境的互动中起着关键作用,因此与社交、沟通、适应性和认知技能的发展有着内在联系。婴儿出现的沟通技能,即面部表情、共同注意和原始命令指向*都是运动行为。因此,运动行为的早期差异可能对各个领域产生连锁反应。

---

* 注:"原始命令指向"(protodeclarative pointing)是指婴幼儿通过指向某个物体或事件来表达他们的意图或兴趣,特别是在与他人沟通时。这种行为通常出现在 12 个月大左右,是儿童语言和社交能力发展的重要标志。

自闭症儿童早期的精细动作技能和粗大动作技能以及沟通技能之间存在广泛联系。眼神接触、面部表情、社交取向和手势等社会交流线索都从根本上依赖运动，即使是这些非语言线索中微妙的非典型性，也会改变其有效性。人们在日常生活中移动身体（包括步态、姿势和协调）的方式也对他人具有显著的影响。因此，运动计划和执行的障碍可能会直接影响自闭症儿童的社交互动和社会认知。

研究人员已经开始从理论上认为，自闭症人士和非自闭症人士在动作上的基本差异可能使他们更难建立联系，这反映了"双重移情"问题。研究发现，在正常的对话中，与同龄的普通儿童相比，自闭症儿童和青少年更难将身体动作和面部表情与对话者同步[1]，这种社会协调性的降低与更明显的自闭症特征以及不太典型的社交和沟通技能有关。运动技能差异的影响远远超出了社交范围。由于运动困难或不恰当可能会阻止自闭症儿童和成人参与健康、愉快的活动，如运动、艺术爱好甚至用餐，因此提高基本运动技能有助于解决被误解为对抗行为的问题。例如，自闭症儿童在上学前会出现抗拒，因为落后的精细动作技能使系鞋带或扣纽扣等日常任务特别具有挑战性。

三、运动障碍的原因

自闭症儿童的运动障碍可能与大脑发育有一定的关系，很多自闭症儿童伴有智力发育落后，因此他们的动作发育相对同龄儿童会偏迟缓。然而，智力水平较高的自闭症儿童在动作的协调性以及精细动作方面也可能存在一定的障碍。因此，很多研究者认为这可能与他们出生后脑神经元的连接方式异常有关；同时，也与全身性关节活动过度有关。

---

[1] Eigsti I M. A review of embodiment in autism spectrum disorders [J]. Frontiers in psychology, 2013, 4: 224.

（一）神经连接方式异常

学习一项新运动技能的能力取决于大脑在参与控制运动的不同部分之间形成丰富联系的能力，利用来自环境和身体的感觉信息来预测接下来会发生什么的能力，以及计划行动并根据需要调整行动的能力。通常，发育中的儿童在日常生活中很容易建立这些大脑连接，学习新的运动任务。他们有动力接受新的挑战，探索实现目标的不同方法，并期望通过反复练习来掌握新技能。这使他们有一种自我效能感和"我能行"的感觉。

自闭症儿童的学习方式与普通儿童不同，这可能是由于他们的大脑形成新连接的方式不同。运动技能的表现和学习取决于在大脑的不同部分之间形成的丰富的联系，这些联系包括：

（1）来自身体的感官信息：皮肤、关节、肌肉、前庭系统。

（2）来自环境的感官信息：视觉和听觉。

（3）来自大脑的企划：意图、目标和感受。

这些信息用于预测接下来会发生什么，计划行动以实现目标，执行行动并评估结果：我是成功的吗？我是否实现了目标？需要改变什么来改进？

由于大脑连接方式的不同，所以自闭症儿童不易整合任务学习所需的所有信息，这可能会导致学习效率较低，还可能需要额外的练习和指导来学习新的运动技能。对自闭症儿童的神经连接进行研究，科学家发现有些自闭症儿童大脑不同区域之间的短程连接过多，长程连接减少，也有研究发现其长程和短程连接均比较低[1]。尽管研究结果存在差异，但神经连接的特性与自闭症相关的症状有关。

小脑在自闭症致因方面起着重要作用。小脑通过其"在处理大脑中的感觉、运动和认知信息方面的快速计算能力"参与运动、认知和情感功能。由于在自

---

[1] Hilton C, Ratcliff K. Sensory processing and motor issues in autism spectrum disorders [M]. Handbook of Autism and Pervasive Developmental Disorder: Assessment, Diagnosis, and Treatment. Cham: Springer International Publishing, 2022: 73-112.

闭症儿童灰质体积、白质体积和连接改变方面发现了异常，小脑已成为自闭症研究重点关注的区域。与自闭症相关的运动技能缺陷与小脑的不同结构及其连接有关。

（二）全身性关节活动过度

虽然很少有研究关注自闭症儿童全身性关节活动过度（generalized joint hypermobility，简称 GJH）的发生率，但事实表明，这是一个相当常见的特征。全身性关节活动过度意味着儿童的关节比平时更灵活，当组成关节周围的结缔组织（囊和韧带）比平时更容易拉伸时，就会发生这种情况。肌肉也会受到影响，有无力倾向（有时被错误地称为低肌张力）。活动度过大的关节稳定度较低，这导致儿童需要更强壮的肌肉来支撑身体。幸运的是，力量训练将提高关节稳定性和肌肉力量。结缔组织柔韧性的增加也会影响血管和内脏器官，从而导致低血压、膀胱控制和排尿困难以及便秘。有趣的是，关节活动过度的儿童往往具有恐惧/焦虑的气质，这会影响他们的行为。

关节活动过度以多种方式影响运动控制的发展。由于关节天生稳定性较差，所以需要更多的肌肉工作来保持良好的姿势和运动控制。关节活动过度的儿童在桌子前坐下时往往难以保持挺直的姿势，手指关节活动过度会影响画画和写字时笔的握力，腿部无力会影响行走距离、跑步速度、上下楼梯、攀爬和荡秋千（见图 4-2）。

  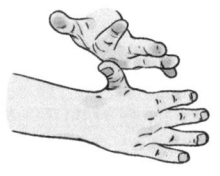

图 4-2　全身性关节活动过度儿童的异常动作表现

此外，有全身性关节活动过度的儿童臀部和肩部肌肉往往有些紧张。这会影响他们在椅子上舒适地坐着或盘腿坐在地板上，以及画画和写字所需的肩部运动。

力量、柔韧性和一般健身训练有助于关节活动过度的儿童在日常活动中表现得更好，比如坐在桌子前完成某项任务、控制肩部、写字、上下楼梯、长距离步行、攀爬、跑步等，能让运动技能有所提升。

1. 夜间疼痛和关节活动过度

关节活动过度和臀部肌肉紧张的儿童在运动后或经历快速生长时，腿部常会感到疼痛。自闭症儿童往往对这种不适有更强烈的负面反应，这会使与运动相关的夜间疼痛变得非常麻烦。包括伸展和强化的健身训练有助于缓解运动后的疼痛。晚上睡觉前做一些温和的伸展运动有助于缓解快速生长期间出现的膝盖疼痛。

2. 脚尖走路和活动过度

脚尖走路与小腿肌肉的紧张以及臀部、腿部、背部、侧面的肌肉交叉有关。在大多数情况下，用脚尖行走的儿童都存在关节活动过度（部分肌肉紧张是关节活动过度的常见特征）。脚尖走路可能与肌肉紧张和运动计划不良有关。用脚尖走路的儿童经常会出现臀部两侧肌肉紧张。他们双脚分开站立，脚向外翻。这种紧张导致儿童在双脚并拢站立、脚跟平放在地板上或行走时脚跟放平的情况下感到不舒服。针对小腿肌肉的紧绷程度进行的运动，特别是臀部肌肉的伸展运动，以及脚部平衡训练，将改善脚尖走路的情况。

第四节 自闭症儿童的运动建议

提高基本动作技能可能有助于解决被误解为对立违抗行为的问题。例如，有些自闭症儿童抗拒上学不是因为不喜欢学校，而是因为延迟的精细动作技能使系鞋带或扣纽扣等日常任务特别具有挑战性。那么，应该如何支持自闭症儿童的运动发展呢？我们分粗大动作和精细动作两个部分来介绍。

一、促进粗大动作技能的发展

为了支持自闭症儿童粗大动作技能的发展，实施有效的策略来创造一个结构化和支持性的环境非常重要。家长可以结合感觉统合活动、体育锻炼和游戏活动，来帮助自闭症儿童提高粗大动作技能。

（一）营造结构化和支持性的环境

营造一种结构化和支持性的环境对自闭症儿童参与粗大动作活动至关重要，这会让他们感到安全和舒适。以下是建立这种环境的一些策略。

1. 建立可预测的日常活动

自闭症儿童往往喜欢常规和可预测的活动。保持一致的一日常规，如固定的粗大动作活动时间，可以帮助儿童感到更加放松，并做好参与的准备。

2. 提供视觉支持

视觉支持，如视觉日程表或视觉提示，可以帮助儿童理解粗大动作活动中的内容、过程和活动的过渡。视觉支持可以包括图片、符号或书面说明，有助于儿童理解和探索他们的环境。

3. 使用清晰的指令

在为粗大动作活动提供指令时，使用简单明了的语言。将任务分解为几个简单可执行的步骤，并在必要时提供视觉或身体提示。这种方法可以帮助儿童更好地理解和遵循指令。

4. 营造一个安静有序的空间

为粗大动作活动找一个不受干扰和秩序井然的特定区域。尽量减少感官干扰，如明亮的灯光或吵闹的噪声，这些干扰会让自闭症儿童不堪其扰。井然有序的空间，能让自闭症儿童专注于他们参与的活动。

（二）感觉统合活动

感觉统合活动在培养自闭症儿童的大肌肉运动技能方面可以发挥重要作用。这些活动可以帮助儿童处理感官信息，提高身体意识，以及增强协调性。感觉统合的作用常常被夸大，并经常在康复机构中用于治疗自闭症的核心症状，需要注意的是，感觉统合在这方面的作用不是很明显，而且存在争议。我们这里讲的感觉统合活动主要用于提高粗大动作技能。以下是将感觉统合活动融入其中的一些有效策略。

1. 本体觉活动

本体觉也称深感觉，是指感受肌肉、肌腱、关节和韧带等深部结构的感觉，即肌肉处于收缩/舒张状态、肌腱和韧带被/不被牵拉以及关节处于屈曲/伸直状态等的感觉。这种感觉对于运动功能的发展非常重要,因为它帮助我们感知身体各部位的位置和运动状态,从而协调和执行各种复杂的动作。本体感觉活动包括深度压力和关节压迫,可以对自闭症儿童起到镇静和缓解焦虑的作用。负重背心、墙俯卧撑(wall push-ups)或搬运重物等活动可以提供本体感觉输入,提高身体意识。本体觉训练示意图见图4-3。

图4-3　本体觉训练

2. 前庭觉活动

前庭觉也称平衡觉,是感知头部位置和运动状态的感觉系统。它主要由内耳的前庭器官构成,包括半规管、椭圆囊和球囊等结构。前庭活动刺激负责平衡和协调的前庭系统。这些活动包括摇摆、旋转和平衡练习。前庭觉训练示意图见图4-4。

图4-4　前庭觉训练

3. 触觉活动

触觉是我们的身体与外部世界接触时产生的一种感觉，涉及对物体的质感、温度、湿度、形状、大小等属性的感知，以增强感觉处理和运动技能。玩手指画、沙子或黏土等活动，或者触摸有纹理的物体，有助于提高触觉的敏感性和协调性。触觉训练示意图见图 4-5。

 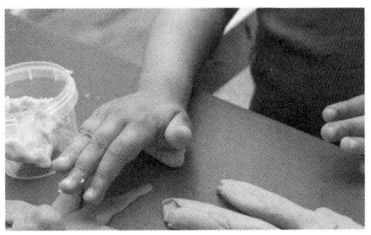

图 4-5　触觉训练

（三）体育锻炼

体育锻炼和玩耍对促进自闭症儿童粗大动作技能的发展至关重要。参加体育活动不仅可以提高力量、协调性和平衡性，还可以提供社交互动和交流的机会。以下活动能将体育锻炼和玩耍结合起来。

1. 户外活动

鼓励儿童参与户外活动，包括跑步、跳跃、攀爬或踢球。这些活动可以促进心血管健康、力量的增长和协调性的提升。要注意确保户外环境安全可靠。

2. 体育和团体活动

让儿童参加适合他们兴趣和能力的体育或团体活动。游泳、足球或武术等运动不仅可以提高儿童的粗大动作技能，还可以为儿童提供社交互动和团队合作的机会。

3. 舞蹈或瑜伽

专为自闭症儿童设计的舞蹈或瑜伽课程,有助于提高协调性、身体意识和灵活性。这些活动也有助于放松和自我表达。

(四)发展粗大动作技能的活动和练习

支持自闭症儿童粗大动作技能的发展,重要的是要结合以平衡、协调、核心力量和全身粗大动作游戏为重点的活动和练习。这些活动可以改善动作计划、身体意识和身体能力。以下是一些有效的策略。

1. 平衡与协调练习

平衡和协调练习有助于提高自闭症儿童的稳定性、空间意识和协调能力。可以将这些练习纳入日常活动或结构性游戏环节。平衡和协调练习的例子如下。

(1)单脚站立

鼓励儿童单脚站立,保持平衡。从几秒钟开始,逐渐增加持续时间。

(2)走平衡木

在地面上放置低矮的平衡木,让儿童在平衡木上走,或者画一条直线,让儿童沿着直线走,注意保持平衡。

(3)"西蒙说"

结合需要平衡和协调的动作,例如单脚跳或触摸特定的身体部位,玩"西蒙说"(Simon Says)游戏。"西蒙说"还可以帮助儿童加强自我控制,约束冲动行为。

2. 核心肌群强化训练

核心力量对于整体稳定性和运动控制至关重要,将核心力量训练纳入日常锻炼有助于发展粗大动作技能。进行核心力量训练可以帮助自闭症儿童改善姿势、平衡和整体体力。以下是一些可以考虑的核心力量训练。

（1）四脚着地

让儿童脸朝下趴着，用前臂和脚趾支撑，保持身体挺直。保持这个姿势几秒钟，然后逐渐增加持续时间。

（2）"超人"姿势

让儿童趴在地上，伸展四肢，同时抬起胸膛。保持这个姿势几秒钟，然后重复数次。

（3）仰卧起坐

帮助儿童做仰卧起坐，随着他们体力的增强，逐渐增加训练次数。

3. 粗大动作创意游戏

进行粗大动作游戏可以使自闭症儿童享受技能培养的乐趣。将鼓励运动、协调和社交互动的游戏和活动结合起来，可以以有趣和吸引人的方式发展粗大动作技能。以下是一些可以参考的创意。

（1）障碍游戏

使用锥形物、呼啦圈和隧道形物品等设置障碍游戏，结合各种动作（如跳跃、爬行和平衡）鼓励儿童在课程中穿行。

（2）舞会

播放音乐，鼓励儿童移动和跳舞。跳舞可以促进协调性和平衡能力的发展，培养节奏感，同时提供自我表达的机会。

（3）球类游戏

参与诸如接球、投球和踢球等活动。这些游戏可以促进手眼协调和平衡能力的发展。

（4）跟随领导者

轮流担任领导者，并鼓励儿童模仿领导者的动作。这个游戏可以提高模仿能力、协调能力和身体意识。

将这些活动和练习纳入自闭症儿童的日常活动，不仅可以支持他们发展粗大动作技能，增强他们的整体身体能力，还能训练他们的社交和沟通能力。

父母、治疗师和专家之间的合作对自闭症儿童粗大动作技能的有效发展至关重要。这些专业人员可以对儿童的粗大动作技能进行全面评估，并确定需要注意的领域。他们还可以根据儿童的能力和挑战提供具体的建议、练习和活动。与专业人员合作可以确保干预措施是以证据为基础的、有效的，并且是针对儿童的具体需求的。父母是治疗团队中有价值的成员，因为他们对孩子的能力、兴趣和挑战有独特的见解。通过积极参与治疗课程，父母可以学习一些策略和技术，在家里强化和实践粗大动作技能练习。总之，粗大动作技能在自闭症儿童的发展中起着重要的作用。通过了解粗大动作技能的重要性、粗大动作技能是如何发展的以及支持其发展的策略，父母和照护者可以帮助孩子充分发挥潜能。通过倾注耐心以及提供支持和适当的干预，自闭症儿童可以在粗大动作技能方面取得进步，并享受体育活动的益处。

二、促进精细动作技能的发展

自闭症儿童的生活充满了一系列挑战，其中一个值得注意的领域是发展精细动作技能。这些技能涉及使用手和手指的小肌肉，对完成日常任务和个人成长都很重要，但往往被忽视。对自闭症儿童来说，掌握这些技能可能很困难，因为他们以自己独特的方式体验世界和处理信息。精细动作障碍给日常生活带来很多挑战，如穿衣、吃饭和自我照顾等，那些需要手眼协调的任务会更加困难，如扣纽扣、使用餐具或系鞋带。

自闭症儿童精细动作发展的困难不仅在于物理障碍，还在于如何感知感觉器官信息。例如，在触碰物体时，对某些材料的感觉可能过于敏感或不敏感，使得学习精细动作技能变得更加困难。这些困难还会阻碍自闭症儿童在学校环境中的学习，特别是当活动涉及写作或使用工具时。了解自闭症儿童的运动技能与感官体验和大脑处理过程之间的联系，有助于我们开发更好的方法来支持自闭症儿童。

（一）精细动作技能的重要性

精细动作技能会影响到自闭症儿童的日常生活、学业成就和自尊等。

1. 日常生活

学会自我照顾有助于自闭症儿童迈向独立，获得自信，精细动作技能是这些活动的核心。由于需要协调性和灵巧性，像自己吃饭、扣衬衫纽扣或系鞋带这样简单的事情，对自闭症儿童来说可能具有挑战性。掌握这些技能可以提高儿童的自我照顾能力，使他们对自己的日常活动更有信心。

2. 学业成就

精细动作技能在学校或教育环境中具有重要的地位。从入学开始，儿童就积极参与到需要精细动作的活动中，例如书写、使用剪刀、绘画以及操作教室器材等。这些能力不仅关乎课堂作业的完成情况，更是儿童在校内外的沟通交流与小组工作中取得成功的核心要素。一旦儿童在这些领域面临挑战，他们的学习进度就可能受到阻碍，情感上也可能感到孤独与失落。

3. 自尊

当自闭症儿童成功完成需要精细动作技能的任务时，他们会体验到成就感和自豪感，这有助于增强他们的自信心。随着这些技能的逐渐提升，他们将更容易融入学校的团体活动和游戏，从而改善他们的社交互动和友谊。这种从成功中获得的信心有助于建立积极的自我形象，并能激励儿童勇敢地尝试新事物。值得注意的是，精细动作技能与儿童的整体发展、独立性以及他们对自己的看法密切相关。了解这些技能的发展对家长和教育工作者来说具有重要意义，因为这有助于他们更好地支持和引导儿童。通过关注和培养这些技能，我们可以帮助儿童在学业、社交和个人成长方面取得更大的进步。

（二）促进精细动作技能发展的策略

精细动作技能的培养不仅关乎儿童在学校的表现，更对他们未来的发展和心理健康具有深远影响。一些有效的策略可以支持儿童精细动作技能的发展。值得注意的是，可能需要在对儿童的精细动作技能进行具体评估之后选择相应的发展策略。

1. 结构化活动

将结构化活动融入日常生活是提高精细动作技能的一种有效方法。考虑到儿童的技能水平，这些活动设计的复杂程度各不相同。穿珠、图形分类或拼图等任务可以锻炼手部的小肌肉，并支持认知和手眼协调能力的发展。定期将这些活动纳入儿童的日程安排，可以建立一种常规，使他们在获得新技能的同时提高成就感。

2. 辅具

使用辅助设备或工具，如握笔器和易握剪刀，将更容易完成日常任务。这些支持可以作为一座桥梁，让自闭症儿童在发展技能的同时，能够更独立地完成任务。有些辅具可以在网上买到，有些可以根据具体需要自行制作。

3. 感官活动

感知觉在精细活动中发挥着重要的作用，尤其是触觉的训练更加重要。让儿童接触不同质地的材料，玩耍不同质地、温度或阻力的物体，可以促进触觉的发展，提高感知能力。参与诸如造型黏土、手指画等活动可以为精细动作的发展提供必要的感官输入，也可以激发儿童的兴趣。

4. 社交活动和玩耍

将精细动作技能融入游戏和有趣的活动，可以使学习更愉快和有效。拼搭积木、做简单的工艺品或玩棋盘游戏既有娱乐作用又有教育作用。这种方法可以使儿童保持参与、拥有动力，使技能培养成为一种积极的体验。

5. 视觉支持和语言提示

许多自闭症儿童受益于视觉支持和言语提示。视觉辅助、图片说明或言语提示可以帮助他们完成需要精细动作技能的任务，理解活动目标和活动过程。

6. 积极鼓励

积极强化是培养新技能的根本动力。承认每一次成功，无论多么微小的进步，并提供支持，可以提高儿童的信心和参与活动的意愿。建立一个有趣和轻松的环境，在这个环境中，努力能得到认可，成就能得到庆祝，这是十分重要的。

提高自闭症儿童精细动作技能的过程远远超出了掌握基本任务的范围，随着技能的发展，我们经常看到儿童的自信心和独立性发生了显著的变化。完成曾经难以想象的任务不仅提高了他们的自尊和信心，还丰富了他们生活的其他方面，也为新的、丰富的体验和互动铺平了道路。培养自闭症儿童精细动作技能的道路无疑充满了挑战，但也有充满成就感的时刻，肯定儿童的每一个微小进步，会看到一个充满希望的未来。

第五章

自闭症儿童的饮食保健

自闭症儿童在饮食和营养方面可能面临一系列问题，包括营养不良、胃肠道不适、饮食受限及过敏反应等。这些健康隐患不仅影响他们的日常生活质量，还可能加剧自闭症的核心症状。值得注意的是，一些研究表明，早期的胃肠道问题可能是自闭症的诱因之一。因此，科学合理的饮食保健对于自闭症儿童至关重要。合理的饮食管理不仅可以保护他们的身体健康，还能够在一定程度上缓解自闭症的核心症状，从而全面改善他们的整体健康状况。

第一节 常见的营养素及其作用

良好的营养是儿童生存、成长和发展的基石。营养良好的儿童能更好地学习、玩耍，参与各类活动，在面对疾病时也有更强的抵抗力。当今，随着生活水平的提高，主要营养物质（如蛋白质、脂肪、糖等）缺乏的现象越来越少。由于饮食结构的改变，儿童的维生素和矿物质摄入常常出现不足。当儿童缺乏维生素和其他必需微量营养素时，会出现不太明显的营养不良，如隐性饥饿。在2003年至2019年间，全球有3.72亿学前儿童存在一种或多种微量营养素缺乏症，这延缓了他们的身体发育，削弱了他们的免疫系统，损害了他们的大脑发育[1]。因此，现在的儿童常面临营养不均衡的问题。

食物中的营养成分有几十种甚至上百种，根据它们的化学结构和特征，可以分为六类，分别为水、蛋白质、脂类、糖类、维生素和矿物质。

一、水

水是人体内含量最多的物质，占成人体重的60%左右。它在维持生命活动、调节体温、促进代谢等方面都有着不可替代的作用。

首先，水是维持生命活动所必需的。人体内的各种生理活动，如细胞代谢、营养物质运输、废物排泄等，都需要水的参与。水分子能够溶解许多物

---

[1] Stevens G A, Beal T, Mbuya M N N, et al. Micronutrient deficiencies among preschool-aged children and women of reproductive age worldwide: a pooled analysis of individual-level data from population-representative surveys [J]. The Lancet Global Health, 2022, 10(11): e1590-e1599.

质,使它们能够在体内顺利运输和代谢。其次,水可以调节体温。当外界温度升高时,人体会通过出汗等方式增加散热,以降低体温;而当外界温度降低时,人体则会通过减少散热来保持体温恒定。在这个过程中,水起着重要的作用。此外,水还可以促进代谢。许多化学反应都需要水的参与,如蛋白质的合成、脂肪的分解等。适量的水分摄入可以维持身体正常的代谢活动,促进身体健康。如果人体长时间缺乏水分,就会出现脱水症状,如口渴、乏力、头晕等。严重脱水甚至可能导致生命危险。因此,在日常生活中,我们应该注意适量饮水,保持身体的水分平衡。

二、蛋白质

蛋白质是构成人体的基本物质之一,对于维持生命活动至关重要。在人体的组成中,蛋白质占有非常重要的比例。蛋白质在人体干重中所占的比例大约为54%,这意味着如果将人体中的水分去除,剩下的质量中有一半以上是由蛋白质组成的。人体的组织和细胞中都含有大量的蛋白质,例如,构成皮肤和骨骼的胶原蛋白,构成肌肉的肌动蛋白,运输氧气的血红蛋白,参与免疫反应的抗体,以及传递生物信息的激素和信号分子,等等。

蛋白质的种类非常多,人体内的蛋白质估计有数万种,它们由20多种氨基酸以"脱水缩合"的方式组成多肽链,然后经过盘曲折叠成具有一定空间结构的物质。人类的蛋白质由20种氨基酸构成,分为必需氨基酸和非必需氨基酸。对于成年人来说,有8种氨基酸是必须从食物中获取的,因为它们不能被身体自行合成。这些氨基酸包括赖氨酸、色氨酸、苯丙氨酸、苏氨酸、甲硫氨酸、异亮氨酸、亮氨酸和缬氨酸。而婴幼儿的必需氨基酸有9种,他们还需要从食物中获取组氨酸来支持其快速的生长和发育。

随着健康素养的提高,人们对蛋白质的摄入越来越重视,牛奶与肉制品的摄入量也在不断地增加。我们经常错误地认为只有奶制品、肉类才能提供蛋白质,其实很多其他食物也能提供蛋白质(见表 5-1),比如大豆就有丰富的蛋白质,其蛋白质含量为 40% 左右。因此我们在摄入蛋白质时,应该考虑各种食物摄入的蛋白质含量总和。蛋白质的参考摄入量标准见表 5-2[1]。

表 5-1 蛋白质的食物来源

食物	每 100 克食物中的蛋白质(克)	每 100 克食物的热量(卡路里)	每克蛋白质的热量(卡路里)
鸡胸肉	30	150	5
猪肋排	28	210	7.5
牛肉碎	26	270	10.5
毛豆	12	120	10
小扁豆	9	115	12.75
鹰嘴豆	7	138	19.75
荷兰豆	6.5	105	16.25
黑豆	6	90	15
豌豆	5	80	16
羽衣甘蓝	4.25	50	11.75
玉米	3.5	90	25.75
西蓝花	2.75	35	12.75

---

[1] 中国营养学会. 中国居民膳食营养素参考摄入量(2023 版)[M]. 北京:人民卫生出版社,2023.

(续表)

食物	每100克食物中的蛋白质（克）	每100克食物的热量（卡路里）	每克蛋白质的热量（卡路里）
菠菜	2.75	25	9

资料来源：美国国家营养数据库。

表5-2 膳食蛋白参考摄入量

年龄/阶段	平均需求量（EAR/g·d^{-1}）		推荐摄入量（RNI/g·d^{-1}）		可接受的常量营养素分布范围（AMDR/%E）
	男性	女性	男性	女性	
0~0.5岁	—	—	9（AI）	9（AI）	—
0.5~1岁	—	—	17（AI）	17（AI）	—
1~2岁	20	20	25	25	—
2~3岁	20	20	25	25	—
3~4岁	25	25	30	30	—
4~5岁	25	25	30	30	8~20
5~6岁	25	25	30	30	8~20
6~7岁	30	30	35	35	10~20
7~8岁	30	30	40	40	10~20
8~9岁	35	35	40	40	10~20
9~10岁	40	40	45	45	10~20

（续表）

年龄/阶段	平均需求量（EAR/g·d⁻¹）		推荐摄入量（RNI/g·d⁻¹）		可接受的常量营养素分布范围（AMDR/%E）
	男性	女性	男性	女性	
10~11岁	40	40	50	50	10~20
11~12岁	45	45	55	55	10~20
12~15岁	55	50	70	60	10~20
15~18岁	60	50	75	60	10~20
18~30岁	60	50	65	55	10~20
30~50岁	60	50	65	55	10~20
50~65岁	60	50	65	55	10~20
65~75岁	60	50	72	62	15~20
75岁以上	60	50	72	62	15~20
孕早期	—	+0	—	+0	10~20
孕中期	—	+10	—	+15	10~20
孕晚期	—	+25	—	+30	10~20
哺乳期	—	+20	—	+25	10~20

注："—"表示未制定或未涉及；"+"表示在相应年龄阶段的成年女性需求量基础上增加的需求量。

在摄入蛋白质的时候，不光要考虑摄入量，还要考虑蛋白质被人体消化吸收后的利用率，即蛋白质的生物价。生物价越高，利用率就越高（见图5-1）。

食物来源	生物价
乳清蛋白	96
整个鸡蛋	94
牛奶	90
奶酪	84
鸡肉	80
鱼	76
牛肉	74
大豆	73
燕麦	66
米饭	64
豆腐	64
全谷物	64
玉米	60
豆类	58
白面粉	41

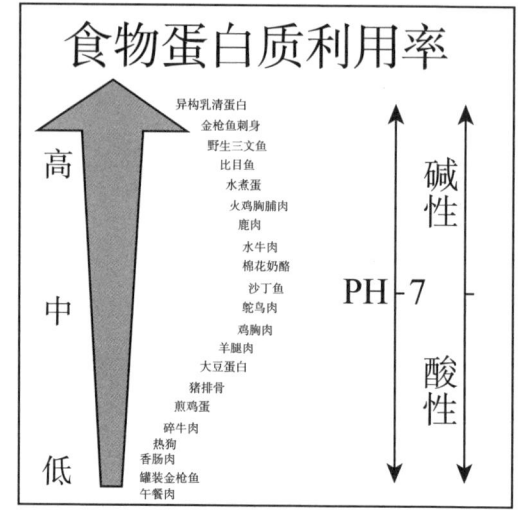

图 5-1 食物蛋白质利用率

研究表明,酪蛋白(casein)和谷蛋白(glutelin)可能与自闭症存在密切关系。自闭症儿童的肠道中存在异常的免疫反应和炎症,可能导致他们对某些食物过敏或不耐受。具体来说,自闭症儿童对酪蛋白和谷蛋白的反应比普通人更强烈。这种反应可能是肠道屏障功能受损导致蛋白质进入血液循环引起的免疫反应。此外,自闭症儿童的血液中存在高水平的免疫球蛋白 G(immunoglobulin G,简称 IgG)抗体,这些抗体可能与酪蛋白和谷蛋白有关。酪蛋白和谷蛋白对自闭症儿童的影响将在后面的章节作详细阐述。

三、脂类

脂类与蛋白质一样,是人体内一类重要的营养物质,它泛指不易溶于水而易溶于乙醚、氯仿、苯等非极性有机溶剂的一大类分子。脂类是一类具有多样生物学功能的生物大分子，它们在细胞膜的结构、能量储存、信号传导等方面发挥着重要作用。脂类的化学本质是脂肪酸与醇作用生成的酯及其衍生物。根据其化学结构，脂类可以分为脂肪和类脂。

（一）脂肪

脂肪（fat）是由高级脂肪酸与甘油形成的酯，在自然界中，脂肪通常是由一分子甘油与三分子高级脂肪酸通过脱水反应形成的酯，这种结构称为甘油三酯（见图 5-2），以甘油结构为骨架，分别连接了 3 个脂肪酸构成的长链，脂肪酸的差别造成了脂肪的种类不同。脂肪在生物体中扮演着重要的角色，其主要功能是储存能量和供应热量。图 5-3 显示了不同类型脂肪的构成及化学成分。在新陈代谢过程中，脂肪可以提供必要的脂肪酸和能量。常见的油脂有猪油、牛油、花生油、豆油等。

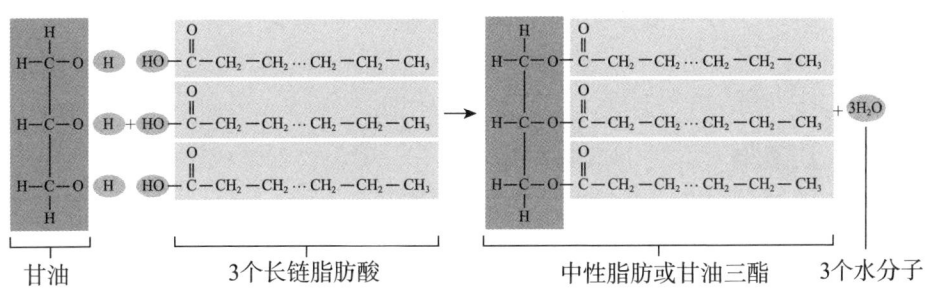

图 5-2 脂肪分子的形成过程

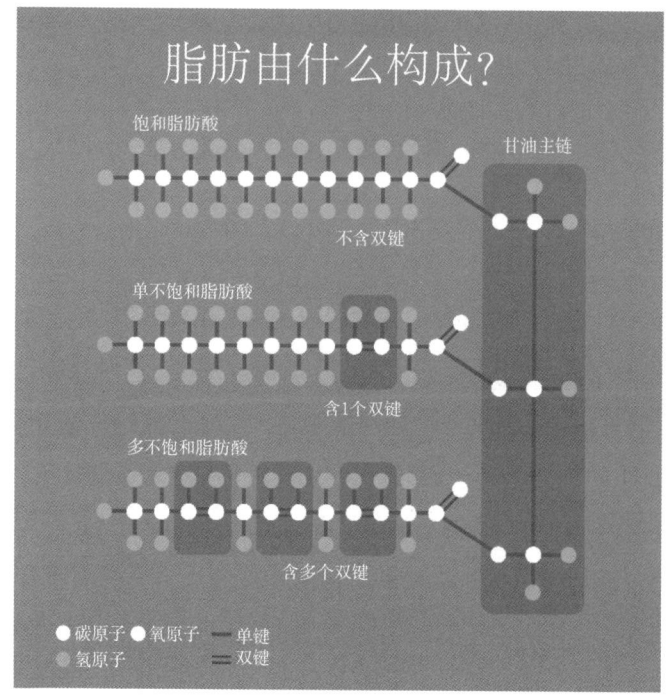

图 5-3 不同类型脂肪分子的构成

（二）类脂

类脂（lipid）是一类具有类似油脂性质的化合物，它们在生物体内扮演着重要的角色。类脂的种类很多，主要有以下三种。

1. 磷脂

磷脂（phospholipid）由一个亲水的头部和两个疏水的尾部组成。其结构就是在脂肪的基础上，一条脂肪酸链被磷酸基团取代，形成了亲水的头部，另外两条脂肪酸链形成了疏水的尾部。磷脂在生物体内具有多种功能（见图 5-4）。首先，磷脂是细胞膜的主要成分，它们构成了细胞膜的骨架，维持了细胞的完整性和稳定性。其次，磷脂参与细胞内的信号传导过程，例如磷脂酰肌醇信号通路和磷脂酰胆碱信号通路等。最后,磷脂还参与脂质的合成和代谢过程,如脂肪酸的合成和胆固醇的代谢等。

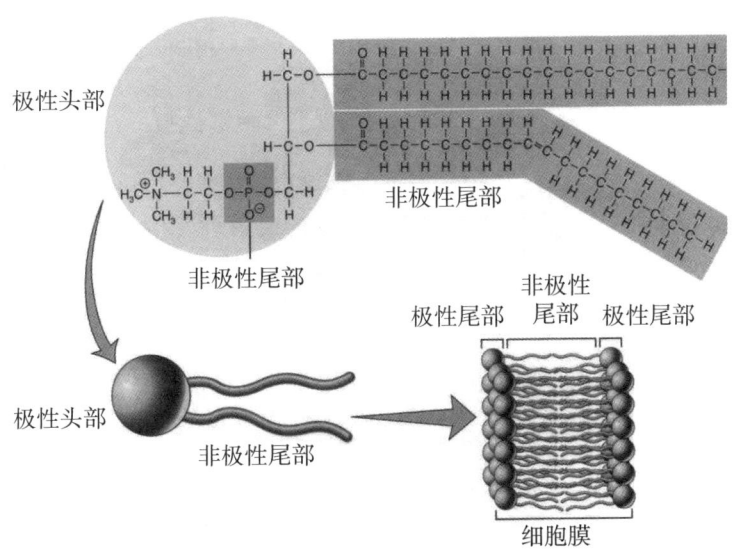

图 5-4　磷脂分子结构[1]

2. 类固醇

类固醇(steroid)是一类具有广泛生物活性的有机化合物,其核心结构是由四个相互连接的碳环组成。这种独特的分子结构赋予了类固醇多种生物学功能,使其成为维持生命过程的关键分子。类固醇在自然界中广泛存在,包括胆固醇(cholesterol)、性激素(sex hormone)和肾上腺皮质激素(adrenocortical hormone)等。每种类固醇都有其特定的生物学功能。例如,胆固醇不仅是细胞膜的重要组成部分,还参与合成维生素 D 和某些激素;性激素负责调节生殖和性别特征;肾上腺皮质激素则参与调节体内的代谢和应激反应。人体自身也会产生类固醇激素,以维持正常的生理功能。然而,当

---

[1] Phospholipid Bilayer: Introduction, Structure and Functions [EB/OL].(2019-07-03).

体内类固醇水平过高或过低时,可能会导致健康问题。例如,胆固醇水平过高可能增加心血管疾病的风险,而在某些情况下,医生可能会建议患者补充类固醇激素以治疗某些疾病。

3. 糖脂

糖脂(glycolipid)是一类由糖和脂肪酸通过酯键连接而成的化合物。它们在生物体内具有多种功能,包括作为能量来源,参与细胞信号传导,以及调节免疫系统等。糖脂在细胞膜的结构和功能中也扮演着重要角色,它们与细胞膜上的蛋白质相互作用,影响细胞的识别、黏附和迁移等过程。

一提到脂质,人们首先想到的是脂肪,其实脂质是一大类化学物质的总称,包括脂肪、油、激素和某些细胞膜成分在内的多种有机化合物,它们因为与水没有明显的相互作用而被归为一类。我们通常讲的脂肪主要指甘油三酯,它被隔离在脂肪细胞中。脂肪细胞是生物体的能量储存库,也具有隔热作用。第二类脂,如类固醇激素,在细胞、组织和器官之间充当化学信使,也有一些会在单个细胞内的生化系统之间传递信号。第三类脂是构成细胞膜和细胞器膜(细胞内结构)的成分,即俗称的脂质双分子层(lipid bilayer),它的作用是将单个细胞与其环境隔离开来,并将细胞内部划分为执行不同特殊功能的结构。这种分隔功能非常重要,因此脂质双分子层和形成它们的脂质对于生命本身的起源来说是必不可少的。

(三)脂肪酸

脂肪酸(fatty acid)是一种由碳、氢和氧组成的化合物,其特点是具有一个长的碳链和一个末端的羧酸基团(carboxylic acids,化学式 -COOH)。脂肪酸是脂肪的重要组成部分,可以分为饱和脂肪酸和不饱和脂肪酸两种类型。饱和脂肪酸的碳链中没有双键,使得脂肪分子紧密堆积,从而使脂肪呈固态。而不饱和脂肪酸含有一个或多个双键,使得脂肪分子间形成较大的间隙,从而使脂肪呈液态。这种液态的脂肪具有较低的熔点，易于消化吸收。不饱和脂肪酸还具有重要的营养和生理功能，包括单不饱和脂肪酸和多不饱和脂肪酸，如 ω-3 脂肪酸和 ω-6 脂肪酸。

ω-3 脂肪酸和 ω-6 脂肪酸是多不饱和脂肪酸（polyunsaturated fatty acid，简称 PUFA）的两种重要类型，它们在人体健康中发挥着重要作用。这两种脂肪酸都是人体必需的，因为它们不能在体内自行合成，必须通过食物摄入。ω-3 脂肪酸主要存在于深海鱼类、亚麻籽油、核桃、橄榄油和某些绿叶蔬菜中。它们对心血管健康特别有益，可以降低心脏病风险，减少血液中的甘油三酯，降低血压，并有助于减少炎症。ω-3 脂肪酸还对大脑和神经系统的正常功能有重要影响，特别是对胎儿和婴幼儿的神经发育。常见的 ω-3 脂肪酸包括 α-亚麻酸（α-linolenic acid，简称 ALA）、二十碳五烯酸（eicosapentaenoic acid，简称 EPA）和二十二碳六烯酸（docosahexaenoic acid，简称 DHA）。ω-6 脂肪酸主要存在于植物油（如玉米油、大豆油、葵花籽油等）、坚果、种子和某些动物脂肪中。虽然 ω-6 脂肪酸也是人体必需的，但是现代人通常通过饮食摄入了过多的 ω-6 脂肪酸，而 ω-3 脂肪酸的摄入相对较少。这种不平衡可能导致一系列健康问题，包括心血管疾病、炎症性疾病和某些癌症。常见的 ω-6 脂肪酸包括亚油酸（linoleic acid，简称 LA）和花生四烯酸（arachidonic acid，简称 ARA）。

为了维持健康，建议人们保持 ω-6 脂肪酸和 ω-3 脂肪酸的平衡摄入。一般来说，ω-6 脂肪酸与 ω-3 脂肪酸的摄入比例应保持在 4∶1 左右，但现代人的饮食往往使这一摄入比例保持在 20∶1 至 10∶1 之间，这可能对健康产生不利影响。因此，通过调整饮食或补充适当的脂肪酸，可以帮助维持这一平衡，从而促进整体健康。

越来越多的证据表明[1]，脂肪酸代谢对自闭症等神经发育障碍有重要影响。在一项研究中，研究者比较了 121 名自闭症儿童和 110 名 3~17 岁的

---

[1] Brigandi S A, Shao H, Qian S Y, et al. Autistic children exhibit decreased levels of essential fatty acids in red blood cells [J]. International Journal of Molecular Sciences, 2015, 16 (5): 10061-10076.

非自闭症、非发育迟缓对照组儿童的脂肪酸含量。对红细胞膜磷脂的脂肪酸组成的分析表明,自闭症儿童总的多不饱和脂肪酸百分比低于对照组,花生四烯酸和二十二碳六烯酸的水平尤其降低($P < 0.001$)。此外,与对照组相比,部分自闭症参与者(n=20)的促炎花生四烯酸代谢产物前列腺素 E2(prostaglandin E2,简称 PGE2)的血浆水平更高。该研究证明了自闭症儿童多不饱和脂肪酸谱的改变和多不饱和脂肪酸衍生代谢产物的产生增加,支持了脂质代谢异常与自闭症有关的假说。

新加坡一项研究发现[1],对 41 名年龄在 7~18 岁的自闭症儿童和青少年(36 名男孩,5 名女孩;平均年龄 =11.66 岁,标准差 =3.05)给予 ω-3 脂肪酸治疗 12 周后,自闭症儿童青少年在《社交反应量表》(Social Responsiveness Scale,简称 SRS)的所有子量表($P<0.01$)以及《儿童行为检核表》(Child Behavior Checklist,简称 CBCL)中的社交和注意问题($P<0.05$)上均显示出显著改善。血液脂肪酸水平与自闭症核心症状的变化显著相关,而且 ω-3 脂肪酸补充剂耐受性良好,并未引起任何严重的副作用。该研究的发现为使用 ω-3 脂肪酸补充剂治疗自闭症提供了一些初步的支持。

四、糖类

糖(sugar),又称碳水化合物(carbohydrate),是自然界分布最广泛的化合物,由碳、氢和氧构成。糖是构成人体组织、维持肌肉运动和保持体温的重要营养成分。虽然蛋白质和脂肪都能为我们的身体提供能量,但碳水化合物是最清洁的能量来源。人类对甜味的喜爱源于本能,因为甜味通常代表着能量的摄入,几乎所有儿童都很难抵制糖果的诱惑。例如,从甘蔗中提取的蔗糖在中世纪被

---

[1] Ooi Y P, Weng S J, Jang L Y, et al. Omega-3 fatty acids in the management of autism spectrum disorders: findings from an open-label pilot study in Singapore [J]. European Journal of Clinical Nutrition, 2015, 69 (8): 969–971.

欧洲人视为奢侈品，而在近代，随着蔗糖的普及，它改变了人们的饮食结构。糖在化学结构上可以分为单糖、双糖和多糖。常见的单糖有葡萄糖和果糖，而双糖则包括蔗糖（普通的砂糖）、乳糖和麦芽糖。多糖如淀粉和纤维素，是由更多的单糖分子组成的长链结构。

（一）单糖

单糖（monosaccharides）是指不能再被水解成更小分子的糖类，进入人体的所有糖类，必须分解为单糖才能被吸收。单糖的分子含有 3~6 个碳原子，在食品中，单糖主要以己糖（六碳糖）为主，例如，我们熟知的葡萄糖、果糖和半乳糖。单糖在细胞内具有许多功能，例如，单糖用于产生和储存能量。大多数生物通过分解单糖（葡萄糖）来获取能量。其他单糖用于形成长链纤维，作为细胞结构的一种形式。

葡萄糖（glucose）在人体内起着重要作用。它是主要的能量来源，通过糖解作用、糖原合成和糖异生等过程，为人体提供必要的能量。此外，葡萄糖还是合成其他复杂碳水化合物，如纤维素、淀粉和糖原的基本单位。果糖（fructose）主要存在于水果和蜂蜜中，是天然甜味剂的一种。与葡萄糖相比，果糖的代谢途径有所不同，主要在肝脏中进行。果糖的代谢会产生少量葡萄糖，同时合成其他重要的代谢产物，如尿酸、乳酸等。虽然果糖的摄入可以为人体提供一定的能量，但过量摄入可能导致代谢紊乱，如脂肪肝等。半乳糖是乳糖的组成成分之一，主要存在于乳制品中。半乳糖的代谢与葡萄糖和果糖有所不同。半乳糖在人体内可以转化为葡萄糖，进而为身体提供能量。此外，半乳糖还参与糖蛋白的合成，对于维持细胞结构和功能具有重要作用。半乳糖代谢异常可能导致某些遗传性疾病，如半乳糖血症等。

(二)双糖

双糖(disaccharide)是由两个单糖分子通过糖苷键连接而成的糖类化合物。与单糖相比,双糖在结构上更为复杂,同时具有不同的生理作用。在人体内,双糖的主要作用是提供能量。当双糖被摄入体内后,它们会被酶分解为两个单糖分子,进而被吸收并参与到身体的能量代谢过程中。其中,最常见的双糖是蔗糖(sucrose)(由葡萄糖和果糖组成)和乳糖(lactose)(由葡萄糖和半乳糖组成)。蔗糖主要存在于加工食品中,乳糖则主要存在于乳制品中。过量摄入某些双糖可能导致能量过剩、肥胖等健康问题。同时,对于某些人群(如糖尿病患者、乳糖不耐受者等),还需要特别注意双糖的摄入量和摄入的种类。

(三)多糖

多糖(polysaccharide)是由至少10个单糖通过糖苷键连接而成的高分子碳水化合物。多糖在生物体中扮演着多种角色,包括能量储存、结构支持、免疫调节等。例如,淀粉和糖原是能量的储存形式,而纤维素则给予植物结构上的支持。除了这些生物学功能,多糖还具有抗肿瘤、抗炎、抗病毒、降血糖、抗衰老等多种生物活性。

膳食纤维(dietary fiber),有时候被称为一种新的营养素,是多糖的一种,也被称为粗粮或粗纤维的多糖类食物成分,是植物性食物中人体无法消化或吸收的部分。与脂肪、蛋白质或碳水化合物等其他食物成分不同,膳食纤维在人体内不会被分解和吸收,而是相对完整地通过胃、小肠和结肠,最终排出体外。

膳食纤维主要分为两大类:可溶性纤维和不可溶性纤维。可溶性纤维在水中溶解形成凝胶状物质,有助于降低血液中的胆固醇和葡萄糖水平。常见的食物来源包括燕麦、豌豆、豆类、苹果、柑橘类水果、胡萝卜、大麦和车前草等。不可溶性纤维则能促进食物在消化系统中的运动,增加粪便的体积,对便秘或大便不规则的人尤为有益。全麦面粉、麦麸、坚果、豆类和蔬菜,如花椰菜、青豆和土豆，都是不可溶性纤维的良好来源。

为了获得最大的健康益处，人们应该食用多种高纤维食物，因为不同植物性食物中的可溶性纤维和不可溶性纤维的含量各异。高纤维饮食不仅有助于维持肠道健康，还能带来一系列其他益处。首先，高纤维饮食可以促进正常的排便功能，增加粪便的重量和体积，使其变软，从而减少便秘。同时，它还有助于保持肠道健康，降低患痔疮和结肠憩室病的风险，并可能降低患癌症的风险。其次，高纤维饮食能降低血液胆固醇水平，特别是通过摄入豆类、燕麦、亚麻籽和燕麦麸等富含可溶性纤维的食物。然后，高纤维可能对心脏健康有益处，如降低血压和减少炎症。最后，对糖尿病患者而言，高纤维饮食同样具有重要意义。因为纤维，尤其是可溶性纤维，可以减缓糖的吸收速度，从而有助于改善血糖水平。此外，健康饮食中的不溶性纤维也可能降低患 2 型糖尿病的风险。

糖类不会导致自闭症，但是很多自闭症儿童的家长被糖果困扰。有家长反映，孩子除了糖果什么都不喜欢吃。糖的过度摄入会对大脑功能产生负面影响，糖分摄入过多的儿童，其大脑中负责处理情绪的灰质部分的体积较小。糖还有促炎的作用，会增加不稳定的脑细胞放电，而且容易让人上瘾。更重要的是，自闭症儿童的葡萄糖耐量受损，胰岛素水平升高。研究还表明，自闭症儿童通常存在胃肠道问题，这是由于负责糖消化的酶和转运蛋白不足，糖代谢不足。因此，避免和减少糖的摄入可以降低对大脑健康产生负面影响的风险，提高注意力。

五、维生素

维生素（vitamin）的发现是 20 世纪的伟大发现之一。1897 年，荷兰医生艾克曼在爪哇发现，只吃精磨的白米会导致脚气病，而未经碾磨的糙米能治疗这种病。他进一步发现，可治脚气病的物质能用水或酒精提取，当时称这种物质为"水溶性 B"。后来，人们又陆续发现了很多这样的物质，它们含量很低，但是对维持生命活动非常重要,于是将其命名为维生素。如今,我们知道维生素在人体中发挥着多种关键作用,包括促进新陈代谢、增强免疫力、维持神经系统正常功能等。根据维生素的化学特性,将其分为两大类:水溶性维生素和脂溶性维生素。

(一)水溶性维生素

水溶性维生素(water-soluble vitamin)主要包括维生素B族和维生素C,其主要作用如下。

1. 维生素B族

维生素B族包括维生素B1、B2、B3、B5、B6、B7、B9和维生素B12。这些维生素在人体中发挥着多种作用,如帮助人体代谢食物、维持神经系统正常运转、促进细胞生长和分裂等。其中,维生素B12还有助于形成红细胞,预防贫血。除了这些基本的功能,维生素B6、维生素B9(叶酸)和维生素B12对于正常的神经功能也有重要作用。这些维生素的缺乏会增加神经发育障碍、精神疾病、行为障碍、情绪障碍和痴呆症的风险。此外,B族维生素在蛋白质、脂质、核酸、神经递质和激素的合成中起着重要的甲基供体作用。

2. 维生素C

维生素C也称为抗坏血酸,具有抗氧化作用,可以帮助维持皮肤、骨骼、牙齿和软组织的正常生长和修复,还可以促进铁的吸收。有研究发现自闭症儿童体内氧化应激水平较高,因此,补充维生素C有益于健康,也有研究表明补充维生素C能减轻自闭症严重程度[1]。

---

[1] Björklund G, Waly M I, Al-Farsi Y, et al. The role of vitamins in autism spectrum disorder: what do we know? [J]. Journal of Molecular Neuroscience, 2019, 67: 373-387.

（二）脂溶性维生素

脂溶性维生素（fat-soluble vitamin）主要包括维生素 A、维生素 D、维生素 E 和维生素 K，其主要作用如下。

1. 维生素 A

维生素 A 有助于维持视力健康、免疫系统功能正常和皮肤健康，促进骨骼生长发育[1][2]。据报道，维生素 A 能够通过影响 CD38*的表达水平来提高自闭症儿童的催产素水平[3]，因此，自闭症儿童的大脑活动和社交能力可能会通过催产素水平的提高而显著提高。研究发现，77.9% 的自闭症儿童存在维生素 A 缺乏症，维生素 A 缺乏会加剧儿童的自闭症症状[4]，因为它在脊椎动物中枢神经系统的分化、增殖和发育等许多生物途径中发挥着重要作用。补充维生素 A 可能是自闭症儿童可以接受的治疗方法，有助于维持自闭症儿童的各种细胞生化反应。

2. 维生素 D

维生素 D 是一种天然型激素，可以促进钙和磷的吸收，维护骨骼健康，还

---

[1] Huang Z, Liu Y, Qi G, et al. Role of vitamin A in the immune system [J]. Journal of Clinical Medicine, 2018, 7 (9): 258.

[2] Lakra P, Gahlawat I N. The role of Nutrition in the Immune system functions [J]. Integrated Journal of Social Sciences, 2016, 3 (1): 30–33.

* CD38 是一种跨膜糖蛋白，具有酶活性，广泛表达于免疫细胞、造血细胞以及其他组织细胞的表面。

[3] Riebold M, Mankuta D, Lerer E, et al. All-trans retinoic acid upregulates reduced CD38 transcription in lymphoblastoid cell lines from autism spectrum disorder [J]. Molecular Medicine, 2011, 17: 799–806.

[4] Guo M, Zhu J, Yang T, et al. Vitamin A improves the symptoms of autism spectrum disorders and decreases 5-hydroxytryptamine (5-HT): a pilot study [J]. Brain Research Bulletin, 2018, 137: 35–40.

可以调节免疫系统[1][2][3]。在精神病领域，维生素 D 也是一个研究热点，大脑中含有维生素 D 受体，可以调节情绪和抑郁障碍，动物实验证实，妊娠期间严重缺乏维生素 D 会使对大脑发育至关重要的蛋白失调，并导致幼鼠出现病理变化，如大脑体积增加，心室增大，异常情况与自闭症儿童相似。有些研究发现自闭症儿童 25 羟基维生素 D（25-OH-D）的水平较同龄儿童偏低，对于缺乏维生素 D 的自闭症儿童，补充维生素后，其核心症状如行为、刻板动作、眼神交流等有所改善。萨阿德（Saad）等人对 106 名 25-OH-D 低于 30 ng/ml 的自闭症儿童进行补充维生素 D3 的治疗，剂量为 300~500IU/kg/天，在持续 3 个月后，这些儿童在《儿童自闭症评定量表》和《异常行为检核表》上的得分均显著降低[4]。因此，当维生素 D 的水平较低时，适当地进行补充有利于改善自闭症相关症状。

3. 维生素 E

维生素 E 具有抗氧化作用，可以帮助维持血管和心脏健康[5]。有少数研究证实自闭症儿童的维生素 E 水平较低，然而相关的临床试验还比较缺乏。

4. 维生素 K

维生素 K 参与血液凝固过程，有助于预防出血[6]。

---

[1] Holick M F. Vitamin D and bone health [J]. The Journal of nutrition, 1996, 126: 1159S-1164S.

[2] Goltzman D. Functions of vitamin D in bone [J]. Histochemistry and cell biology, 2018, 149 (4): 305–312.

[3] Holick M F. The role of vitamin D for bone health and fracture prevention [J]. Current osteoporosis reports, 2006, 4 (3): 96–102.

[4] Saad K, Abdel-Rahman A A, Elserogy Y M, et al. Vitamin D status in autism spectrum disorders and the efficacy of vitamin D supplementation in autistic children [J]. Nutritional neuroscience, 2016, 19 (8): 346–351.

[5] Rizvi S, Raza S T, Ahmed F, et al. The role of vitamin E in human health and some diseases [J]. Sultan Qaboos University Medical Journal, 2014, 14 (2): e157.

[6] Vermeer C V. Vitamin K: the effect on health beyond coagulation–an overview [J]. Food & nutrition research, 2012, 56 (1): 5329.

总的来说，各种维生素在人体中发挥着各自独特的作用，对于维持人体正常生理功能至关重要。因此，保持均衡的饮食，摄取足够量的多种维生素，是维持身体健康的关键。

六、矿物质

矿物质（mineral），也称无机盐，是人体内无机物的总称。这些物质是人体内除碳、氢、氧、氮等以有机物形式存在的元素以外的其余元素的统称。矿物质和维生素一样，是人体必需的元素，无法由人体自行产生或合成，需要通过饮食等外部来源摄取。在矿物质中，有些是身体发育所必需的，称为有益的元素，如铁、铜、锌等；有些是身体不需要的，称为有害的元素，如汞、铅等。

（一）有益的矿物质

有益的元素有很多种，根据其在体内的含量和需求，把它们分为常量元素和微量元素。常量元素是指人体需要量较大的矿物质，它们在体内占有较高的比例。钙、磷、镁是三种最主要的常量元素。钙和磷是构成骨骼和牙齿的主要成分，对于维持骨骼健康至关重要。镁则参与体内300多种酶的反应，对于维持正常的心脏功能、神经传导和肌肉收缩等生理过程有重要作用。而微量元素则是指人体需要量较少的矿物质，它们在体内的含量较低，但作用却不可忽视。铁、锌、铜、硒等都是常见的微量元素。铁是合成血红蛋白的关键元素，对于预防贫血有重要作用。硒是一种抗氧化剂，有助于保护细胞免受自由基的损害。锌参与体内多种酶的合成和激活，对于维持免疫系统、皮肤健康、伤口愈合等有重要作用。

1. 铁

铁（Fe）对许多生理过程至关重要，如氧气的运输，其浓度会影响大脑功能。铁是早期神经发育过程所必需的，而自闭症儿童的神经发育过程似乎是失调的。有重要证据表明，铁对儿童的认知、行为和体育活动发展具有重要作用。铁也是参与神经递质合成的多种酶的成分，大脑中铁浓度的降低伴随着皮质纤维传导、5-羟色胺能与多巴胺能神经系统的改变。因此，铁缺乏可能会对自闭症儿童的认知发展和功能产生负面影响。

人体缺铁的原因是不良的饮食习惯以及吸收障碍，其中包括该元素化学形式的生物利用度低。因此，铁的摄入量并不总是与其在体内的状态有关。例如，如果非血红素来源的铁的生物利用度较低，那么维生素 C 可以改善其吸收，而慢性炎症、钙或其他二价阳离子可能会抑制其吸收。在自闭症儿童中，有 1%~15% 的人存在贫血。

血红蛋白（hemoglobin，简称 Hgb）水平是贫血的常见指标，但缺铁发生在血红蛋白降低之前。其他常用于评估缺铁的指标还有转铁蛋白（transferrin，简称 TF）和血清铁蛋白（serum ferritin，简称 SF）饱和度，因为铁蛋白是一种铁储存蛋白，并且在持续缺铁的情况下会最先减少。血清铁蛋白也是急性反应蛋白，可能受炎症过程的影响。血清铁蛋白是许多自闭症研究中常用的铁指标。低铁蛋白是缺铁和缺铁性贫血（iron-deficiency anemia，简称 IDA）的早期预兆。自闭症儿童经常出现低铁蛋白水平，这会影响多巴胺能系统，并可能直接对自闭症的病理生理过程产生影响。

2. 铜

铜（Cu）和锌对中枢神经系统（central nervous system，简称 CNS）的发育至关重要，它们参与一个复杂的调节网络，从生命的早期阶段就维持中枢神经系统的稳态。铜是哺乳动物营养中的一种重要元素。铜摄入不足和过量都可能导致健康问题。80%~95% 的血浆铜与铜蓝蛋白结合。其他含铜酶是酪氨酸羟化酶和多巴胺羟化酶，它们产生多巴胺和去甲肾上腺素，以及细胞色素氧化酶，它们对线粒体至关重要，线粒体是电子传输和产生能量的地方。此外，铜还存在于超氧化物歧化酶中，与自由基的中和有关。然而，高含量的铜同样危险，有潜在神经毒性作用，过量的铜会阻碍肠道对锌的吸收。

3. 锌

锌（Zn）是人体必需的微量元素之一。它对免疫系统的功能、蛋白质和DNA合成以及细胞分裂至关重要。锌是许多转录因子和酶的一种成分，它在其中既起着空间结构稳定剂的作用，又起着辅助因子的作用，参与底物的催化作用。锌通过稳定细胞中的锌指结构参与调节DNA复制和修复、转录和翻译、细胞增殖和成熟、细胞凋亡以及对金属的反应。锌的缺乏也会严重影响免疫系统的功能，从而可能导致免疫缺陷。已经证实，患有严重锌缺乏症的人可能会出现神经心理障碍、认知功能障碍以及精神发育迟缓。这是因为锌是维持中枢神经系统正常功能和发育所必需的一种非常重要的元素。突触小泡中锌的含量较高，能负责神经元的突触整合和可塑性。

大量研究证明，妊娠、胎儿发育和儿童时期的锌缺乏可能会引起认知功能异常，并可能诱发自闭症[1][2]。大多数关于自闭症儿童锌水平的研究表明，在0~3岁年龄组，锌元素严重缺乏。在动物模型中，观察到在周期性暴露于这种微量元素缺乏的未成熟个体中，由于神经元关联网络的发育紊乱，认知功能和工作记忆受到损害[3]。然而，在补充锌后，这种现象显著消退，并且不会影响长时记忆。

需要注意的是，无论哪种微量元素，其摄入量都需要在适当的范围内，过量或不足都可能对身体造成不良影响。有些自闭症儿童微量元素比较缺乏，如锌。

---

[1] Midtvedt T. The gut: a triggering place for autism–possibilities and challenges [J]. Microbial ecology in health and disease, 2012, 23 (1): 18982.

[2] Yasuda H, Yoshida K, Yasuda Y, et al. Infantile zinc deficiency: association with autism spectrum disorders [J]. Scientific reports, 2011, 1 (1): 129.

[3] Takeda A, Minami A, Takefuta S, et al. Zinc homeostasis in the brain of adult rats fed zinc-deficient diet [J]. Journal of neuroscience research, 2001, 63 (5): 447–452.

因此，现在有很多研究者观察补充矿物质对自闭症儿童的作用。目前的结论尚存在争议，确切的结果有待进一步的观察。但是总的来说，大部分研究发现，对自闭症儿童补充矿物质和维生素是有益的，这也可能与自闭症儿童进食蔬果较少有关。

（二）有害的矿物质

有些矿物质并不是我们身体所需要的，如果体内含量过高，就会对身体造成有害的影响，这些被称为有害的矿物质。

1. 汞

汞（Hg）是一种有害的矿物质，长期摄入汞可能导致神经系统损伤、肾脏问题等。汞的最常见来源是无机汞化合物（如氯化汞）、有机汞化合物（如甲基汞）或乙基汞。乙基汞是硫柳汞的降解产物。所有的汞都有毒性，但有机汞具有更强的细胞毒性和神经毒性。在过去，有机汞中毒相当常见，例如1960年在日本发生的水俣病就是有机汞中毒。硫柳汞等外源物质能够与淋巴细胞受体和组织酶结合，引起自身免疫反应。硫柳汞在大脑、肾脏和肝脏中积累，比血液中的含量高很多。暴露于硫柳汞后，汞主要以无机形式积聚在大脑中，而其余仍以毒性较高的有机汞形式存在。近几十年来进行的大多数研究（74%）证实了汞水平升高与自闭症风险因素之间存在联系[1]。汞暴露已被证明会对人体产生直接和间接影响，包括自身免疫、氧化应激、神经炎、神经元损伤和神经元连接丧失。研究还证明，自闭症儿童在各种身体组织（大脑、血液、尿液、牙齿、头发和指甲）中表现出高水平的汞，这与自闭症症状的严重程度有关。自闭症儿童对包括汞在内的有毒物质的特别易感性缘于他们的解毒能力受损。在自闭症儿童群体

---

[1] Baj J, Flieger W, Flieger M, et al. Autism spectrum disorder: Trace elements imbalances and the pathogenesis and severity of autistic symptoms [J]. Neuroscience & Biobehavioral Reviews, 2021, 129: 117-132.

中，检测到汞解毒所需的细胞硫醇的可用性有限，小脑（cerebellum）和颞叶皮质（temporal lobe，简称 TL）样本中的谷胱甘肽（glutathione，简称 GSH）水平降低。

■ 小知识

水 俣 病

在日本九州熊本县的最南端，水俣市就位于水俣湾旁边。在这里，村民们世代以捕鱼为生，过着宁静而自给自足的日子。清澈的海湾孕育了丰富的海洋资源，村民们以新鲜的鱼类和贝类为主要食物，日子过得安稳而舒适。

20世纪50年代，随着日本经济的迅速发展，许多工业企业相继建立。在水俣湾附近，日本氮素肥料公司成立并开始生产含有汞的化学品。这一时期，工厂的建立被认为会为地方经济发展带来活力，因此村民们对工厂的到来持积极态度，并期待能从中受益。

在1953年，村民们开始注意到一些奇怪现象——村里的猫出现了异常行为，走路不稳、抽搐，甚至有些猫无缘无故跳入海中，导致死亡。随即，村民们也开始感到身体不适，出现手脚麻木、视力模糊和语言表达困难等症状。这些病症很快蔓延开来，许多居民纷纷就医，但医生对这些症状的致因一无所知。村民们无助且恐惧，许多家庭开始失去亲人。由于缺乏有效的医疗知识，村民们把这些症状称为"怪病"，并在村内流传。人们开始对海湾和海洋生物心生恐惧，但又无法确定问题的根源。

为了找出真相，水俣市的一位年轻医生开始进行深入调查。这位医生意识到，水俣湾的水质可能与村民的病症存在直接关系。经过几个月的样本检测，发现海湾的水存在高浓度的汞污染，而村民们食用的鱼类和贝类也被检测出含有大量的甲基汞。经过调查发现，污染源是日本氮素肥料公司。该公司在生产过程中将含汞的废水直接排入水俣湾，导致水体和生物大量积累汞，而村民们通过食用这些受污染的海产品，最终导致中毒。随着真相的揭露，水俣病的影响愈发明显。越来越多的村民开始出现严重的神经系统病变，有的人甚至出现了瘫痪，有的孩子一出生就存在严重的健康问题，这被称为"先天性水俣病"。

村民们的美好生活被突如其来的病痛击垮，家庭变得支离破碎。

此事件引起了社会的广泛关注，媒体纷纷报道。受到水俣病影响的村民的健康受到严重威胁，许多人开始抵制食用海产品。同时，抗议活动接踵而至，村民们要求政府和工厂采取行动，赔偿受害者的损失。

2. 铅

铅（Pb）对儿童认知功能和行为发展有毒性作用，特别是镁或钙缺乏时。自闭症儿童的膳食钙摄入量与血铅浓度之间的负相关关系已得到广泛证实。铅的毒性机制也是由锌介导的，锌可以被铅取代[1]。血铅（blood lead，简称 BPb）的增加可能诱导人类血清中产生抗核糖体 P 蛋白抗体。

正在发育的大脑中，铅水平升高可能会引起神经递质的不适当释放，不仅会破坏自闭症儿童的大脑功能，还会破坏其他人士（如多动症儿童）的大脑功能。兰菲尔（Lanphear）等人通过使用对数线性模型，证实了血铅水平与智力缺陷之间的关系[2]。

接触铅的最常见途径是环境因素，其来源包括化石燃料、塑料、沥青和油漆（铬酸铅或碳酸铅）。母亲吸烟也被认为是产前和儿童早期的一个暴露因素。新生儿的锌水平下降以及镉和铅含量增加都得到了证实。然而，关于自闭症儿童各种组织和体液中铅含量的研究结果似乎并不一致。然而，不适当的有毒金属浓度可能会显著增加自闭症的风险，这主要涉及特定的发育期（产前或产后），此时个体更容易受到暴露的不良影响。

---

[1] Eubig P A, Aguiar A, Schantz S L. Lead and PCBs as risk factors for attention deficit/hyperactivity disorder [J]. Environmental health perspectives, 2010, 118 (12): 1654-1667.

[2] Lanphear B P, Hornung R, Khoury J, et al. Erratum: "Low-level environmental lead exposure and children's intellectual function: an international pooled analysis" [J]. Environmental health perspectives, 2019, 127 (9): 099001.

第二节 自闭症儿童的饮食特征及其影响

自闭症儿童在生长发育阶段往往面临一系列复杂的饮食挑战,包括饮食结构单一、过敏现象频发、挑食等,这些饮食问题成为阻碍儿童全面获取营养的关键。值得注意的是,造成这种饮食障碍的原因是多方面的,通过科学合理的干预,我们不仅能够有效解决自闭症儿童的营养问题,还能够在这一过程中改善其行为表现。

一、儿童的饮食/喂养问题

饮食/喂养问题是儿童成长过程中的常见现象,涉及食物的摄入、消化和吸收等。这些问题不仅影响儿童的身体健康,还可能对其心理发展产生负面影响。儿童饮食/喂养问题主要有以下12种。

(1)食物拒绝。食物拒绝是指儿童对某些食物产生抵触情绪,拒绝食用。这可能导致营养不良或依赖特定食物。(2)限制性食物摄入。限制性食物摄入是指儿童只愿意吃特定类型或质地的食物,限制了饮食的多样性。(3)进食时的问题行为。进食时的问题行为是指在进食过程中,儿童表现出攻击行为、发脾气行为等,影响饮食的正常进行。(4)反刍和食物藏匿。反刍和食物藏匿是指儿童在进食后将食物反刍出来或藏匿在口腔中,这可能会导致消化问题。(5)咀嚼和吞咽问题。咀嚼和吞咽问题是指儿童在咀嚼和吞咽食物时遇到困难,这可能会影响营养摄入和呼吸安全。(6)食欲不振。食欲不振是指儿童对食物缺乏兴趣或欲望,这可能会导致营养不良。(7)呕吐和胃食管反流。呕吐和胃食管反流是指儿童在进食后出现呕吐或胃食管反流症状,这可能会影响消化和营养吸收。

(8)异食癖。异食癖是指儿童反复摄入无营养价值的物质,如泥土、纸张等,这可能会对健康造成危害。(9)饮食过量或不足。饮食过量或不足是指儿童摄入过多或过少的食物,这可能会影响体重和营养状况。(10)饮食仪式。饮食仪式是指儿童在进食前或进食过程中表现出特定的仪式性行为,这可能会影响饮食的正常进行。(11)进食过快。进食过快是指儿童在进食时速度过快,这可能会导致消化问题或误吞食物。(12)咀嚼后吐出。咀嚼后吐出是指儿童在咀嚼食物后将其吐出而不是吞咽,这可能会导致营养不足。儿童饮食/喂养问题可能造成营养不良、生长迟缓、免疫力下降等身体问题,还可能影响儿童的社交、学习和情绪发展。及时识别和解决儿童饮食/喂养问题,对于保障儿童健康成长具有重要意义。

二、自闭症儿童的饮食/喂养问题

许多发育迟缓的儿童在饮食/喂养方面存在诸多困难,这给他们的父母带来压力和困扰。这些问题在自闭症儿童中尤为突出。据报道,近70%的自闭症儿童存在选择性饮食问题。这些儿童不仅更频繁地出现食物拒绝和独特的饮食行为,而且他们对食物种类和质地的接受度也相对有限。一项涵盖1994~2004年间7项自闭症儿童喂养问题研究的文献综述估计[1],46%~89%的自闭症儿童存在非典型的喂养习惯。这一发现得到后续研究的支持。因此,饮食/喂养问题已经成为家长们最为关注的问题之一。在这些问题中,最为显著的是对食物类型和/或质地的选择性偏好。许多自闭症儿童偏爱淀粉类食物、零食和加工食品,而对水果、蔬菜和蛋白质则持排斥态度。此外,大量研究还指出,食物拒绝与胃食管反流(gastroesophageal reflux disease,简称GER)存在密切关联,这在存在医疗问题和发育迟缓的婴儿和儿童中尤

---

[1] Ledford J R, Gast D L. Feeding problems in children with autism spectrum disorders: A review [J]. Focus on autism and other developmental disabilities, 2006, 21 (3): 153-166.

为常见。威廉斯（Williams）等人的综述显示[1]，在存在食物拒绝症状的儿童中，胃食管反流是最常见的医学诊断（69%），其次是心肺疾病（33%）、神经疾病（25%）、食物过敏（15%）、解剖异常（14%）和胃排空延迟（6%）。这些问题进一步增加了自闭症儿童在饮食/喂养方面的复杂性，使得家长们需要面临更多的挑战和压力。

自闭症儿童的饮食/喂养问题可能对他们的营养状况产生深远影响。这些影响不仅限于营养素的摄入不足，还可能包括超重和肥胖等风险。一方面，由于食物选择性和其他喂养问题，自闭症儿童可能无法获得足够的营养素。例如，他们可能摄入较少的蔬菜、乳制品和其他富含营养的食物。这可能导致他们缺乏维生素、矿物质和氨基酸等关键营养素。一些研究表明，自闭症儿童的钙、蛋白质和其他营养素的摄入量较低。其他研究也发现，自闭症儿童在维生素A、B1、B3、B5以及生物素、锌、镁、必需氨基酸和必需脂肪酸的摄入量上异常低。然而，值得注意的是，尽管存在这些营养摄入问题，但并非所有自闭症儿童的营养状况都受到严重影响。另一方面，自闭症儿童的饮食/喂养问题可能增加他们发生超重和肥胖的风险。与典型发育的儿童相比，自闭症儿童发生肥胖症的可能性高出40%。这可能是因为自闭症儿童倾向于摄入高热量、高脂肪和高糖分的食物，或者缺乏足够的身体活动。

尽管存在这些风险，但在临床实践中，自闭症儿童的喂养问题往往被忽视。这可能是因为关于饮食/喂养问题对营养影响的发现尚未得出明确结论，而且这种饮食习惯并不一定与生长受损直接相关。然而，对自闭症儿童的家长和医疗专业人士来说，了解饮食/喂养问题可能对营养产生的影响是非常重要的。提供营养均衡的饮食和适当的医疗干预，可以帮助自闭症儿童获得足够的营养素，促进他们的整体健康和发展。

---

[1] Williams K E, Field D G, Seiverling L. Food refusal in children: A review of the literature [J]. Research in developmental disabilities, 2010, 31 (3): 625-633.

三、自闭症儿童饮食/喂养问题的影响因素

自闭症儿童的饮食/喂养问题与多种因素有关。

（一）行为与生理

影响自闭症儿童饮食/喂养问题的一个重要因素是行为的影响，这也是自闭症定义中的一个重要方面：重复性和仪式性。有限的兴趣和重复的行为模式通常会导致对食物的选择性，自闭症儿童通常坚持特定的准备方法、食物类型和用餐规则，这也是重复行为的一种特征。有报道详细记录了特定的喂养规则，这些规则包括坚持餐盘上所有食物的颜色要保持一致，每餐食物的种类要相同，对食物呈现的顺序有特定要求，以及确保餐盘上的食物互不接触，等等。

有限和重复的行为还包括对感官输入信息的反应过度敏感或迟钝，或者对环境中某种感官有异常兴趣，这也被称为感觉处理障碍。感觉处理是指接收、组织和解释刺激的能力，包括口腔、视觉、触觉、前庭和听觉体验。已经发现有自闭症儿童存在感觉处理困难，作为自闭症症状的感觉输入不足或过度的表现，可能表现在食物的选择上。因此，很难将喂养困难的生理因素与行为因素区分开。早期的触觉敏感性可能有助于解释一些饮食/喂养行为，如他们会避免某些特定质地、味道、气味和温度的食物，这在自闭症儿童中很常见。事实上，这些儿童往往更容易接受质地较软的食物，如已经捣碎的食物。此外，触觉防御和口腔防御可能也是调节感官输入问题的一个因素，它们可能以不同的形式出现，并影响包括饮食/喂养在内的各种日常活动。

（二）认知功能

认知功能也是影响自闭症儿童饮食行为的一个因素。在幼儿期，执行认知功能可以预测一系列的生活结果，包括健康行为和学术表现。执行功能包括执

行有目的的活动所需的相关技能，由与自我调节相关的更高阶过程组成。执行功能假说认为，由于自闭症儿童往往无法计划和控制行为，他们往往会"锁定"某种类型的食物或某个品牌，并且在饮食模式发生变化时容易感到困扰[1]。

神经发育正常的肥胖和体重不足的儿童，其执行功能中任务转换的表现也与进食行为有关。抑制控制缺陷常带来较差的饮食行为以及食用不健康食物的行为。还有人认为，自闭症儿童常吃的零食可能对儿童产生极大的奖励作用，并在不成熟的执行认知系统上产生强烈的情感和动机驱动，这使得他们很难抑制高度可口的零食。相反，那些不那么可口的蔬菜所带来的较低动机可能会导致儿童减少吃这些蔬菜的情绪动机。

（三）饮食/喂养关系

儿童与父母之间的饮食互动对饮食习惯的形成至关重要。这种关系受到多种因素的影响，包括食物的可获得性，家庭成员（尤其是兄弟姐妹和父母）的示范行为，孩子在摄入食物后的生理反应，以及他们对高热量、高糖分和高脂肪食物的偏好。父母通过育儿的方式，选择的喂养方法，提供的食物种类和数量，自身的示范行为，以及在进餐时与孩子的互动，塑造了孩子的饮食环境。值得注意的是，对发育迟缓的儿童来说，父母的压力水平可能在塑造这种饮食关系中起着重要作用。此外，胃肠道健康和状态对婴儿和儿童的饮食和喂养行为有着显著影响，这可能是理解自闭症致因的一个重要途径。

（四）口腔运动困难

口腔运动困难会导致自闭症儿童的饮食困难，这些困难可能表现为参与咀

---

[1] Turner M. Annotation: Repetitive behaviour in autism: A review of psychological research [J]. The Journal of Child Psychology and Psychiatry and Allied Disciplines, 1999, 40 (6): 839-849.

嚼和吞咽的肌肉协调性差，导致食用某些食物困难。口腔运动困难的人可能难以控制口腔中的食物，难以做到有效咀嚼或安全吞咽。为了解决口腔运动困难，咨询专门从事喂养治疗的言语 - 语言病理学家或职业治疗师是有帮助的。这些专业人员可以提供指导和训练，以提高口腔运动技能。他们还可能推荐特定质地和黏稠度的食物，这些食物会让口腔运动困难的人更容易吞咽。

四、自闭症儿童常见的食物不良反应

越来越多的研究发现，自闭症儿童发生过敏的情况很普遍，远高于普通儿童，常见的表现有哮喘、过敏性鼻炎和食物过敏等。在所有过敏原中，最棘手的就是来源于食物的过敏原。我们经常看到自闭症儿童食物过敏的情况，也经常用"过敏"这个词来代替儿童所有的食物不良反应。然而，食物不良反应并不只是过敏，还有食物敏感和不耐受两种情况。

（一）食物过敏

食物过敏是一种在吃了某种食物后不久发生的免疫系统反应，其特点是反应明显、快速。其产生的抗体为免疫球蛋白 E（immunoglobulin E，简称 IgE），即使是少量引起过敏的食物也会引发消化问题、荨麻疹或呼吸道肿胀等症状。对一些人来说，食物过敏会导致严重症状，甚至危及生命的过敏反应。据估计，相较于非自闭症儿童 4.25% 的食物过敏率，自闭症儿童的食物过敏率高达 11.25%[1]。引起食物过敏的常见食物有花生、坚果、牛奶、鸡蛋、大豆、小麦、鱼和贝类。这些食物即使是极少量，也会让过敏的人产生过敏反应。

---

[1] Xu G, Snetselaar L G, Jing J, et al. Association of food allergy and other allergic conditions with autism spectrum disorder in children [J]. JAMA network open, 2018, 1 (2): e180279-e180279.

（二）食物敏感

食物敏感是由免疫球蛋白 G（immunoglobulin G，简称 IgG）抗体介导的，不仅可能导致身体出现类似于食物过敏的症状，还可能导致身体出现行为方面和发育方面的症状。这些症状可能并不危及生命，但可能具有一定的破坏性，包括关节痛、胃痛、疲劳、皮疹和脑雾等。食物敏感与食物过敏不同，一般在食用食物 1～3 天后才出现症状，让人难以追查是哪种食物引起了反应，因此发现食物敏感也变得比较困难。麸质可能是最广为人知的食物敏感性诱因。识别食物敏感性，一种常用的方法是在 2～4 周内从饮食中去除某些被认为会引起反应的食物，然后逐一重新引入，观察是否出现症状。如果出现症状，就表明可能对该食物存在敏感性。

（三）食物不耐受

食物不耐受是指人体对某些食物成分的反应，这种反应并不是由免疫系统介导的，而是某些食物成分在人体内无法正常代谢或消化，从而导致身体不适。与食物过敏和食物敏感不同，食物不耐受通常不会引起免疫系统的异常反应，而是由个体的生理差异或酶缺乏等原因引起的。

常见的食物不耐受包括乳糖不耐受、麸质不耐受、果糖不耐受等。乳糖不耐受是指人体缺乏乳糖酶，无法正常消化乳糖，从而导致出现腹胀、腹泻等症状。麸质不耐受是指对麸质成分（如小麦、大麦、黑麦等）敏感，可能导致肠道炎症、消化不良等症状。果糖不耐受是指人体缺乏果糖代谢所需的酶，摄入过多果糖可能导致腹胀、腹泻等症状。

食物不耐受的诊断通常需要医生或专业营养师的建议和评估。他们可能会采取病史询问、饮食日记分析、血液测试或食物挑战测试等方法来确定不耐受的食物成分。一旦确定了不耐受的食物，个体可以根据医生的建议制订个性化的饮食计划，以减轻症状并满足营养需求。对食物不耐受的人来说，避免或限制不耐受食物的摄入是缓解症状的关键。

第三节 自闭症儿童的饮食支持策略

用餐时间为照护者和孩子之间的交流和互动提供了丰富的机会，掌握正确的用餐策略，家庭可以创造积极的日常生活，使用餐时间的压力变得更小，用餐更愉快。自闭症是一种谱系障碍，这意味着每个孩子遇到的问题和挑战是不同的。因此，面对不同的孩子，解决方案也不同。我们将介绍一些通用的策略，帮助父母与孩子获得更好的喂养体验。

一、自闭症儿童常规饮食行为支持策略

通过了解和解决导致自闭症儿童饮食挑战的因素，父母和照护者可以采取积极措施来应对这些困难。重要的是要记住，每个自闭症儿童都是独一无二的，支持策略应该根据他们的具体需求量身定制。有了耐心、支持和适当的干预，自闭症儿童可以发展出愉悦的饮食体验。以下是可供教师和家长参考的一些具体策略。

（一）排除健康问题

在改变用餐行为之前，必须排除任何干扰儿童进食能力的身体问题。蛀牙、咀嚼和吞咽困难、便秘、肠易激综合征和胃酸反流是常见的问题，这些问

题可能会让儿童在进食时感到不舒服。自闭症儿童服用的常见药物也可能会影响食欲，并导致胃部不适。如果孩子有极端的食物选择性，那么家长应该先带孩子去医院消化科或儿保科检查，确定是否有相关疾病，接诊的医生会根据孩子的状况给出合理的建议。如有需要，医生还会将孩子转诊到其他科室。现在，很多综合性医院开通了多学科诊疗模式（multidisciplinary diagnosis and treatment，简称MDT），相关科室多个领域的专家共同探讨孩子的健康问题，以便给出最佳诊疗方案。

（二）建立结构化的日常饮食

对于自闭症儿童，确保有规律的用餐习惯是极其重要的。一个固定的用餐时间表能为他们提供一种预见性，这有助于降低焦虑水平，并提高他们进餐的积极性。利用可视化的时间表或使用计时器，可以有效地展示用餐过程中各环节的顺序，帮助儿童更顺畅地适应每个步骤。

此外，安排一段不被打扰的用餐时间也是关键，避免诸如电子设备和电视等干扰因素。在一个安静的环境中进食，可以帮助儿童集中注意力，从而改善整个用餐体验。

（三）创设适宜饮食的环境

周围环境在管理自闭症儿童的饮食方面发挥着重要作用。一个适宜的饮食环境可以帮助个体拥有更舒适的体验，使个体更有动力尝试新食物。以下是一些创设适宜饮食环境的策略。

第一，树立健康饮食的典范。家长在吃各种食物的时候表现出热情和享受，塑造积极的饮食习惯，可以鼓励孩子模仿这些行为。第二，鼓励家庭用餐。家庭成员一起用餐可以促进团结和社交互动，家庭聚餐还为自闭症儿童提供了观察和向他人学习的机会。第三，儿童参与做饭。允许儿童参与做饭可以增加他们尝试新食物的兴趣，培养他们的主人翁意识。儿童可以帮助完成做饭过程中简单的任务，如搅拌、混合或排列食材。

（四）逐步推出新食物

在应对自闭症儿童的饮食挑战时，逐步引入新食物是至关重要的。自闭症儿童可能会表现出食物选择性，这使得接受新食物变得很有挑战性。以下是帮助儿童接受新食物的一些策略。

第一，从小处着手。在儿童熟悉和喜欢的食物旁边加入少量新食物。这种逐渐接触可以帮助儿童适应新食物的口味和质地。第二，使用视觉支持。视觉支持，如图片卡或食物图表，可以起到介绍新食物的作用。它们提供了食物的视觉表现，并可以帮助儿童了解预期的食物内容。第三，提供各种食物。通过提供各种颜色、质地和口味的食物，鼓励儿童探索各种各样的食物。这可以扩大他们的味觉感知范围，增加他们对不同食物的接受度。

通过实施这些策略，父母可以支持自闭症儿童与食物建立更健康的关系，并应对他们的饮食挑战。记住，进步可能需要时间，重要的是要有耐心，家长要及时肯定、奖励或庆祝孩子的进步。

（五）解决感觉敏感性

感觉敏感在自闭症儿童遭遇的饮食难题中扮演了一个重要角色。这种过敏可能以多种形态呈现，例如对某种食物质地、温度的排斥或挑剔。要想协助自闭症儿童克服这些饮食上的挑战，处理这些感觉上的问题就显得尤为关键。以下是一些具体策略，用于应对与感觉敏感性相关的饮食问题。

1. 调整食物的质地

对食物质地作出调整，是帮助自闭症儿童适应饮食的一种有效途径。部分自闭症儿童可能对某些食物的特定质地，比如太脆、太黏或过于湿润的食物感到不适。通过调整食物的质地，可以使食物变得更加适口且易于食用。

调整食物质地的方法：将食物磨碎，或混合至更加细腻光滑；细切或绞碎食物，以缩小任何可感知的"块状"质地，使其更易于吞咽；在柔软的食物上撒上酥脆的配料或点缀，丰富食物的口感层次；尝试不同的烹饪技术，例如烘焙、烤制或蒸煮，以此来改变食物的原有质地。

2. 调整食物的温度

自闭症儿童常面临的一个问题是对食物温度的敏感性。有些儿童可能偏好极端温度的食物，如热食或冷食，而其他儿童则可能对这类极端温度的食物感到不适。适当地调节食物的温度可以让用餐体验变得更加愉悦和舒适。

调整食物温度的方法：在常温下提供食物，避免造成过冷或过热的感觉；逐步尝试不同温度的食物，以减少对温度变化的敏感性；就餐时可提供温热或冰镇的饮品，为儿童增添多样的食物温度选择。

3. 改变食物的呈现方式

将食物切成有趣的形状，或使用饼干模具制作食物来吸引儿童；以视觉上吸引人的方式排列食物，例如：制作色彩缤纷的水果串，或按彩虹模式摆放蔬菜；使用个人觉得有吸引力的漂亮餐具。在餐盘上摆放多种食物，以增加视觉线索，并鼓励儿童探索。

可以通过质地改良、温度调整和展示改良来解决感觉敏感性问题，为自闭症儿童创造一个更具支持性和更加愉悦的用餐环境。重要的是要记住，个体的偏好有所差异，因此可能需要一些尝试和错误才能找到最适合自己孩子的策略。

（六）鼓励食物多样化

在应对自闭症儿童的饮食挑战时，重点关注促进多样化饮食是很重要的。

通过实施特定的方法和策略，父母可以帮助孩子扩大偏好的食物范围，改善他们的整体营养状况。以下是一些值得考虑的有效策略。

1. 食物链

食物链是一种有助于提高食物接受度的方法。食物链包括逐步引入味道、质地或外观与孩子已经喜欢的食物相似的新食物。通过作出微小而渐进的改变，父母可以帮助孩子随着时间的推移作出更广泛的食物选择。食物链策略对那些对特定食物有强烈偏好的自闭症儿童尤其有效。

2. 食物桥梁

另一种可以补充食物链的技术是食物桥梁。食物桥梁是指将儿童喜欢的食物与新食物或儿童不太喜欢的食物一起纳入饮食。将首选食物和非首选食物相结合，自闭症儿童可能更愿意尝试新食物，并逐渐接受更多种类的食物。

（七）探索用餐时间活动

创造一个积极且吸引人的用餐环境可以显著影响孩子尝试新食物的意愿。父母可以在用餐时加入有趣的互动活动，使孩子的用餐体验更加愉快。例如，可以让孩子参与餐点准备，允许孩子选择自己的餐具，或者引入主题餐点。这些活动可以帮助孩子减少用餐时的焦虑，并使尝试新食物成为一种不那么令人畏惧的体验。

让用餐时间成为一种愉悦且吸引人的体验，可以营造一种更放松的氛围，鼓励儿童探索新食物。

总之，每个自闭症儿童都是独一无二的，适合一个人的方法未必适合另一个人。根据儿童的个性化需求制订策略至关重要，在必要时可咨询医疗专业人员或专家。

二、自闭症儿童特殊饮食行为支持策略

每个自闭症儿童对特定食物的反应都不相同，应该根据儿童自身的情况选择合适的食物。儿童对特定食物的反应与自身的生化水平、新陈代谢能力、营养状况、肠道状况和基因等密切相关。儿童对食物的反应有时会加剧某些症状。如果能改善饮食，则可以改善其病情或问题行为。目前，用于治疗自闭症的饮食疗法有如下几种[1]：

- 无麸质无酪蛋白饮食（gluten-free, casein-free diet，简称 GFCF）；
- 低水杨酸盐饮食（low salicylate diet，简称 LSD）；
- 特定碳水化合物饮食（specific carbohydrate diet，简称 SCD）；
- 肠胃与心理综合征饮食（gut and psychology syndrome，简称 GAPS）；
- 抗酵母菌饮食（anti-yeast diet，简称 AYD）；
- 低草酸盐饮食（low oxalate diet，简称 LOD）；
- 抗炎饮食（anti-inflammatory diet，简称 AID）；
- 低发漫饮食（low fermentable oligosaccharides disaccharides monosaccharides and polyols，简称 low FODMAP）；
- 轮换饮食（rotation diet，简称 RD）。

多数饮食干预会限制植物性饮食的摄入，如坚果、种子、豆类、蔬菜、水果和谷物等，因为植物中含有通常对植物有益却对人体有害的成分。这些成分包括凝集素、植物酸、生物碱、水杨酸、酚类、草酸、多元醇、嘌呤和胺类。我们提倡饮食多样性，但具体该如何饮食，一定要咨询医生，根据儿童的具体情况来定。

---

[1] 帕梅拉·康帕特，达娜·拉克. 孩子的孤独症可以靠食物改善 [M]. 叶芳，译. 北京：北京科学技术出版社，2022.

三、无麸质无酪蛋白饮食支持策略

无麸质无酪蛋白饮食是一种特殊的饮食方式,旨在排除含有麸质和酪蛋白的食物,以减轻某些健康问题,特别是与肠道功能、自身免疫反应和神经递质调节相关的问题。麸质主要存在于小麦、大麦、黑麦等谷物中,而酪蛋白则是牛奶中的主要蛋白质。20世纪80年代,有研究首次提出,食用含有麸质和酪蛋白的食物可能会通过改变大脑功能而导致类似自闭症的症状。那么麸质和酪蛋白是如何影响大脑功能的呢?这要从肠道吸收营养说起。

(一)蛋白引起大脑功能异常的机制

在正常情况下,大分子的物质(如脂肪、蛋白质等)在小肠被消化分解成小分子后才能被吸收到血液中,例如,脂肪要分解成脂肪酸,蛋白质分解成氨基酸,碳水化合物分解成单糖。肠道的小分子通过主动转运或者被动转运的方式,通过肠道黏膜进入血液,然后被输送到全身各处。在这个过程中,肠道黏膜发挥了屏障的作用,就像筛子一样,只有那些被完全分解的分子才能通过,而未被完全分解的分子则不能通过。有时候,由于某种原因(比如肠道炎症),肠道黏膜这个"筛子"破了一个洞,那些未被完全分解的大分子通过肠道黏膜渗入人体,这就形成了"肠漏综合征"。

肠道屏障破坏导致大分子物质进入体内,最容易产生不良反应的就是分解不完全的蛋白质,尤其以牛奶、小麦中的蛋白质最为常见。常见的蛋白质是由数百个氨基酸组成的长链,通常情况下,蛋白质在酶的作用下分解成单个氨基酸,才能被吸收利用。并非所有蛋白质都能分解成单个氨基酸,或者是儿童体内蛋白酶的原因,蛋白质在分解的过程中会出现一些由七八个氨基酸组成的短链,我们将之称为肽。正常情况下,肽是不能被吸收的,但是在肠漏综合征的情况下,肠道屏障之间的孔隙变大,这些肽就能通过肠黏膜的渗透进入血液。

肽进入体内会引起什么反应呢?氨基酸的排列顺序和种类不同,形成的肽也会不同。当一个肽被身体识别为已知肽时,身体就会允许它继续存在。如果身体不能识别这种肽,就会认为这种肽是外来入侵者,并产生免疫反应来清除它,所以会在局部引起炎症。如果炎症发生在早期发育的大脑中,就会影响大脑的发育进程。此外,有些肽如果在脑内有相应的受体,就可以通过受体向大脑发出某种信号,引起一连串的反应,导致异常的行为。

在所有的肽中,有一种称为阿片肽的物质与自闭症关系密切。研究表明,自闭症儿童的脑内阿片肽含量过多,这可能与他们的孤独、情感淡漠以及难以建立情感联系有关。阿片肽是由多个氨基酸残基组成的小分子化合物,它们具有类似于吗啡的生物活性,能够与大脑中的阿片受体结合,从而产生镇痛、欣快等效应。酪蛋白和谷蛋白中的氨基酸长链中都有一段相似的氨基酸序列,即阿片肽结构。这些阿片肽通常不具有活性,一旦蛋白质由于消化酶缺陷而不能被完全分解,这些阿片肽就会被激活。代谢谷蛋白所产生的特定序列为植物麦醇溶蛋白(tyr-pro-gln-pro-gln-pro-phe),代谢酪蛋白产生的特定序列为酪啡肽(tyr-pro-phe-pro-gly-pro-ile)。这些分子在正常状态下无法通过肠道黏膜,但当肠道黏膜因为各种原因出现渗漏时,它们就会进入血液,并流入大脑,对大脑产生作用(见图5-5)。

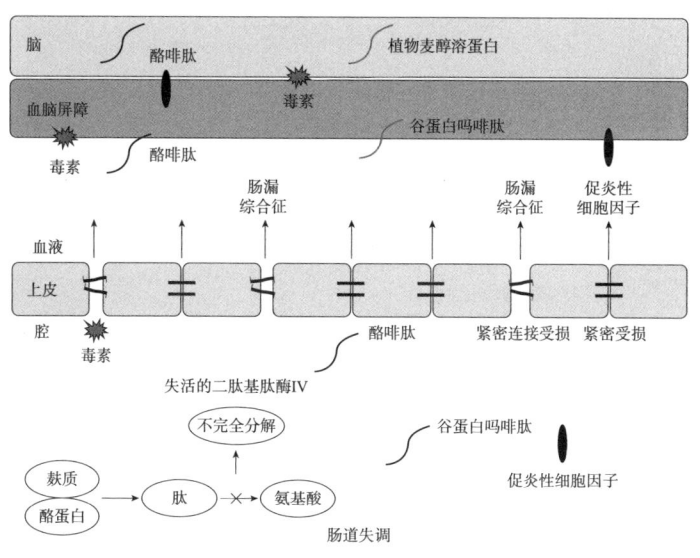

图 5-5　阿片肽的作用机制

酪啡肽可能通过影响神经递质系统和突触可塑性等方式，与自闭症的发生机制存在关联。一方面，酪啡肽可能通过调节谷氨酸和 γ-氨基丁酸等神经递质的释放和活性，影响大脑皮质的兴奋性和抑制性平衡，从而影响社交互动和沟通能力；另一方面，酪啡肽还可能通过影响突触的可塑性，改变神经元之间的连接方式和信息传递效率，从而影响自闭症儿童的认知和行为表现。他们对牛奶的过度热爱类似于吸毒，一些儿童因为其他食物不能带来同样的兴奋而拒绝食用，继而出现厌食的现象。这也解释了为什么很多自闭症儿童在开始避免食用奶制品和小麦制品的一段时间内会出现烦躁甚至易怒的情况。当自闭症儿童表现出极度挑食或者酷爱一些典型的食品（如奶制品、谷物、大豆等）时，可以考虑进行饮食干预。

（二）GFCF 饮食

为自闭症儿童实施无麸质无酪蛋白饮食（即 GFCF）可能具有挑战性，但需要仔细规划，并提供支持才能实现。以下是一些帮助自闭症儿童坚持 GFCF 饮食的策略。

1. 直观解释

可以根据儿童的理解水平，使用视觉辅助工具、社会故事或简化语言来解释特殊饮食的原因。帮助儿童了解他们需要避免吃哪些食物及其原因。

2. 逐步过渡

逐步引入 GFCF 食物，让儿童适应新的饮食。最初，可以根据 GFCF 选项每次替代一到两种含麸质或酪蛋白的食物。这种逐渐的转变可以防止儿童对新食物产生抵抗和厌恶的情绪。

3. 考虑喜好

确定儿童喜欢的或觉得有吸引力的 GFCF 食物，并将其纳入儿童的饮食。

提供各种 GFCF 食品，包括水果、蔬菜、肉类、坚果和无麸质谷物，以确保营养均衡和多样。

4. 参与膳食

鼓励儿童参与选择 GFCF 食物、杂货店购物和膳食准备的过程。这种参与可以增强他们对饮食的控制感和主人翁意识，让他们更愿意尝试新食物。

5. 创设环境

建立一个结构化和可预测的用餐时间安排，可以帮助自闭症儿童在用餐时感到更舒适和放松。尽量减少干扰，如噪声或明亮的灯光，并在需要时提供感官友好的餐具。

6. 视觉支持

使用视觉时间表、图片等帮助儿童理解每日用餐时间的常规和期望。视觉支持也可以用来强化 GFCF 食物的概念，并提醒儿童哪些食物是安全的、健康的。

7. 代币奖励

表扬并奖励儿童尝试新的 GFCF 食物或作出健康的食物选择。使用象征性系统、贴纸或口头表扬来激励他们坚持 GFCF 饮食。

8. 倾注耐心

要让儿童适应 GFCF 饮食，需要有极大的耐心。儿童需要时间来接受和享受新的食物，而且在这一过程中可能会遇到挫折。这时，需要保持灵活性，帮助儿童尝试不同的食物，以找到最适合儿童的 GFCF 食物。

9. 专业支持

医疗保健专业人员或营养师在治疗自闭症和饮食限制方面经验丰富。他们可以根据儿童的具体需求提供指导，制订膳食计划，并给予支持。此外，可以通过在线论坛、支持团体或当地自闭症组织，寻求其他有 GFCF 饮食经验的自闭症儿童家长的支持。

通过采取以上策略，父母和照护者可以帮助自闭症儿童成功地实施无麸质无酪蛋白饮食疗法，同时促进儿童的整体健康和幸福。

> **小知识**
>
> **麸质常见于哪些食物**
>
> 麸质是小麦、大麦、黑麦中存在的一类蛋白质。在中国人的日常饮食中，麸质广泛存在，在小麦中的含量较高。以下食物均含有麸质：面粉类主食，如馒头、面包、面条；各种面食糕点，如蛋糕、发糕、三明治、比萨、面馒、面饼等；面筋食物，如烤面筋、烤麦麸等；油炸食物的包衣；由小麦芽和大麦芽发酵所酿造的啤酒。可以用以下食物替代：大米、玉米、高粱、荞麦、藜麦、薯类、蔬菜、肉类、豆类、乳蛋类、海鲜、坚果等。
>
> **酪蛋白常见于哪些食物**
>
> 酪蛋白是一种蛋白质，主要存在于动物乳制品中，尤其是奶酪。奶酪是酪蛋白的主要来源，不同种类奶酪的酪蛋白含量有所不同。此外，牛奶、酸奶、黄油等乳制品也含有酪蛋白。

需要指出的是，虽然麸质和酪蛋白都是常见的食物成分，但它们在食物中的存在形式和含量会受到多种因素的影响，如食品加工工艺、食品种类、食品产地等。因此，在选择食物时，需要根据实际情况进行综合考虑。

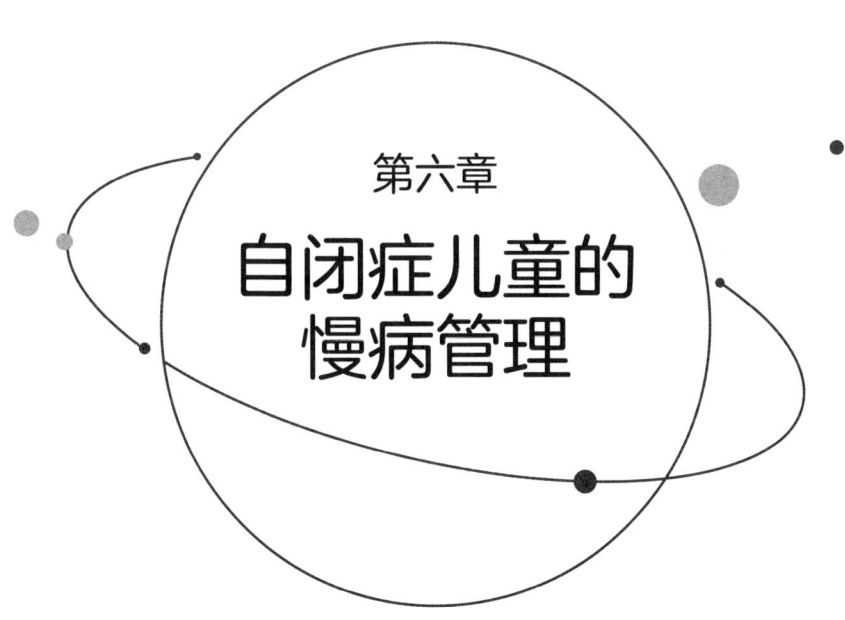

第六章
自闭症儿童的慢病管理

自闭症儿童通常伴有一系列慢性共病，这些共病会显著影响他们的整体健康和生活质量。常见的伴随症状通常包括癫痫、胃肠道疾病、睡眠障碍、焦虑障碍、注意缺陷/多动障碍、感觉处理问题、智力障碍、运动协调困难、情绪障碍和自身免疫性疾病。每种障碍/疾病都会带来一系列挑战，需要仔细管理，通常需要与卫生保健专业人员进行跨学科合作。及早鉴别和干预不仅有助于有效管理这些慢性疾病，更能为自闭症儿童提供必要的支持和关怀，助力其健康成长。

第一节 癫痫管理

癫痫（epilepsy）是一种神经系统疾病，其特征是突发性和反复的癫痫发作。它可以影响任何年龄段的人群，而自闭症儿童癫痫的发生率相对较高，约为7%[1]。癫痫发作的类型和频率因个体情况而异，会对患者的生活质量和日常功能产生重大影响。自闭症和癫痫之间存在着复杂的关系，两者可能共同存在，相互影响。例如，一些研究表明，癫痫在自闭症儿童中的存在可能会加重认知发育障碍，并增加长期不良结果的可能性[2]。此外，年龄、性别、智力功能等因素可能会影响自闭症儿童中癫痫的发生率。因此，对于自闭症儿童和青少年群体，及早鉴别和管理癫痫是非常重要的。

一、癫痫发作的表现

癫痫发作有不同的临床表现，具体症状因发作类型和个体情况而异，主要分为三类。

（一）全面性发作

癫痫的全面性发作分为强直-阵挛性发作和失神发作。癫痫的强直-阵挛

---

[1] Liu X, Sun X, Sun C, et al. Prevalence of epilepsy in autism spectrum disorders: A systematic review and meta-analysis [J]. Autism, 2022, 26 (1): 33-50.
[2] Ewen J B, Marvin A R, Law K, et al. Epilepsy and autism severity: a study of 6,975 children [J]. Autism Research, 2019, 12 (8): 1251-1259.

性发作在以前被称为"大发作",这种发作首先涉及意识丧失,肌肉僵硬(强直期),然后是规律性的抽搐运动(阵挛期)。在发作期间,患者还可能出现口吐白沫、舌咬伤和大小便失禁等情况。癫痫的失神发作在以前被称为"小发作",通常表现为短暂地发呆,或重复细微的身体动作,如舔舐嘴唇或眨眼。患者可能感觉与周围环境脱节,并且发作后可能不记得发作过。

(二)部分性发作

癫痫的部分性发作分为简单部分性发作和复杂部分性发作。癫痫的简单部分性发作与发生异常电活动的大脑区域相关,其症状多种多样,可能包括不自主的运动、感觉变化(如刺痛或麻木)或异常感觉。癫痫的复杂部分性发作通常涉及意识或认知的改变,患者可能表现出重复行为、意识障碍或自发性行为(如舔舐嘴唇或拨弄衣服)。

(三)其他类型发作

除了全面性发作和部分性发作,还有其他类型的癫痫发作,比如无力发作和肌阵挛性发作。癫痫的无力发作也被称为"跌倒发作",它会导致肌肉张力突然丧失,而后摔倒或跌倒。癫痫的肌阵挛性发作涉及突然的、短暂的肌肉抽搐或抽动,可以影响特定的肌肉群或涉及整个身体。

需要注意的是,不同患者癫痫发作的表现可能会不同,有的患者可能会经历多种类型的发作。此外,发作可能伴随其他症状,如情绪或行为变化、意识障碍、先兆(发作前的感觉)或发作后状态(发作后的混乱、疲劳或其他症状)。

二、癫痫发作的诱因

癫痫发作的触发因素是指那些可能导致癫痫发作的各种情况、行为或环境因素。这些触发因素因个体而异,以下是一些常见的因素。

(1)睡眠不足或睡眠不良。睡眠不足或睡眠不良可能会增加癫痫发作的风险,因此保持良好的睡眠习惯对癫痫患者尤为重要[1]。(2)药物不良反应。某些药物可能会影响抗癫痫药物的效果,或者药物本身具有诱发癫痫发作的潜在风险,因此在使用药物时需要密切关注药物可能的副作用。(3)酒精摄入。过度饮酒或突然停止饮酒可能会诱发癫痫发作,因此应避免过量饮酒[2][3]。(4)药物滥用。药物滥用可能会增加癫痫发作的风险,因此应避免不当使用药物。(5)情绪压力。情绪波动、紧张或焦虑可能会触发癫痫发作,因此寻求有效的情绪管理方法对于管理癫痫至关重要[4][5]。(6)感官刺激。某些个体对特定的感官刺激(如强光、刺耳的声音或刺激性气味)可能过敏,这些刺激可能引发癫痫发作,因此需要避免暴露其中[6]。(7)饮食不规律。不规律的饮食或长时间的饥饿可能会增加癫痫发作的风险,因此保持良好的饮食习惯对于管理癫痫很重要。(8)月经周期。一些女性患者可能会在月经周期的特定阶段经历癫痫发作,因此需

---

[1] Foldvary-Schaefer N, Grigg-Damberger M. Sleep and epilepsy [C]//Seminars in neurology. © Thieme Medical Publishers, 2009, 29 (04): 419–428.

[2] Hillbom M, Pieninkeroinen I, Leone M. Seizures in alcohol-dependent patients: epidemiology, pathophysiology and management [J]. CNS drugs, 2003, 17: 1013–1030.

[3] Höppener R J, Kuyer A, Van der Lugt P J M. Epilepsy and alcohol: the influence of social alcohol intake on seizures and treatment in epilepsy [J]. Epilepsia, 1983, 24 (4): 459–471.

[4] Thapar A, Kerr M, Harold G. Stress, anxiety, depression, and epilepsy: investigating the relationship between psychological factors and seizures [J]. Epilepsy & Behavior, 2009, 14 (1): 134–140.

[5] Novakova B, Harris P R, Ponnusamy A, et al. The role of stress as a trigger for epileptic seizures: a narrative review of evidence from human and animal studies [J]. Epilepsia, 2013, 54 (11): 1866–1876.

[6] Daube J R. Sensory precipitated seizures: A review [J]. The Journal of Nervous and Mental Disease, 1965, 141 (5): 524–539.

要关注月经周期变化，并在可能的情况下采取预防措施[1]。(9)其他医疗条件。某些其他医疗条件，如发热性疾病或其他神经系统疾病，可能会增加癫痫发作的风险，因此需要密切关注并寻求医生的建议。

了解个体癫痫发作的触发因素，并采取相应的预防措施，是管理癫痫的重要一环，可以帮助患者减少发作的频率和减轻发作的严重程度。

三、癫痫发作的管理

对于自闭症儿童或其他存在健康问题和发育障碍的儿童，他们不太可能完全摆脱癫痫，并且通过抗癫痫药物来有效控制癫痫发作的可能性也较低。因此，教师和家长在关注学生健康方面扮演着关键角色，其任务之一就是密切监控学生的癫痫状况（见表6-1）。在多数情况下，一次癫痫发作的时长会在30秒至3分钟之间。通过记录学生发作的具体持续时间，可以确定该生发作的"典型"时长。若发作时间超过30分钟且患者始终没有恢复意识，则被界定为癫痫持续状态。这种持续状态可能会对患者构成严重生命威胁，如果持续时间超过5分钟，应立即进行紧急医疗干预。

为了对癫痫进行及时、全面的监控，教师需要一套系统化的方法来收集学生的行为数据。为了满足癫痫学生的特定需求，教育工作者应与学生家人紧密合作，获取关于癫痫类型、发作前、发作期间和发作后的典型行为以及表现出的详细信息（见表6-2）。学校、家庭和医疗护理人员之间的通力合作将提高对癫痫监控的有效性。例如，当学校工作人员发现某种癫痫药物的效果发生变化时，可以及时通知学生家人和医生。医生会根据癫痫发作的频率和严重程度来调整药物剂量。这些信息有助于医生确定适合学生当前状况的治疗药物和药物剂量。

---

[1] Bandler B, KAUFMAN I C, Dykens J W, et al. Seizures and the menstrual cycle [J]. American Journal of Psychiatry, 1957, 113 (8): 704-708.

如果学生在校期间发生癫痫，教师应该掌握一些必要的处理措施。

（1）保持冷静。在癫痫发作期间须保持冷静。多数癫痫发作的时长会比较短暂，并且会自行停止，无须干预。为了确保安全，务必将周围可能造成伤害的尖锐物品或其他危险物清除，避免儿童受伤。在条件允许的情况下，可以轻轻地扶住儿童，引导他们安全地坐/躺到地上，这样能防止他们跌倒。（2）保护头部。将柔软的东西放在儿童头下，例如叠好的衣服或垫子，以防头部受伤。（3）避免限制。在癫痫发作过程中，除非儿童面临直接危险，否则不要试图限制其运动。强行限制可能导致儿童和护理人员受伤。（4）记录癫痫发作。记录癫痫发作开始和结束的时间。如果癫痫发作持续时间超过5分钟，或者在一次发作后不久就开始新的发作，那么需要立即寻求医疗援助。（5）调整体位。在癫痫发作后，将一只手放在儿童的肩膀上，另一只手放在儿童髋部。双手轻轻用力，将儿童翻转到一侧（通常是朝向非抽搐侧翻转）。使儿童保持侧躺的姿势，头部稍微低于身体，以便唾液或呕吐物流出。（6）及时安抚。在癫痫发作后，应该及时安抚儿童。他们可能会感到困惑或尴尬，因此安抚是必要的。（7）监测呼吸。观察儿童的呼吸和脉搏。如果儿童停止呼吸或呼吸不规律，就请接受过相关培训的人员进行心肺复苏术（cardiopulmonary resuscitation，简称CPR）。（8）禁止饮食。在儿童彻底恢复意识并能够安全地进行吞咽动作之前，应避免进食或饮水。（9）陪伴。在儿童完全清醒并能够恢复正常活动之前，要一直陪伴他们，并在需要时提供帮助。（10）遵医嘱用药。若医生为儿童开具了紧急救治用药，如鼻腔喷雾剂或直肠用凝胶，请根据医嘱和相关使用说明进行操作。（11）立即联系医疗机构。有以下情况应立即联系医疗机构：儿童在癫痫发作时受伤；首次经历癫痫发作；发作持续时间超过平常；在发作结束后出现呼吸困难，或恢复知觉缓慢。学会以上应急处理措施，便可以在确保儿童安全和幸福的同时，为经历癫痫发作的儿童提供有效的护理和支持。

表6-1 癫痫发作监控表[1]

癫痫观察记录				
学生姓名：_____				
日期和时间				
癫痫发作持续时间				
癫痫发作前的表现（简要列出学生的行为、诱发事件、活动）				
是否有意识（有/没有/会发生变化）				
癫痫发作时学生身体是否受伤				
肌张力/身体运动	身体僵硬/牙齿咬紧			
	一瘸一拐地走路			
	摔倒			
	身体摇晃			
	转来转去			
	全身抽搐			
四肢运动	右手臂肌肉抽搐			
	左手臂肌肉抽搐			
	右腿肌肉抽搐			
	左腿肌肉抽搐			
	随意运动			
脸色	脸色发青			
	脸色苍白			
	脸色发红			

[1] Seizure Forms. The Epilepsy Foundation [EB/OL](2024−9−11).

（续表）

癫痫观察记录				
眼睛	瞳孔扩大			
	眼球转动（右眼或左眼）			
	眼球上翻			
	眼神凝视或闪烁			
	眼睛紧闭			
嘴巴	流口水			
	咀嚼状			
	噘嘴			
口头发声（作呕、讲话、清嗓等）				
呼吸（呼吸正常、呼吸困难、停止呼吸、呼吸作响等）				
失禁（大便或小便）				
癫痫发作后的表现	昏迷			
	嗜睡/疲乏			
	头疼			
	说话含糊，口齿不清			
	其他			
确定处理方式所用的时间				
是否通知学生父母（通知的时间）				
是否拨打急救电话（打电话的时间、救护车到达的时间）				
观察者姓名				

资料来源：美国癫痫基金会（The Epilepsy Foundation，2024）。

表 6-2　癫痫行动计划

癫痫行动计划

美国癫痫基金会

有效日期：_____

这个学生有癫痫。如果在校期间，该学生癫痫发作，下面的一些信息可能会对你有所帮助。

学生姓名：_____　　　　出生日期：_____

学生父母/监护人：_____　　　电话：_____

医生：_____　　　　　　　电话：_____

病史：_____

癫痫信息：

癫痫类型	持续时间	频率	具体描述

引发癫痫发作的事件或者癫痫发作前的征兆：_____

学生癫痫发作时的反应：_____

基本的急救：护理 & 舒适

（请描述基本的急救措施）

基本的癫痫急救：
- √ 保持冷静 & 争取时间
- √ 保证学生的身体安全
- √ 不要抓紧学生或制止抽搐
- √ 学生嘴巴里不要有任何东西
- √ 待在学生身边，直到学生恢复意识
- √ 在日志中记录下学生的癫痫

对于强直阵挛性（癫痫大发作）：
- √ 注意保护学生头部
- √ 保持呼吸道通畅/观察学生的呼吸
- √ 让学生侧卧

（续表）

在癫痫发作后,学生是否需要离开教室?　□是　□否
如果学生需要离开教室,请描述学生返回教室的过程。

对紧急事件的反应:

可以将该学生的"癫痫发作"这一紧急事件定义为:

应对癫痫发作的方案:(在对应的做过的事情上打"√",若有其他,请简要说明)

□联系学校护士,时间为_____
□拨打急救电话
□通知学生父母或紧急联系人
□通知医生
□紧急服用下面列出的一些药物
□其他_____

在校期间的应对方案:(包括每天的常规药物治疗和紧急药物治疗)

每天的药物治疗
每天服用药物的剂量和时间

癫痫符合什么情况,被看作紧急事件:
√ 强直-阵挛性癫痫持续时间超过5分钟
√ 学生在未恢复意识前癫痫反复发作
√ 该学生第一次癫痫发作
√ 学生身体受伤或学生有糖尿病
√ 学生有呼吸困难
√ 学生是在水中发生癫痫的

（续表）

常见的副作用 & 特别提示		

急救药品_____

学生是否有迷走神经刺激器？　□是　□否

如果有这个设备的话，简要描述如何使用该设备

特殊考虑 & 安全预防措施：（结合学校活动、体育项目、旅游等）

医生签名：_____　　日期：_____

学生父母签名：_____　　日期：_____

资料来源：美国癫痫基金会（The Epilepsy Foundation,2008）。

第二节　睡眠管理

与典型发育的儿童相比，自闭症儿童往往有更高的睡眠问题发生率。研究表明，多达 80% 的自闭症儿童会经历睡眠困难，包括入睡困难、夜间频繁醒来、睡眠时间缩短以及睡眠模式不一致等。理解并解决自闭症儿童的睡眠问题对促进其神经发育、稳定情绪行为和改善生活质量至关重要。

一、睡眠障碍的表现

自闭症儿童的睡眠障碍有多种表现,主要有入睡困难、易醒、早醒和不规律的睡眠模式等[1][2][3],影响其睡眠质量和整体健康。儿童睡眠习惯问卷见表6-3。

1. 入睡困难
许多自闭症儿童在入睡时存在困难,常常难以平静下来以放松的状态入睡。这可能是由感觉敏感、焦虑、过度兴奋或自我调节困难所致。

2. 夜间频繁醒来
自闭症儿童可能在夜间频繁醒来,导致睡眠模式紊乱和睡眠片段化。这可能是受感觉问题、焦虑、胃肠不适或受其他因素的影响。

3. 早醒
一些自闭症儿童可能清晨醒得很早,难以重新入睡,这会导致整体睡眠时间缩短以及白天疲劳。

4. 多梦
自闭症儿童可能经历夜惊、做噩梦、梦游或说梦话等睡眠障碍。这些干扰性的睡眠行为可能令儿童和照护者感到不安,从而进一步影响儿童的睡眠质量。

---

[1] Veatch O J, Maxwell-Horn A C, Malow B A. Sleep in autism spectrum disorders [J]. Current Sleep Medicine Reports, 2015, 1: 131-140.

[2] Souders M C, Zavodny S, Eriksen W, et al. Sleep in children with autism spectrum disorder [J]. Current Psychiatry Reports, 2017, 19: 1-17.

[3] Souders M C, Mason T B A, Valladares O, et al. Sleep behaviors and sleep quality in children with autism spectrum disorders [J]. Sleep, 2009, 32 (12): 1566-1578.

表 6-3　儿童睡眠习惯问卷

（请父母根据孩子过去一个月的睡眠状况填写）

晚上就寝时间：平时：__时__分　周末：__时__分

早上醒来时间：平时：__时__分　周末：__时__分

睡眠习惯相关问题	经常 （5~7次/周）	有时 （2~4次/周）	偶尔 （0~1次/周）
1. 孩子晚上是否在固定时间上床睡觉？			
2. 孩子上床后可否在20分钟内入睡？			
3. 孩子是否独自在自己床上睡觉？			
4. 孩子是否在他人（父母或兄弟姐妹）床上睡觉？			
5. 孩子入睡时是否需要您陪伴？			

资料来源：美国心理协会（American Psychological Association）。

二、睡眠障碍的原因

自闭症儿童出现睡眠障碍的原因有很多。首先，有些是由于其自身的生理原因，如杏仁核和下丘脑在调节情绪和睡眠方面起着重要作用，而自闭症儿童的这些区域可能存在异常。其次，自闭症儿童的常见伴发症（如焦虑）以及对周围环境过于敏感都可能导致睡眠障碍。其三，自闭症儿童的运动量较小也是其睡眠障碍的常见原因。

（一）神经因素

自闭症儿童的神经差异能够深刻影响他们的睡眠模式。大脑负责调节睡眠－清醒周期的区域，如下丘脑和脑干，可能在自闭症个体中表现出非典型功能。这种非典型的神经活动可能导致其难以入睡和难以维持睡眠，以及对睡眠连续性的干扰。了解这些神经差异是提供有针对性的干预以改善自闭症儿童睡眠质量的关键。

自闭症儿童的中枢神经系统和自主神经系统可能存在功能失调，这可能会影响他们在睡眠中的关键生理过程。例如，心率、呼吸和体温的调节失衡可能导致自闭症儿童难以进入深度睡眠和恢复性睡眠阶段。为了改善这种情况，可以采取一些策略来促进放松、减少焦虑，并支持自主神经系统的平衡，从而提高自闭症儿童的睡眠质量和整体健康状况。

（二）激素系统紊乱

激素系统的紊乱，包括压力应激（下丘脑－垂体－肾上腺轴）和褪黑素分泌的不规律，可以显著影响自闭症儿童的昼夜节律和睡眠－清醒周期[1]。应激激素水平升高和褪黑素分泌不规律可能会破坏自闭症个体的自然睡眠模式，导致入睡困难、频繁夜间醒来和早晨过早醒来。解决这些激素失衡对帮助自闭症儿童建立健康睡眠模式至关重要。

（三）感觉处理异常

通常，自闭症儿童在睡前会遇到难以放松和平静下来的困难，部分是由于

---

[1] Martinez-Cayuelas E, Gavela-Pérez T, Rodrigo-Moreno M, et al. Melatonin rhythm and its relation to sleep and circadian parameters in children and adolescents with autism spectrum disorder [J]. Frontiers in Neurology, 2022, 13: 813692.

他们在处理感觉方面与常人不同。这些儿童对光线、声响、触感和温度等感官输入往往更为敏感[1][2]，这可能导致感官过载，进而使他们难以进入适宜入睡的放松状态。为此，创建一个考虑这些儿童感官需求的睡眠环境并采用感觉调节的方法可能有助于解决这些难题，并提升自闭症儿童的睡眠状况。

（四）肠胃不适

自闭症儿童通常存在肠胃问题[3][4]，这可能影响他们的睡眠质量。肠胃不适、疼痛或消化问题，如胃酸反流、便秘或食物过敏，会破坏睡眠模式并导致夜间醒来。通过饮食干预、获得医疗保健提供者的支持以及处理肠道健康问题，可以在改善自闭症儿童的睡眠结果方面发挥关键作用。

（五）运动量不足

自闭症儿童在发展和行为方面有着独特的特点和挑战，这些特点可能影响他们的身体活动水平和睡眠模式。与典型发育的儿童相比，自闭症儿童往往参与较少的运动和体育活动，这可能是由他们的社交和沟通障碍、刻板行为以及某种触觉敏感或环境刺激敏感造成的。身体活动能促进大脑释放诸如内啡肽等有助于放松和缓解压力的化学物质。此外，适量的运动能够提高体温，而体温

---

[1] Talay-Ongan A, Wood K. Unusual sensory sensitivities in autism: A possible crossroads [J]. International Journal of Disability, Development and Education, 2000, 47 (2): 201-212.

[2] Lucker J R. Auditory hypersensitivity in children with autism spectrum disorders [J]. Focus on Autism and Other Developmental Disabilities, 2013, 28 (3): 184-191.

[3] Chandler S, Carcani-Rathwell I, Charman T, et al. Parent-reported gastro-intestinal symptoms in children with autism spectrum disorders [J]. Journal of Autism and Developmental Disorders, 2013, 43: 2737-2747.

[4] Ibrahim S H, Voigt R G, Katusic S K, et al. Incidence of gastrointestinal symptoms in children with autism: a population-based study [J]. Pediatrics, 2009, 124 (2): 680-686.

下降的过程有助于促进入睡。自闭症儿童若缺乏足够的运动，就可能无法获得这种生理上的准备，导致难以进入放松状态和深度睡眠。儿童需要足够的体力消耗来帮助处理一天中积累的能量，这对自闭症儿童来说尤其重要，因为他们中的许多人具有更高的敏感度和焦虑水平。没有足够的体力消耗，他们在晚上可能会感到过度兴奋或不安，这会直接影响到他们的睡眠质量。

总之，自闭症儿童普遍存在睡眠问题，原因不尽相同，我们应该仔细观察，深入了解问题背后的原因，才能采取有针对性的措施，帮助儿童提高睡眠质量。

三、睡眠障碍的影响

睡眠问题可能会导致自闭症儿童在白天表现出疲倦、易激动和注意力不集中，进而影响学习和日常生活。长此以往，睡眠障碍还可能加剧自闭症的有关症状，导致情绪不稳定、出现行为问题等。

（一）对行为的影响

睡眠障碍对自闭症儿童行为的影响是多方面的。首先，睡眠不良可能导致他们更易受刺激，增加冲动行为和焦虑情绪的表现。这可能表现为更频繁的情绪爆发、挑剔或固执行为。然后，睡眠不足可能使他们在白天更加疲倦、易激惹，从而影响他们的情绪调节能力和社交互动。这可能导致他们难以应对社交场景，增加社交隔离和沟通困难的可能性。最后，睡眠问题也可能加剧自闭症症状中的重复行为和刻板行为，因为良好的睡眠是维持情绪和行为调节的重要因素。因此，对自闭症儿童来说，良好的睡眠管理和调节至关重要，这可以帮助儿童减轻行为问题并提高生活质量。

（二）对身体健康的影响

睡眠障碍对自闭症儿童的身体健康也有一定的影响。长期睡眠问题可能导致免疫系统功能下降，增加感染和患病的风险。睡眠不足还可能影响他们的生长发育，因为良好的睡眠有助于身体恢复和细胞修复。此外，长期睡眠不良还可能增加患心血管疾病和代谢性疾病的风险。因此，有效管理睡眠问题不仅可以改善自闭症儿童的行为和情绪，还可以维持其身体健康。

（三）对认知发展的影响

睡眠障碍对自闭症儿童的认知发展也有一定影响。长期的睡眠问题可能导致认知功能受损，包括记忆、学习和注意等方面。睡眠不足可能使他们在学习和记忆任务中表现不佳，影响他们的学业成绩和学习能力。此外，睡眠问题还可能影响他们的注意力和集中力，使他们更难应对复杂的认知任务和学习环境。因此，对自闭症儿童来说，良好的睡眠管理不仅可以改善行为和情绪，还可以促进认知发展和提高学习能力。

四、改善睡眠的方法

可以采取多种方法来改善自闭症儿童的睡眠，例如，制订稳定的睡眠时间表，创设良好的睡眠环境，确保儿童在白天有足够的体力活动，避免刺激性食物和饮料，限制电子产品使用时间，以及提供舒适的睡眠器具，等等。在有些情况下，医生可能会建议使用药物或行为疗法来帮助管理睡眠。综合考虑个体需求，制订适合的睡眠管理计划是关键。

（一）制订稳定的睡眠时间表，创设良好的睡眠环境

制订稳定的睡眠时间表以及创设良好的睡眠环境对自闭症儿童来说非常重要，因为这可以帮助他们更好地控制自己的行为和情绪，提高睡眠质量。

1. 制订稳定的睡眠时间表

自闭症儿童通常需要更多的睡眠时间，但是他们的生物钟容易受到干扰。因此，制订一个固定的睡眠时间表可以帮助他们建立规律的作息习惯。建议每天晚上在同一时间上床睡觉，并在早上同一时间起床。如果需要午睡，也要保持一定的规律性。

2. 创设安静、舒适的睡眠环境

自闭症儿童通常对噪声和光线高度敏感，因此需要一个安静、舒适的睡眠环境。可以使用遮光窗帘、白噪声机等工具来减少外界干扰。此外，床垫、枕头等床上用品应该选择柔软舒适的材质，以便让儿童更好地入睡。

3. 培养睡前放松的习惯

采取放松措施有助于缓解自闭症儿童的紧张和不安，从而获得更好的睡眠。可以实践一些深呼吸、冥想或瑜伽等放松技巧，或者倾听柔和的音乐与大自然的声音，有助于身心放松。

4. 避免刺激性活动

在睡前几个小时内，应避免进行刺激性活动，如看电视、玩电子游戏等。这些活动会让大脑兴奋，导致难以入睡。相反，可以选择阅读书籍、听轻音乐，或采用上面提到的深呼吸、冥想等方法来放松身心。

5. 形成固定的睡前仪式

设立一个相对一致的睡前流程，有助于自闭症儿童渐进地准备进入睡眠状态。例如，可以包含洗个热水澡、喝一杯温牛奶、进行牙齿清洁等睡前环节，这些活动有利于逐步引导儿童放松身体。

总之，成人需要为自闭症儿童制订稳定的睡眠时间表，创设良好的睡眠环境，还需要耐心和细心地引导和照顾。通过逐步调整他们的生活习惯和环境条件，可以帮助他们获得更好的睡眠质量和生活体验。

（二）保持适当的运动量

自闭症儿童如果在白天进行足够的体力活动，可以帮助他们消耗过剩的能量，从而有助于调整睡眠节律。

1. 制订日常活动计划

家长可以制订一个日常活动计划，包括固定的户外活动时间、体育锻炼时间、学习时间等。这样可以帮助孩子建立规律的生活节奏，提高他们的自我管理能力。

2. 采取适当的运动方式

自闭症儿童通常对某些运动方式比较感兴趣，例如跑步、游泳、骑自行车等。家长可以根据孩子的喜好和身体状况，采取适当的运动方式，让他们在户外活动中达到充分的运动量。

3. 利用自然环境

自然环境可以提供丰富的感官刺激和社交机会，对自闭症儿童非常有益。家长可以带孩子去公园、海滩、郊外草坪等场所玩耍，让孩子充分接触大自然，这样既能缓解焦虑，还能锻炼身体。此外，还能与各年龄段的孩子互动，促进他们社交技能的发展。

总之，确保自闭症儿童在白天有足够的体力活动非常重要。通过合理的安排和引导，可以帮助他们消耗过剩的能量，调整睡眠节律，提高生活质量。同时，家长需要给予孩子足够的关注和支持，让孩子感受到安全和温暖。

（三）避免刺激性食物和饮料

对自闭症儿童而言，他们的感官处理可能与典型发展的儿童不同。这意味着某些食物和饮料可能会对他们产生更强烈的反应。为了帮助自闭症儿童更好地适应和减少潜在的不适，可以遵循以下原则。

1. 避免咖啡因和刺激性饮料

咖啡因是一种能刺激中枢神经系统的兴奋剂[1]，可能会导致焦虑、失眠和过度活跃[2]。对自闭症儿童而言，他们可能已经存在感觉处理的问题，摄入咖啡因可能会加剧这些问题。因此，要减少或避免给自闭症儿童饮用含有咖啡因的饮料，如咖啡、茶和含咖啡因的软饮料。可以考虑饮用不含咖啡因的饮料。

2. 限制糖分的摄入

高糖食物和饮料可能会导致血糖水平的快速上升和下降，这可能会导致注意力不集中，出现情绪波动和行为问题。此外，糖分摄入过多还可能导致肥胖和其他健康问题。减少摄入糖分高的食物和饮料，如糖果、巧克力和甜点。特别是在睡前几个小时内，更要避免给孩子这些食物和饮料，以确保他们能够获得良好的睡眠。

---

[1] Glade M J. Caffeine—not just a stimulant [J]. Nutrition, 2010, 26 (10): 932-938.
[2] Shirlow M J, Mathers C D. A study of caffeine consumption and symptoms: indigestion, palpitations, tremor, headache and insomnia [J]. International Journal of Epidemiology, 1985, 14 (2): 239-248.

（四）限制电子产品使用时间

智能手机、平板电脑和电脑等电子设备发出的蓝光对褪黑素的产生具有显著的抑制作用[1]。褪黑素是关键的睡眠调节物质，在我们的睡眠-觉醒周期中发挥着重要的作用。晚上暴露于这种蓝光不仅会推迟入睡时间，还会干扰我们的生物钟，造成难以入睡和睡眠质量下降的问题。此外，有证据表明，屏幕时间，尤其是在睡前，可能会减少快速眼动睡眠的时间。在一项研究中，参与者在睡前使用蓝光设备阅读，会比使用传统纸质书的入睡时间更晚[2]，夜间的瞌睡感会减少，早晨醒来时的清醒度也会降低。研究进一步强调，青少年在睡前使用这些设备，即使能在第二天的课堂上保持清醒，可能也无法有效记住前一天学习的内容。

1. 设定限制时间

为了提升自闭症儿童的睡眠质量，可以设定电子产品使用的限制时间。制订明确的使用时间规定，并在结束时间之前提醒他们。这可以通过使用闹钟或定时器来实现，从而帮助他们更好地控制使用时间，逐渐养成良好的作息习惯，改善睡眠的质量。

2. 制订规则

设定明确的规则和界限对于电子产品的使用至关重要，包括具体说明何时、何地以及何种目的可以使用这些设备。例如，应禁止在床上使用电子产品，并明确规定在晚餐前和睡前的一段时间内不得使用。这样的规则有助于确保电子产品的使用不会干扰自闭症儿童的睡眠质量。

---

[1] Heo J Y, Kim K, Fava M, et al. Effects of smartphone use with and without blue light at night in healthy adults: A randomized, double-blind, cross-over, placebo-controlled comparison[J]. Journal of psychiatric research, 2017, 87: 61-70.

[2] Beyens I, Nathanson A I. Electronic media use and sleep among preschoolers: evidence for time-shifted and less consolidated sleep [J]. Health Communication, 2019, 34 (5): 537-544.

（五）提供舒适的睡眠器具

提供舒适的睡眠器具可以帮助自闭症儿童更好地入睡并保持良好的睡眠质量，从而提高他们的生活质量，改善他们的日常功能。

1. 选择合适的床垫和枕头

根据自闭症儿童的个体需求选择合适的床垫和枕头，确保他们的睡眠舒适且睡眠姿势良好。对自闭症儿童而言，选择柔软但支撑力足够的床垫，可以确保他们的身体得到良好的支撑，并感受到良好的舒适度。柔软的枕头可以提供颈部的支撑，而对于有特殊睡眠需求的孩子，如偏好压力的孩子，可以考虑使用记忆棉枕头或压力释放枕头。

2. 提供适当的被褥

根据季节和室内温度提供适当的被褥，确保自闭症儿童在睡眠中感到舒适，不会过热或过冷。瑞典的一项研究发现，使用加重的被子（加重被子的填充物由磨过的玻璃珠和塑料颗粒组成），可以增加受试者唾液中的褪黑素[1]，进而改善睡眠。

3. 噪声和光线控制

对自闭症儿童而言，噪声和光线可能会影响他们的睡眠。提供噪声机或白噪声机，以及遮光窗帘或眼罩，有助于创造安静、黑暗的睡眠环境。

---

[1] Meth E M S, Brandao L E M, van Egmond L T, et al. A weighted blanket increases pre- sleep salivary concentrations of melatonin in young, healthy adults [J]. Journal of Sleep Research, 2023, 32 (2): e13743.

第三节 焦虑管理

焦虑障碍是自闭症儿童的常见共病[1][2][3]，可能严重影响自闭症儿童的日常生活和社会功能，也是多数异常行为的内在原因。因此，识别并干预焦虑，不仅能改善自闭症儿童的生活质量，也能有效改善其行为表现。

一、焦虑障碍的特征

焦虑通常被定义为一种对未来或即将发生的事情感到担忧、不安或紧张的情绪状态。这种情绪可能是正常的反应，但当它过度或持续影响到个体的日常生活和功能时，就可能成为焦虑障碍。焦虑障碍是一种临床诊断，包括多种类型，如广泛性焦虑障碍、社交焦虑障碍、恐惧症等。自闭症儿童的焦虑障碍表现出多种形式和特征，并常与自闭症的核心特征交织在一起，使得鉴别和管理更具挑战。

（一）社交焦虑

自闭症儿童的社交焦虑可能表现为对社交场合的回避，不愿与人交流，或

---

[1] Kerns C M, Kendall P C. The presentation and classification of anxiety in autism spectrum disorder [J]. Clinical Psychology: Science and Practice, 2012, 19 (4): 323.

[2] Zaboski B A, Storch E A. Comorbid autism spectrum disorder and anxiety disorders: a brief review [J]. Future Neurology, 2018, 13 (1): 31-37.

[3] Mannion A, Leader G. Comorbidity in autism spectrum disorder: A literature review [J]. Research in Autism Spectrum Disorders, 2013, 7 (12): 1595-1616.

与他人互动时出现紧张和不安的情绪。这种焦虑常常源于他们在社交方面的困难，包括理解非言语交流、维持眼神接触和理解他人情感等方面的挑战。社交焦虑的存在可能进一步加剧自闭症儿童的社交隔阂，影响其与他人的互动及其社会适应能力的发展。

（二）分离焦虑

自闭症儿童的分离焦虑是指他们在与亲人或熟悉环境分离时出现的焦虑情绪。这种焦虑可能表现为拒绝离开家人或特定环境，可能会出现哭闹、暴躁或身体不适等反应。分离焦虑在自闭症儿童中的表现可能比典型儿童更为强烈和持久，理解并适当处理这种焦虑对自闭症儿童的发展非常重要。

（三）强迫症状

自闭症儿童的强迫症状表现通常包括重复性行为，如反复开灯和/或关灯，对摆放物品的特定顺序的坚持，以及对特定话题或兴趣的过度关注。这些行为可能是他们对环境的不确定性和控制力不足的应对方式。同时，环境的变化、压力以及感知的不确定性等因素也可能加剧这些症状。

（四）特定恐惧症

特定恐惧症是一种焦虑障碍，表现为对特定事物或情境的过度恐惧和回避。自闭症儿童可能表现出这种症状，因为他们通常对新事物和新环境感到不安，并且可能会对某些刺激产生强烈的反应。例如，自闭症儿童可能害怕高声、陌生环境、动物、光线变化等。当他们面对这些刺激时，可能会出现焦虑、哭闹、尖叫、退缩等行为。这些反应可能会影响他们的日常生活和社交能力。

二、焦虑障碍的致因

自闭症儿童的焦虑障碍致因复杂，涉及生物与心理等多个方面，理解和识别这些生理原因，对于制订有效的干预和治疗策略非常重要。

（一）生物因素

自闭症儿童的神经系统异常可能导致他们对外界刺激的处理方式不同，容易产生过度的应激反应。自闭症儿童焦虑情绪的产生在生理层面上可能有以下几个主要原因。

1. 杏仁核过度活跃

杏仁核（amygdala）位于大脑中，主要负责处理和调节情绪反应，尤其是与恐惧和焦虑相关的情绪。研究表明，在自闭症儿童中，杏仁核的活动水平往往高于正常范围。这种过度活跃可能导致他们对周围环境中的潜在威胁或各种刺激的反应更为剧烈和敏感，使他们更容易经历焦虑和其他相关情绪反应。

由于杏仁核过度活跃，自闭症儿童可能对日常生活中的常见情境或刺激（如高声、陌生环境等）产生更强烈的恐惧和焦虑反应。这不仅影响他们的情绪状态，还可能限制他们的日常活动和社交互动，因此，他们可能会尽量避免那些可能引发不愉快情绪的情境。

2. 前额叶皮质活动水平较低

前额叶皮质（prefrontal cortex）位于大脑的前部，是大脑中负责高级认知功能的关键区域，包括情绪调节、决策制订和冲动控制等多种执行功能。这一区域通过与其他大脑区域的广泛连接，协调我们的思维和行为，确保我们能够以合理和适应的方式响应外部世界。

研究表明，自闭症儿童前额叶皮质的活动水平通常较低。这种活动水平的降低可能导致他们在需要灵活运用情绪和认知策略的情境下，如面对压力或焦虑的引发因素时，遭遇更多挑战。例如，当遇到突发事件或需要快速作出决策时，自闭症儿童可能更难迅速调整自己的情绪状态，或者难以采取适当的行动来应对问题，因为他们的前额叶皮质可能无法有效地整合情绪与认知信息，从而制订适应性的反应策略。

3. 神经递质不平衡

神经递质（neurotransmitter）是大脑中关键的化学信使，它们在神经元之间传递信号，从而允许大脑的不同部分进行通信和协调活动。这些分子［如血清素（serotonin）和多巴胺（dopamine）］不仅在维持正常大脑功能中起着重要作用，而且在情绪调节、感觉处理以及思维和行为方面发挥着核心作用。

研究表明，自闭症儿童的神经递质可能存在不平衡[1]，这种不平衡可能与他们所经历的情绪调节困难有关。例如，血清素的异常水平可能会影响情绪的稳定性，导致焦虑、抑郁或过度活跃的情绪反应。同样，多巴胺水平的不规则也被认为与注意缺陷、运动协调问题以及自闭症其他相关症状有关。这种神经递质不平衡的直接后果之一可能是自闭症儿童在处理日常压力和情绪挑战时会遇到更多困难。由于大脑中这些关键化学物质的失衡，他们可能更难有效地调节和响应情绪刺激，以致他们在面对压力或情绪上的挑战时更加敏感和脆弱。

4. 感知过敏

自闭症儿童经常表现出对环境感官刺激的高度敏感性，这些刺激包括声音、光线和触觉等。这种超常的感知能力意味着他们的感受阈值较低，使得他们对日常生活中常见感觉输入的反应更为强烈。例如，对某些自闭症儿童来说，正

---

[1] Drenthen G S, Barendse E M, Aldenkamp A P, et al. Altered neurotransmitter metabolism in adolescents with high-functioning autism [J]. Psychiatry Research: Neuroimaging, 2016, 256: 44-49.

常的对话声音可能显得过于响亮，普通的室内光线可能过于刺眼，温和的触觉接触也可能造成不适或疼痛。

这种对感官输入的过敏反应不仅影响自闭症儿童的情绪状态，还可能导致他们在面对通常被视为无害的环境变化时感到极度不安。这种过度敏感可以解释为什么自闭症儿童在嘈杂的场所、明亮的环境或需要身体接触的情境中可能会显得特别烦躁或焦虑。他们的感官系统不断地接收并处理着大量的感觉信息，这种过载的状态使他们难以过滤掉不重要的背景噪声或刺激，因而难以保持放松并集中注意力。

由于这种持续的感官过载，自闭症儿童可能在公共场合或日常活动中变得焦虑不安，因为他们无法预测或控制何时会遭遇让他们感到不适的感官刺激。这种不断的警觉状态和对潜在威胁的敏感性，可能导致他们退缩或避免某些情境，进而限制了他们的社交参与和学习体验。

因此，深入探究和辨识这些引发自闭症儿童感官过敏的生理根源，对于设计切实有效的干预措施和治疗方案至关重要。只有理解这些生理机制，专业人士才能更准确地评估自闭症儿童的个别化需要，并据此制订个性化的支持计划，从而帮助自闭症儿童调节和应对感官刺激，减轻他们的不适感和焦虑。

（二）心理因素

心理因素常常与生理因素相互作用。自闭症儿童在社交和沟通方面存在困难，更容易感到孤独和不安，焦虑的风险增加。

1. 社交困难和孤独感

自闭症儿童常常遭遇难以与他人进行沟通和建立联系的难题，这可能使他们感到孤立无援，仿佛与周围世界脱节。这种社交互动障碍和伴随而来的孤独感，往往会成为焦虑情绪的催化剂。孤独感和社交困难的累积效应可能会增加自闭症儿童的焦虑水平，使他们对社交场合产生恐惧，甚至可能引发逃避行为，从而形成一个恶性循环,使得他们更加难以打破社交障碍,享受与他人社交和互动的过程。

2. 变化和不确定性

自闭症儿童通常对变化和不确定性的容忍度较低,他们更喜欢按照固定的规律生活。这些儿童通常在组织严密、可预见的环境中感到最为舒适,因为这样的环境为他们提供了一种稳定感和安全感。例如,他们可能依赖于固定的日常生活安排、熟悉的物品摆放,以及一致的交流方式。这种对常规的依赖有助于减少他们的不确定感,从而降低焦虑水平。

面对突然的变化或未知情况时,他们可能会感到不安和焦虑。当计划之外的变化发生时,如家庭搬迁、学校日程的改变,或者是社交互动中的不可预测性,自闭症儿童可能会感到面临特别的挑战。这些变化可能打乱了他们预期的秩序,引发了不确定感,从而激发焦虑反应。

焦虑可能表现为行为上的退行,如自我刺激行为增加、沟通上的挑战加剧,或者是在极端情况下出现对抗行为或退回到完全沉默的状态。这些反应是自闭症儿童试图重新获得对环境的控制以及减少内心不安的一种方式。

3. 过度关注细节和完美主义

自闭症儿童往往对细节表现出高度的敏感性,这种特性有时与完美主义倾向相伴。他们对事物细微之处的关注可能远超一般情况,这种集中的注意力虽然在某些情境下是优点,但也可能带来心理和情绪上的挑战。

由于对细节的过度关注,自闭症儿童可能会对事物有着不切实际的期望或标准,他们可能追求完美到了难以达到的程度。当现实无法满足他们对完美的追求时,他们可能会感到挫败和焦虑。这种心理状态不仅影响他们的情绪健康,还可能导致他们在学习和社交活动中过分自我批评,以及心理压力变大。

此外,对细节的执着和完美主义的倾向可能使自闭症儿童在面对日常任务和学业挑战时,经历更多的担忧和过度的思考。他们可能会反复检查自己的任务，害怕犯错误，或者在某个特定活动上投入大量时间，以避免任何可能的不完美。这种行为的出发点虽然是为了确保一切尽善尽美，但实际上可能导致效率低下，甚至引发或加剧焦虑症状。

4. 理解和处理情绪的困难

自闭症儿童常常在理解和表达情绪方面遇到难题，这可能导致他们在处理内心焦虑时遭遇额外的挑战。由于自闭症儿童可能难以识别和解释自己的情绪反应，他们可能难以找到适当的方式来表达需求或寻求帮助以缓解这些感受。

三、焦虑障碍的评估

评估自闭症儿童的焦虑障碍通常需要综合考虑多种因素，包括行为观察、家庭情况、情绪问卷和必要的生理检查。标准化的评估工具和专业训练有助于准确评估和有效干预。

（一）行为观察

行为观察是评估自闭症儿童焦虑障碍的重要步骤之一。通过仔细观察儿童的日常行为模式，可以发现其是否存在过度焦虑的迹象。这可能包括逃避社交、出现重复性行为、情绪不稳定等表现。这些观察可以提供有关儿童行为模式和可能存在的焦虑症状的重要线索。

（二）访谈

家庭情况也是评估的关键方面之一。通过对家长进行访谈，了解自闭症儿童的家庭环境、家庭成员之间的关系和互动方式，可以为评估提供宝贵的信息。

家庭氛围对儿童的情绪和行为有着深远的影响,因此了解家庭情况对于评估儿童的焦虑情况是很重要的。

(三)情绪问卷

情绪问卷是一种重要的评估工具。通过使用标准化的情绪问卷或焦虑量表,可以更客观地评估儿童的主观感受和情绪状态。这些问卷提供了一种系统的方式来收集关于儿童焦虑水平的信息,有助于更全面地了解儿童的情况。该类量表有《儿童焦虑情绪筛查表》(Screen for Child Anxiety Related Emotional Disorders,简称 SCARED)和《儿童状态–特质焦虑问卷》(State-Trait Anxiety Inventory for Children,简称 STAIC)等 [1][2]。

(四)生理检查

进行生理检查可以排除可能的生理原因。这可能包括血液检查、神经影像学检查等。虽然焦虑障碍通常是与心理因素相关的,但生理因素有时也可能影响儿童的情绪和行为。因此,在评估过程中排除可能的生理问题也很重要。

四、管理和治疗焦虑障碍的策略

管理和治疗自闭症儿童的焦虑障碍需要多学科协作,结合心理治疗、药物治疗和环境调整等多项举措,从多方面对自闭症儿童进行干预。

---

[1] Birmaher B, Khetarpal S, Brent D, et al. The screen for child anxiety related emotional disorders (SCARED): Scale construction and psychometric characteristics [J]. Journal of the American Academy of Child & Adolescent Psychiatry, 1997, 36 (4): 545-553.

[2] Spielberger C D, Edwards C D, Montouri J, et al. State-trait anxiety inventory for children [J]. 1973.

（一）提供稳定的环境

为儿童提供一个稳定、可预测的环境可以帮助他们减少焦虑感。这包括保持日常生活的规律性、提供清晰的指示和规则等。

1. 建立规律的日常生活秩序

为自闭症儿童建立有固定规律的日常生活秩序，包括确定起床、吃饭、睡觉、学习、玩耍等活动的时间和顺序，可以帮助儿童预测和掌控自己的生活，减少不确定性和焦虑感。

2. 提供清晰的指示和规则

为自闭症儿童提供清晰的指示和规则，让他们知道应该做什么、不应该做什么以及如何做。这样可以减少他们的困惑和不安，提高他们的自我管理能力。

3. 避免变化和干扰

尽量避免在自闭症儿童的生活中引入过多的变化和干扰，例如突然改变日常活动的时间表、更换家具或装饰品等。这些变化可能会导致他们的焦虑感增加。

4. 提供安全的环境

为自闭症儿童提供一个安全、舒适的环境，包括干净整洁的房间、舒适的床铺、安全的玩具等。这样可以让他们感到安心和放松。

（二）建立安全的依恋关系

自闭症儿童通常需要更多的安全感和支持。建立一个安全的依恋关系可以帮助他们减轻焦虑感，增强自信心和自尊心。

1. 建立亲密的亲子关系

自闭症儿童往往需要更长时间的陪伴和关注，以建立亲密的亲子关系。家长应该花更多的时间与孩子互动，包括玩耍、交流、分享感受等。这样可以让孩子感受到家长的爱和支持，与家长建立信任感和安全感。

2. 提供积极的情感支持

自闭症儿童往往需要更多的情感支持和鼓励。家长应该给予孩子积极的反馈和肯定，让他们知道自己的行为是有价值的。同时，家长要避免过度批评或惩罚孩子，以免造成他们的焦虑和不安。

3. 培养孩子的自主性

自闭症儿童往往缺乏自我管理和决策能力。家长应该逐渐培养孩子的自主性，让他们学会自己作出选择和决定。这样可以培养孩子的自信心和独立性，提高他们的社交能力。

（三）提供适当的刺激

自闭症儿童通常对某些刺激非常敏感，例如声音、光线或触觉等。提供适当的刺激可以帮助他们转移注意力，减轻焦虑感。

1. 了解孩子的兴趣和需求

每个自闭症孩子有其独特的兴趣和需求。家长应该花时间观察和了解孩子，以便提供符合他们兴趣的刺激。例如，如果孩子喜欢音乐，可以播放不同类型的音乐，并鼓励他们随着音乐舞动起来。

2. 提供多样化的刺激

自闭症儿童往往对特定刺激有强烈的偏好，但过于单一的刺激可能导致刻板行为。因此,家长应该提供多样化的刺激,包括视觉刺激、听觉刺激、触觉刺激和运动刺激等。这有助于促进孩子的全面发展,并减少刻板行为。

3. 控制刺激的强度和频率

自闭症儿童往往对刺激的强度和频率更为敏感。家长应该根据孩子的反应调整刺激的强度和频率,避免过度或不足。例如,在播放音乐时,可以从轻柔的音乐开始,逐渐增加音量,观察孩子的反应。

(四)学习放松技巧

学习一些放松技巧,例如深呼吸、渐进性肌肉松弛等,帮助自闭症儿童缓解焦虑感。

1. 深呼吸练习

深呼吸是一种简单而有效的放松方法。家长可以教导孩子进行深呼吸练习,如慢慢吸气,让腹部鼓起来,然后缓慢呼气,让腹部扁下去,重复数次。深呼吸练习有助于平静神经系统,减轻紧张感。

2. 渐进性肌肉放松

渐进性肌肉放松是一种通过逐步放松身体各个部位的肌肉来达到整体放松的方法。可以从头部开始,逐渐向下放松至脚部,引导孩子绷紧身体每个部位的肌肉,保持几秒钟,然后放松。这种方法有助于孩子意识到身体紧张的部位,并学会如何放松身体肌肉。

3. 冥想和想象

冥想是一种静心的技巧,可以帮助自闭症儿童集中注意力,减少杂念。家长可以引导孩子进行简单的冥想练习,如专注于呼吸,想象一个平静的场景,或重复一个安抚的词语。这种技巧有助于提高孩子的情绪调节能力。

4. 音乐疗法

音乐对许多自闭症儿童来说具有舒缓和放松的效果。家长可以选择轻柔的音乐，如古典音乐或自然声音，播放给孩子听。音乐疗法可以帮助孩子平复情绪，减少焦虑和压力。

5. 感官活动

自闭症儿童往往对感官刺激敏感。家长可以提供一些温和的感官活动，如轻轻按摩、抚摸毛绒玩具或浸泡在温水中。这些活动可以帮助孩子放松身体，减少过度刺激。

6. 运动和体育活动

适度的运动可以帮助释放内心的紧张和焦虑。家长可以鼓励孩子参与适合自己的体育活动，如散步、游泳或瑜伽。这些活动不仅有助于放松身体，还可以提高孩子的自信心和社交技能。

（五）参加社交活动

虽然自闭症儿童可能不喜欢社交活动，但参加一些适合他们的社交活动可以帮助他们掌握社交技能，并逐渐提高自信心，减轻焦虑感。

1. 逐步引入社交活动

对自闭症儿童来说，直接参与大型或复杂的社交活动可能会感到不适应。家长可以让孩子从小规模、低强度的社交活动开始，如邀请一两个朋友来家里玩，或者参加小型的亲子活动。随着孩子逐渐适应，可以逐步扩大活动的规模并提高活动的复杂程度。

2. 提前准备和角色扮演

在参加社交活动之前，家长可以通过讲故事、看图片或视频等方式，向孩子介绍即将参与的活动内容和可能遇到的场景。此外，家长可以与孩子进行角色扮演，模拟不同的社交互动，如打招呼、轮流对话、分享玩具等。这有助于孩子提前了解和练习社交技能。

3. 选择适合的社交环境

自闭症儿童对环境的感觉往往比较敏感。家长应该选择安静、结构化的社交环境，避免过于嘈杂或混乱的场所。此外，考虑到孩子的兴趣和偏好，选择他们感兴趣的活动，如动物保护活动、绘画班或乐高俱乐部，这样会更容易让孩子积极参与并享受社交过程。

4. 建立明确的社交规则

自闭症儿童通常对明确、一致的规则感到舒适。家长可以制订一些简单的社交规则，如轮流发言、保持适当距离、尊重他人等，并向孩子提供清晰的规则解释。这些规则可以帮助孩子在社交互动中感到更有安全感和掌控感。

5. 提供适当的支持和引导

在社交活动中，家长应该密切关注孩子的情绪和行为反应，并提供必要的支持和引导。例如，当孩子感到紧张或困惑时，家长可以给予安抚和鼓励；当孩子表现出适当的社交行为时，家长可以及时给予表扬和肯定。这种积极的支持和反馈有助于增强孩子参与社交的信心。

6. 培养共同兴趣和话题

自闭症儿童往往在某些领域有特殊的兴趣或才能。家长可以鼓励孩子发展这些兴趣，并在社交活动中展示他们的特长。同时，家长可以帮助孩子了解其他参与者的兴趣和话题，以便孩子在社交互动中找到共同点并引起共鸣。

7. 与其他家长建立联系

对自闭症儿童的家长来说,与其他面临类似挑战的家长建立联系和支持网络是非常重要的。通过分享经验、资源和策略,家长们可以互相学习和鼓励,为孩子提供更多的社交机会和支持。

(六)药物治疗

在严重焦虑的情况下,药物治疗可以作为辅助措施。这通常包括使用选择性5-羟色胺再摄取抑制剂和抗焦虑药[1]。然而,药物治疗必须在专业医生的指导下进行,以确保安全性和治疗效果。

请注意,尽管药物治疗可以帮助控制焦虑症状,但它通常不是首选的治疗方法,而是作为认知行为疗法(cognitive behavioral therapy,简称CBT)或其他非药物治疗方法的补充。此外,药物治疗可能会有副作用,因此在使用任何药物之前,应与医生详细讨论潜在的风险。

焦虑障碍在自闭症儿童中普遍存在,通过全面评估和多样化的干预手段,可以有效管理和缓解自闭症儿童的焦虑症状,提高他们的生活质量和社会适应能力。持续的研究和实践将进一步完善对这一问题的理解,并探索有效的干预方法,为自闭症儿童提供更好的支持和关爱。

---

[1] Nadeau J, Sulkowski M L, Ung D, et al. Treatment of comorbid anxiety and autism spectrum disorders [J]. Neuropsychiatry, 2011, 1 (6): 567.

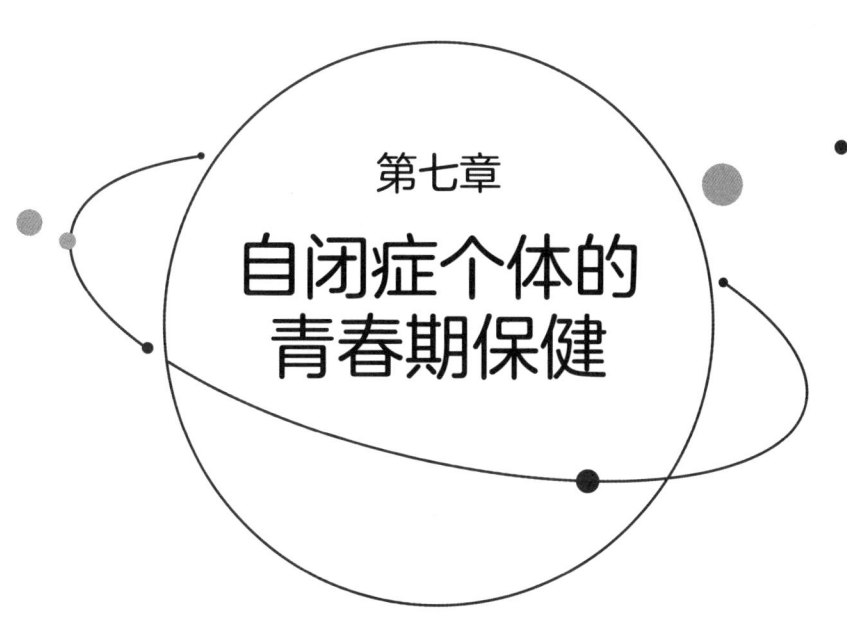

第七章
自闭症个体的
青春期保健

青春期是一个自然的发育阶段，涉及身体、情感和社会性等多方面的变化。对自闭症个体来说，青春期可能会带来独特的挑战。青春期的许多变化，如激素变化、性发育和情感意识增强[1][2]，可能会对自闭症青少年产生强烈的影响[3]。在青春期，自闭症个体可能会遇到沟通和社交技能方面的困难，这可能会影响他们理解和应对正在经历的变化。此外，敏感度增强是自闭症个体常见的特征，这可能使青春期身体和情感的变化更具挑战性。

只有理解自闭症青少年在青春期的特殊需求，才能提供适切的支持，有效满足他们的需求，保障其生活质量。当父母和照护者充分认识到这些独特挑战并实施支持策略时，便能帮助自闭症青少年顺利度过这一重要的发展阶段。

---

[1] Cameron J L. Interrelationships between hormones, behavior, and affect during adolescence: understanding hormonal, physical, and brain changes occurring in association with pubertal activation of the reproductive axis. Introduction to part III [J]. Annals of the New York Academy of Sciences, 2004, 1021 (1): 110−123.

[2] Christie D, Viner R. Adolescent development [J]. Bmj, 2005, 330 (7486): 301−304.

[3] Autism and Puberty: The Ultimate Guide [EB/OL]. (2023−11−21).

第一节 自闭症个体青春期的内涵

自闭症个体在青春期时,会经历一系列身体变化,包括激素变化和性发育,这既具有挑战性,又令人困惑。对于父母和照护者来说,理解这些变化有助于为自闭症个体提供适当的支持和指导。

一、青春期的开始

受多种因素的影响,每个个体进入青春期的时间并不完全一致。其中,遗传基因和环境因素的作用很重要[1][2]。自闭症个体进入青春期的时间与普通同龄人相比并无显著区别。

青春期是个体身心逐渐成熟的一个重要时期。在这个过程中,身体会发生一系列变化,包括生长发育、生殖器官成熟以及性征的显现等。而对于自闭症个体来说,虽然他们可能在社交互动、沟通以及行为等方面表现出一定的困难,但这并不意味着他们的青春期进程会有所不同。具体到年龄范围,男孩和女孩进入青春期的时间通常存在一定的差异。男孩的青春期通常始于 11~13 岁,但也有可能提前至 8 岁或延后至 13 岁。在这个阶段,他们可能会经历身高和体重的快速增长,声音变得低沉,以及生殖器官的发育等变化。而女孩进入青春期的时间通常比男孩早一些,大约在 10~11 岁开始,也可能在 9~14 岁。女孩在青春期阶段,乳房

---

[1] Rowe D C. Environmental and genetic influences on pubertal development: Evolutionary life history traits? [J]. Genetic influences on human fertility and sexuality: Theoretical and empirical contributions from the biological and behavioral sciences, 2000: 147-168.

[2] Ebling F J P. The neuroendocrine timing of puberty[J]. Reproduction, 2005, 129 (6): 675-683.

会开始发育,身高和体重也会有所增长,同时会出现月经等生理现象[1][2][3]。

值得注意的是,虽然自闭症个体在青春期的发展过程与典型发育的孩子相似,但由于他们在社交和情感表达方面存在困难,因此可能需要更多的关注和支持。家长和教育工作者应该密切关注自闭症个体在青春期的变化,及时提供必要的帮助和指导,以促进他们的健康成长和发展。

总之,每个个体进入青春期的时间是有差异的,受到多种因素的影响。对自闭症个体来说,虽然他们可能在某些方面表现出不同,但他们的青春期进程与典型发育的个体并无明显区别。我们应该以包容和理解的态度对待自闭症青少年,为他们提供必要的支持和帮助,让他们在青春期健康、快乐地成长。

二、青春期的标志

青春期标志着从青少年向成人的过渡。传统上,青春期主要与性腺(如睾丸和卵巢)的成熟和性激素的增加相关联。然而,现代研究认为,标志青春期开始的是两个生物学过程:肾上腺功能初现和性腺功能初现。

(一)肾上腺功能初现

肾上腺功能初现(adrenarche)是青春期早期的一个生理现象[4],通常发

---

[1] Sawyer S M, Azzopardi P S, Wickremarathne D, et al. The age of adolescence [J]. The Lancet Child & Adolescent Health, 2018, 2 (3): 223–228.

[2] Kapur S. Adolescence: the stage of transition [J]. Horizons of Holistic Education, 2015, 2 (3): 233–50.

[3] Rogol A D, Roemmich J N, Clark P A. Growth at puberty [J]. Journal of Adolescent Health, 2002, 31 (6): 192–200.

[4] Witchel S F, Topaloglu A K. Puberty: gonadarche and adrenarche [J]. Yen and Jaffe's Reproductive Endocrinology, 2019: 394–446. e16.

生在 8～13 岁。这一过程标志着肾上腺开始分泌雄激素，主要是脱氢表雄酮（dehydroepiandrosterone，简称 DHEA）及其硫酸盐（dehydroepiandrosterone sulfate，简称 DHEAS）[1]。值得注意的是，肾上腺功能初现与生殖能力的成熟没有直接关系。这意味着，尽管身体正在发生这些变化，但生殖系统还没有准备好进行生育。虽然肾上腺功能初现通常是正常的生理过程，但过高或过低的雄激素水平可能与一些健康问题有关。例如，过高的雄激素水平可能导致多囊卵巢综合征[2][3]、皮脂腺分泌增加进而导致油性皮肤、女性月经不规律、男性生育功能减退以及心理疾病等。因此，如果家长对孩子的肾上腺功能初现有任何疑虑，应该及时咨询医生。

（二）性腺功能初现

性腺功能初现（gonadarche）是指女孩在 8～13 岁、男孩在 9～14 岁时，由于性激素分泌增加而出现第二性征的变化。女孩的性腺功能初现通常表现为乳房发育、腋毛和阴毛的出现、月经开始等。这些变化是由于卵巢开始分泌雌激素和孕激素，从而引起身体的生理变化。男孩的性腺功能初现通常表现为睾丸和阴茎增大、腋毛和阴毛出现、声音变粗等。这些变化是由于睾丸开始分泌雄激素，从而引起身体的生理变化。性腺功能初现是正常的生理现象，标志着青春期的到来。如果出现异常或延迟，应该根据医生的建议进行检查和治疗。

---

[1] Antoniou-Tsigkos A, Zapanti E, Ghizzoni L, et al. Adrenal androgens [J]. Endotext [Internet], 2019.
[2] Azziz R. Androgen excess is the key element in polycystic ovary syndrome [J]. Fertility and Sterility, 2003, 80 (2): 252–254.
[3] Alpañés M, Fernández-Durán E, Escobar-Morreale H F. Androgens and polycystic ovary syndrome [J]. Expert Review of Endocrinology & Metabolism, 2012, 7 (1): 91–102.

三、自闭症个体青春期的生理表现

自闭症症状本身并不会"恶化"。然而，可能发生的变化对自闭症个体来说更具挑战性。青春期对许多人来说是混乱和困难的时期，自闭症个体通常在社交方面存在困难，这些挑战在青春期可能会加剧。升高和变化的激素水平也可能影响共病状况，增加自闭症个体所面临的困难。例如焦虑和抑郁、注意缺陷/多动障碍、癫痫发作、胃肠问题等共病。对不常遇到社交问题的个体来说，青春期的社交也会变得令人紧张。痤疮的出现和情绪波动都可能对社交功能造成影响。对已经在社交技能上有所欠缺的自闭症个体来说，青春期可能会带来额外的困扰。

个体在青春期发生的变化围绕着第二性征的发展。在女孩身上，这些变化包括生长突增、乳房发育、腋毛和阴毛生长以及阴道产生分泌物。女孩身体的最主要变化之一是来月经，自闭症女孩可能会对月经感到害怕、痛苦，这是因为她们可能无法理解月经是什么，以及它是如何发生的[1]。在男孩身上，这些变化包括生长速度突增，手脚变大，肌肉量增加，声音变粗，腋毛、胡须和阴毛的生长，以及阴茎和睾丸的发育。男孩身体的一个主要变化是射精，对自闭症青少年来说，这一变化可能会引发焦虑和感觉处理问题。这些儿童通常会在睡眠中经历射精，即梦遗，这可能导致他们感到尴尬，甚至害怕因此让父母失望，因为梦遗有时会被误解为尿床。由于这种尴尬，自闭症青少年可能不愿意与父母分享这些经历。在青春期的这个阶段，男孩还会开始体验到勃起。起初，这种生理现象似乎是随机且无法控制的，这可能会让他们感到沮丧，因为他们可能会感觉自己对身体失去了控制。

---

[1] Steward R, Crane L, Roy E M, et al. "Life is much more difficult to manage during periods": autistic experiences of menstruation [J]. The Palgrave Handbook of Critical Menstruation Studies, 2020: 751-761.

四、自闭症个体青春期的行为表现

在青春期，自闭症个体的行为可能面临更多的挑战。这是因为青春期是一个生理、心理和社会性变化迅速的时期，而自闭症儿童在社交交往、沟通能力和行为控制等方面存在困难。相对于之前的阶段，他们在青春期会面对更复杂的社交和日常任务。例如，青春期自闭症个体可能需要应对更多的学业压力和社交挑战。他们可能需要参加更多的课外活动，与更多的人交流，并且需要学会更好地管理自己的情绪和行为。这些新的挑战可能会对他们产生负面影响，导致焦虑、抑郁等问题的出现。此外，青春期也是身体发育和性成熟的一个重要阶段。自闭症个体可能对身体的变化感到困惑或不安，不知道如何处理这些问题。这也可能导致一些行为问题的发生。

（一）重复行为增加

自闭症青少年可能会更频繁地进行重复行为，作为缓解青春期压力和不确定性的方式。这些行为可能包括重复的动作，严格遵循固定的日常安排，或者坚持环境的不变性。例如，一些自闭症青少年可能会反复检查门窗是否关闭、电器是否关掉等，以确保自己的安全和舒适。他们也可能会在日常生活中坚持某些习惯或仪式，如按照特定的顺序摆放物品、按照固定的时间表进食等。这些行为可以帮助他们感到更加安心和稳定，减少焦虑和紧张情绪的出现。此外，一些自闭症青少年可能会表现出强迫症状，如过度洗手、整理头发等。这些行为也可能是他们试图控制自己周围环境的一种方式，以减少不确定性和不安全感的影响。

虽然这些重复行为可以在某种程度上缓解青春期的压力和不确定性，但如果过度发展或影响到日常生活和社交交往能力的发展，就需要及时采取措施进行干预和治疗。家长、教育工作者和整个社会应该提供更多的支持和关注，帮助自闭症青少年克服这些困难，实现更好的发展。

（二）感觉敏感性加剧

青春期可能会加剧有些自闭症个体的感觉敏感性。他们可能对光线、声音、触感或气味变得更为敏感，这可能导致焦虑和不适感的增加。例如，一些自闭症青少年可能会对强光或刺眼的灯光感到不适，需要戴上墨镜或遮挡眼睛。他们也可能会对嘈杂的声音或突然的响声感到惊恐或不安，需要寻找安静的地方来缓解压力。此外，一些自闭症个体可能对某些食物的味道、质地或温度有特殊的偏好或厌恶，这可能会影响他们的饮食习惯和社交交往能力的发展。

这些感觉敏感性问题可能会导致自闭症青少年出现情绪波动、易怒、焦虑和抑郁等问题。因此，家长、教育工作者和整个社会应该提供更多的支持和关注，帮助自闭症青少年应对这些问题，并提高他们的生活质量。

（三）沟通困难

青春期的荷尔蒙变化可能会影响个体的沟通能力。一些自闭症青少年可能在语言能力上出现倒退，或者出现更难以表达自身需求和情绪的情况。具体来说，荷尔蒙的变化可能会导致自闭症个体的情绪波动更加剧烈，这可能会影响他们的交流方式。此外，青春期伴随着社交需求的增加，这也可能会对自闭症个体的沟通能力产生挑战。此时，建立清晰的沟通规则显得尤为重要，例如，使用简单的语言、明确的指示等。这可以帮助自闭症个体更好地理解如何表达自己的想法和感受。

（四）社交困难

对自闭症青少年来说，青少年时期复杂的社交环境可能特别具有挑战性。他们可能难以理解社交暗示，建立和保持友谊，以及处理同伴交往的压力。这些挑战可能会影响他们的日常生活和学习能力。具体来说，自闭症青少年可能存在以下社交困难。

1. 难以理解社交暗示
自闭症个体通常缺乏对他人情感和意图的理解能力，这使得他们难以理解他人的社交暗示和表情[1]。例如，当别人微笑时，他们可能不知道是什么意思，也不知道如何回应。

2. 难以建立和保持友谊
自闭症个体不太擅长与他人交往和建立友谊。此外，由于存在沟通障碍，他们也很难维持现有的友谊。

3. 与同伴交往存在压力
在青春期，个体对社交互动和同伴关系的需求和期望大幅增加。然而，自闭症儿童的社交技能和沟通能力往往与同龄人存在差异，导致他们在理解和应对复杂的社交情境时遇到困难。这种差异可能引发同龄人的误解、排斥或欺凌，进而加剧自闭症青少年的压力和焦虑。此外，青春期对自我认同和性别角色的探索也会对自闭症青少年构成挑战，使他们更容易感受到来自社交环境的压力。

（五）情绪和行为变化强烈

自闭症青少年可能表现出更强烈的情绪反应和情绪波动。他们也可能通过自伤行为或发脾气来表达困扰[2]。自闭症个体的情绪反应可能比一般人更加强烈

---

[1] Rubin E, Lennon L. Challenges in social communication in Asperger syndrome and high-functioning autism [J]. Topics in Language Disorders, 2004, 24 (4): 271-285.

[2] Northrup J B, Goodwin M S, Peura C B, et al. Map** the time course of overt emotion dysregulation, self- injurious behavior, and aggression in psychiatrically hospitalized autistic youth: A naturalistic study [J]. Autism Research, 2022, 15 (10): 1855-1867.

和不稳定。他们可能会因为一些小事情而感到非常沮丧或愤怒，甚至出现爆发性的情绪失控。此外，由于存在沟通障碍，他们很难有效地表达自己的情感和需求。

（六）出现青春期焦虑

青春期的身体变化，比如生长速度加快、月经开始或第二性征的发育，可能会成为自闭症青少年焦虑和困惑的原因。在青春期，身体会发生许多变化，包括生长速度加快、月经开始或第二性征的发育等。这些变化可能会让自闭症青少年感到不安和困惑，因为他们可能无法理解这些变化的意义以及如何适应它们。例如，青春期自闭症女孩可能会对月经感到困惑和不安，不知道它是什么以及如何应对。还有一些自闭症青少年可能会对自己的外貌和身体形象感到不满意，因为他们可能无法理解自己的身体正在发生的变化。

（七）过于聚焦特殊兴趣

在青春期，特殊兴趣可能变得更加强烈。虽然这些兴趣可以提供安慰和身份认同感，但如果个体过度专注于这些兴趣，可能会导致社交互动方面的困难。例如，一些自闭症青少年可能非常喜欢某个特定的主题或活动，并花费大量时间和精力来学习和探索它。这可能会使他们忽略其他重要的社交技能和活动，如与同龄人交往、参加体育活动等。

（八）执行功能问题凸显

自闭症个体在青春期也可能凸显出执行功能上的困难，比如规划、组织和时间管理，这些对于学业成就和独立性至关重要。例如，一些自闭症青少年可能难以制订学习计划或安排时间表，导致他们无法按时完成作业或参加考试。另一些自闭症青少年可能难以安排自己的生活环境，如整理房间、准备食物等，这可能会影响他们的日常生活和社交活动。

第二节 自闭症个体青春期的保健策略

父母、照护者和教师通过提供准确的信息、适宜的教育，营造安全、支持性的环境，可以帮助自闭症个体自信地应对青春期的身体变化[1][2]。

一、整体保健策略

（一）卫生习惯的养成[3]

养成良好的卫生习惯是日常生活的重要方面，这一点在青春期尤为重要。在这个阶段，处于青春期的个体不仅经历身体的变化，如第二性征的发育，腺体也趋于成熟，导致汗液增加，体味加重。因此，向青少年解释并强调个人卫生的重要性至关重要。对自闭症青少年来说，这点尤其要重视，因为他们理解和落实卫生习惯的能力可能有所不同。

---

[1] The Official Puberty Guide [EB/OL]. (2022-07-06).
[2] Wilczynski S, McIntosh D E, Tullis C A, et al. Autism spectrum disorder in adolescents [J]. Handbook of Adolescent Behavioral Problems: Evidence-Based Approaches to Prevention and Treatment, 2015: 345-360.
[3] Wrobel M. Taking care of myself: A hygiene, puberty and personal curriculum for young people with autism [M]. Future Horizons, 2003.

1. 自我清洁习惯

为了让自闭症个体更乐意接受洗漱，并提升他们的参与度和自主性，可以采取多种策略。首先，允许个体选择自己喜欢的卫生用品，如香皂、洗发水和沐浴露，这不仅能增加他们对洗澡的兴趣，还能让他们喜欢所使用的卫生用品。其次，利用视觉辅助工具，如示意图或教学视频，帮助个体更好地理解和学习洗漱的步骤，清晰地展示如何清洁身体的各个部位。这种方法可以减少对语言理解的依赖，更适合自闭症个体。图 7-1 展示了这些策略的具体应用，为家长和照护者提供了直观的参考。最后，在初期阶段，家长或照护者可以陪同孩子一起洗澡，逐步引导他们完成每个步骤，直到孩子能够独立完成整个过程。这种逐步引导的方式有助于孩子建立自信心和独立性。

我们的最终目标是让自闭症个体学会并养成良好的个人卫生习惯，同时尊重他们的隐私和个人空间。通过耐心的指导和支持，多数自闭症个体能掌握并维持良好的个人卫生习惯（见图 7-1）。

2. 剃须习惯

剃须是男性个人卫生方面的一个习惯，但并不是每个青春期男孩都需要。考虑到剃须刀可能会给自闭症个体带来感官不适，因此最好根据个体的具体情况来决定是否将其纳入日常习惯。如果选择自己剃须，可能需要先进行脱敏处理以减轻感官不适。剃须过程中，可能会发生受伤的情况，因此可以考虑使用电动剃须刀来降低这种风险，尽管电动剃须刀也可能会引起感官不适。图 7-2 是帮助自闭症个体建立剃须习惯的视觉辅助工具。

职业治疗和应用行为分析疗法可以帮助自闭症个体养成并保持这些日常习惯，并在适应过程中解决可能产生的任何感官问题。这些疗法还可以帮助我们对个体进行视觉提示，并与个体保持开放的沟通，以确保他们理解和遵守这些卫生习惯。

第七章 自闭症个体的青春期保健

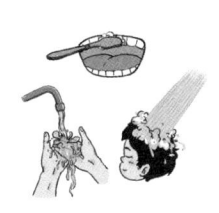

我每天都能照顾好自己

我为此感到自豪	我能保持身体清洁	我会洗脸、洗手	我会洗头发

我要穿干净的衣服	我能选择合适的衣服	我会自己穿衣服	我会在天冷时添衣服

我会照镜子	我会梳头	我会擤鼻涕和清理鼻子	我会刷牙

我会剪手指甲	我会剪脚指甲	我会用护肤品	我会按时吃药

图 7-1 帮助自闭症儿童建立自我清洁习惯的视觉辅助工具

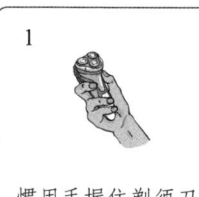

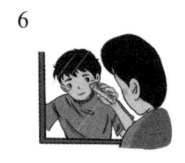
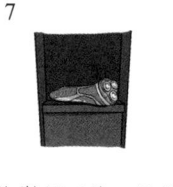

图 7-2　建立剃须习惯的视觉辅助工具

（二）行为变化的管理

在讨论青春期时，虽然身体变化是人们最常谈论的，但是要注意自闭症个体可能会经历的行为和情绪变化。由于荷尔蒙的变化，青少年可能会表现出情绪爆发和情绪波动。自闭症个体通常在沟通和表达自己方面存在问题，因此这种行为可能会因个体障碍程度的加重而加剧。自我伤害行为也可能由荷尔蒙变化引起，因此为自闭症青少年建立一个可以让他们冷静下来的安全空间至关重要。自我调节是一项需要被教授的技能，它可以减少行为变化及其影响。也可以通过应用行为分析师和职业治疗师的帮助来发展自闭症个体的自我调节技能。

尽管这些情绪变化大多是正常的，但重要的是要留意令人担忧的情绪迹象。特别是应该监测抑郁的迹象，因为它们可能表现为饮食障碍、睡眠问题、行为差异、焦虑增加和极端嗜睡等症状。家长一旦在孩子身上观察到这些迹象，应该与孩子的医生进行讨论。经历青春期的孩子也可能体验到独立感和责任感的增加。这可能会导致家长和孩子之间的冲突，因此要给予他们自由作出自己的选择的机会。这些决定不必是重大的，可以紧紧围绕日常活动。例如，允许孩子决定他们放学后或周末想做什么，这不但可以培养孩子的独立性和自力更生的能力，而且对他们的成长和未来的成功是有价值的。

（三）社交环境的创设

自闭症个体通常会在社交规则和界限方面遇到问题。在青春期时，让自闭症个体意识到在何时何地讨论青春期话题是适当且重要的。女孩讨论月经并不是可耻的事情，也不能把它当作秘密，但谈论它有时间和地点的限制。男孩讨论梦遗和勃起也是一样。使用社交故事可以帮助自闭症青少年更好地理解他们正在经历的变化以及如何在社交环境中应对。社交故事通过呈现自闭症青少年能理解的信息来展示各种主题的可能情景。此外，父母可以成为适当行为的榜样，并向孩子展示。

（四）安全空间的营造

要为自闭症青少年创造有安全感的沟通机会。自闭症青少年也会对自己不断变化的身体感到担忧和好奇。在这样的沟通中，应该鼓励他们自由提问，并确保他们的疑问能够得到诚实且客观回答。如果直接讨论某些敏感话题具有挑战性，那么可以考虑写下自己的问题或使用基于故事的方法来传达关键信息，以便他们更好地理解和接受这些变化。

（五）健康人际关系的培养

对青春期的自闭症个体来说，培养健康的人际关系不仅是成长的必要条件，更是提升他们社交技能和情感健康的关键。在这个关键阶段，友谊和爱情关系可能变得尤为复杂和具有挑战性，因此学习如何尊重他人、保持界限以及建立健康的沟通方式变得尤为重要。首先，使用社会故事是一种行之有效的方法。

社会故事是针对具体社交情境编写的小故事，通过这些故事，自闭症孩子能够理解不同的社交线索和应对策略。这些故事通常包含清晰的步骤和明确的解释，可以帮助孩子理解和模仿适当的社交行为。其次，通过社交故事可以提供适当的教育和训练，如人际关系课程或心理健康教育，可以帮助自闭症青少年系统地学习社交技能和情绪管理。这些课程可以教授尊重他人、建立健康沟通以及解决冲突的方法。通过结构化的学习和实践，自闭症青少年能够逐步掌握这些技能，从而更好地在真实社交情境中应用。

（六）自我认同与独立

青春期是自我发现的关键时期，青少年开始形成自己的身份认同。对自闭症青少年来说，这段时期既具有挑战性，又具有可能性。提供独立的机会，鼓励他们探索自己的兴趣爱好，可以增强他们的自尊和自我意识，帮助他们在这个关键时期找到自己的位置。

（七）为父母和照护者提供支持

作为自闭症青少年的父母或照护者，你会发现有效的沟通和全面的教育资源是应对孩子青春期问题的支柱。这些因素对于培养一个支持性的环境来说是重要的。家长与学校和医疗机构合作，可以确保以一致的方法来管理孩子青春期的变化。学校可以在提供有关这些主题的教育方面发挥重要作用，而医疗保健专业人员可以提供个性化的建议，并解决可能出现的医疗问题。

二、个性化保健策略

（一）青春期女孩

一旦注意到女孩身体和第二性征的变化，父母应该做的关键事情之一，就是开始关于月经的讨论。通常情况下，可以在月经发生前一两年就开始讨论这些变化，以便消除恐惧心理。让孩子适应月经的话题是第一步，家长还要为她们必须遵循的操作做好准备。向孩子展示什么是卫生垫和卫生棉条，解释为什么使用它们，以及如何使用和处理它们。除了经期出血之外，使用卫生巾和卫生棉条也会给自闭症儿童带来感官不适。所以要让孩子不时地在内裤上垫一个卫生巾，并且教她们正确使用卫生巾和更换卫生巾，通过建立常规，帮助她们为月经初潮做好准备，并确保她们能采取必要的卫生措施。练习这些动作可以减少孩子对将要发生的变化的焦虑，并让她们预先知道将会发生什么，这样她们会感到更有控制力。此外，当孩子开始来月经时，家长通知学校的工作人员也很重要，这样孩子就可以得到需要的帮助，比如换卫生巾和换衣服。

视觉辅助工具是帮助解释青春期变化和加强日常卫生习惯的重要资源。通过呈现如何使用卫生巾及更换卫生巾的演示图，可以帮助孩子熟悉这些程序并感到安心（见图7-3和图7-4）。利用28天日历或周期跟踪应用程序，可以帮助他们预测月经周期的开始。值得注意的是，在月经初潮后，月经周期可能并不是每28天一次，每次持续4到7天，但这对所有女孩来说都是正常的。根据孩子的年龄和成熟度，我们可以选择是否引入排卵的概念，并在日历上标出预计的月经周期。

在使用视觉辅助工具时，可以使用食用色素来显示血液的颜色，这样她们在看到月经初潮时就不会感到害怕和惊讶，还会在内裤上标记垫卫生巾的位置。有些特殊的内衣会勾勒出垫卫生巾的位置。让他人示范如何使用卫生巾，比如母亲或姐妹示范，有助于将熟悉和正常化的行为示范给孩子。在购买卫生用品时可以带孩子一起去商店，让孩子选择不同类型和大小的女性卫生用品，一方面可以确保舒适，另一方面可以拥有可控的月经经历。

考虑到自闭症女孩可能会与变化作斗争，在讨论月经时要尽量使用积极的语言。这样她们就不会对月经持消极态度，并能减轻潜在的焦虑和恐惧。父母应该以平静的语气谈论青春期和可能的变化。使用孩子易理解的语言和措辞，确保在与孩子交谈时使用正确、科学的术语。这种对话有助于让孩子意识到月经期间可能出现的情绪变化、痉挛和疼痛，以及了解缓解疼痛的方法。孩子越了解就会越放心，也越能够处理变化并感到能自己掌控情况。

如何使用卫生巾

第 1 步，脱下裤子和内裤，坐在马桶上

第 2 步，取出包装里的卫生巾

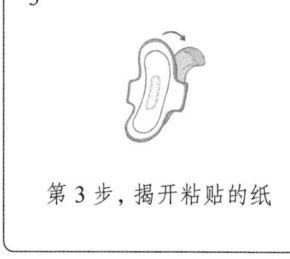

第 3 步，揭开粘贴的纸

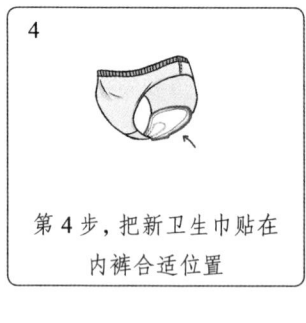

第 4 步，把新卫生巾贴在内裤合适位置

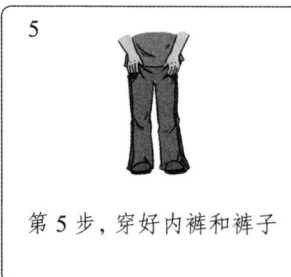

第 5 步，穿好内裤和裤子

第 6 步，洗手

我能做好！

图 7-3　使用卫生巾的视觉辅助工具

如何更换卫生巾

第1步,脱下裤子和内裤,坐在马桶上

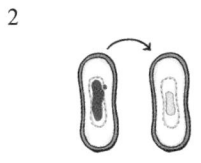
第2步,检查卫生巾上是否有血

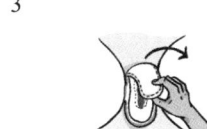
第3步,取下卫生巾

第4步,卷起卫生巾

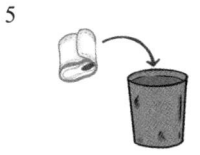
第5步,扔掉卫生巾

第6步,把新卫生巾贴在内裤合适位置

第7步,穿好内裤和裤子

第8步,洗手

我能做好!

图7-4 更换卫生巾的视觉辅助工具

（二）青春期男孩

男孩在青春期期间会经历一系列重要的身体变化，其中最显著的是射精过程的开始。对自闭症个体来说，这些变化可能会引起不安和感官问题。射精通常发生在睡眠中，被称为遗精，这可能导致孩子感到尴尬，以及害怕让父母失望，因为它可能会被误解为尿床。由于这些感受，他们可能不愿意与父母分享这些事件。

大约在同一时间，男孩们也会开始体验到勃起。在开始阶段，这个事件是随机发生的。这种变化可能会让孩子感到沮丧，因为他们可能觉得这是对自己身体的失控，也担心可能会遭到猛烈抨击。

父母应该意识到与男孩青春期相关的第二性征的发展，并开始与孩子讨论即将经历的变化。提前开始讨论可以帮助孩子为即将到来的事情做好准备，并更有控制感。无论是提前这样做，还是等这些事件已经发生在孩子的生活中，父母都应该以一种能令人安心的方式行事，不要有过低或过度反应。

当讨论这些事情时，父母应该科学地解释为什么会发生这些变化以及它们是如何发生的，并解释这可能与孩子的经历有关。包括解释夜间排出来的不是尿液，这是一个正常的生理过程，就像勃起一样，两者都是正常的，而且它们发生的随机性将会消失。

通过这些方式，父母可以帮助孩子更好地理解和适应青春期的变化，减少焦虑和困惑，建立一个开放和支持的沟通环境。

三、性教育

自闭症青少年在青春期需要接受性教育[1][2]。这是因为随着身体和心理的变化,他们可能会对性产生好奇。开展性教育可以帮助青少年正确了解自己的身体发育和性健康知识,学会尊重他人的身体界限和个人隐私,从而学会识别风险,并保护自己免受性侵犯等伤害。

(一)以简单明了的方式讲解

由于自闭症个体可能存在语言和沟通障碍,因此在对其进行性教育时需要使用简单明了的语言和沟通方式。可以使用图片、视频等辅助工具来帮助他们理解。传统的口头教育方式往往难以取得理想的效果。因此,我们需要采用更加直观、生动的方法来帮助他们理解性教育知识。

首先,可以使用图片这种直观的方式。通过绘制或寻找相关图片,可以向自闭症青少年展示人体的基本结构和生理特征。在此基础上,还应确保图片内容准确、清晰,并避免过于复杂或抽象的图像。还可以利用颜色、线条等视觉元素来突出关键信息,以吸引青少年的注意。

其次,视频是一种非常有效的辅助工具。我们可以制作一些简单易懂的动画,通过生动形象的画面和声音来向自闭症青少年介绍性教育知识。这些视频可以包括对人体结构的介绍、理解性别角色以及性行为的健康知识等内容。在制作视频时,我们应注重内容的趣味性和互动性,以激发青少年的学习兴趣。

最后,可以利用一些实际生活中的例子来帮助自闭症青少年理解性教育知识。例如,可以向他们讲述一些朋友之间和社区中发生的故事,来帮助他们理

---

[1] Travers J, Tincani M. Sexuality education for individuals with autism spectrum disorders: Critical issues and decision making guidelines [J]. Education and Training in Autism and Developmental Disabilities, 2010: 284-293.

[2] Ismiarti R D, Yusuf M, Rohmad Z. Sex education for autistic adolescents [J]. Journal of ICSAR, 2019, 3 (1): 74-78.

解人际关系在生活中的重要性。这些例子可以涉及尊重他人、保护自己以及建立健康的人际关系等方面的内容。同时,我们还应该关注自闭症青少年的个体差异和特殊需求。不同个体可能在理解和接受性教育知识方面存在不同的困难。因此,我们需要根据个体的具体情况制订个性化的教育方案,以确保他们能够真正理解和掌握这些知识。

总之,对自闭症青少年进行性教育时,应以简单明了的方式讲解相关知识,并利用图片、视频等辅助工具来帮助他们理解。同时,还应关注青少年的个体差异和特殊需求,提供个性化的教育方案。通过这些努力,帮助自闭症青少年更好地了解性教育知识,促进身心健康发展。

(二)尊重隐私

在进行性教育时,对于自闭症青少年这一特殊群体,要格外注重保护他们的隐私权。这不仅是基于对个体的基本尊重,更是为了保障他们的心理健康和全面发展。

首先,要认识到自闭症青少年在社交互动和沟通表达上可能存在的困难。他们可能很难理解和应对复杂的社会规则和人际关系,因此,在公共场合或他人面前谈论敏感话题,可能会给他们带来不必要的压力和困扰。为了营造安全、舒适的学习环境,要避免在不适宜的场合讨论与性教育相关的敏感话题。

其次,尊重自闭症青少年的隐私权意味着不强迫他们回答问题。每个个体都有权决定自己是否分享个人信息以及分享多少个人信息,尤其是在涉及个人隐私的话题上。强迫自闭症青少年回答问题可能会让他们感到被侵犯,甚至可能导致他们产生逃避或抵触的情绪。因此,在进行性教育时,我们应该采用引导而非强迫的方式,鼓励他们主动分享自己的想法和感受。

为了更好地实践尊重隐私这一原则,我们可以采取以下措施:首先,选择一个安全、私密的环境进行性教育,避免在公共场合或有他人在场的情况下进行。其次,使用简单易懂的语言和图像来解释与性教育相关的知识,以便自闭症青少年能够更好地理解和接受。然后,我们还可以结合具体的例子和情境来教授性教育的知识,使内容更加生动、有趣。最后,我们还需要关注自闭症青少年在性教育过程中的反应和需求。他们可能需要更多的时间来理解和接受新知识,也可能需要更多的支持和指导来处理自己的情感和困惑。因此,我们应该保持耐心和理解,随时准备为他们提供必要的帮助和支持。

总之,尊重自闭症青少年的隐私权是对其进行性教育的重要原则之一。我们应该注重保护他们的隐私和尊严,为他们创造一个安全、舒适的学习环境。同时,还需要关注他们的需求和反应,提供个性化的指导和支持,以促进他们的全面发展。通过我们的努力和关爱,相信每个自闭症青少年都能够健康、快乐地成长。

(三)建立信任关系

建立一个安全、信任的关系对自闭症青少年来说无疑是重要的。这种关系不仅是他们情感交流的基础,更是他们愿意敞开心扉、分享内心感受和想法的重要前提。在自闭症青少年成长的过程中,他们往往面临着沟通障碍、社交困难等问题,这使得他们很难与他人建立深入的联系。因此,我们需要更加耐心地与他们交往,努力营造让他们感到安全、舒适的环境。

首先,要尊重自闭症青少年的个性和需求。他们可能有着独特的兴趣爱好、行为方式和表达方式,我们需要理解并接受这些差异,而不是试图改变他们。其次,要尽可能地了解他们的喜恶,以便在交往中避免触发他们的负面情绪。然后,我们需要用真诚的态度去对待自闭症青少年。与他们交流时,要保持平和、友善的语气,避免使用过于严厉或命令式的言语。我们还要尽可能多地表达对他们的关心和支持,让他们感受到我们的善意和诚意。最后,可以借助一些专业的技巧和工具来增强与自闭症青少年的互动效果。例如,可以利用视觉辅助工具来帮助他们更好地理解我们的意图和表达,还可以采用一些游戏和活动来增进彼此之间的默契和信任。

通过建立安全、信任的关系，我们可以让自闭症青少年感受到我们的理解和接纳，从而激发他们的积极性和自信心。在这样的关系中，他们会更愿意分享自己的感受和想法，这对他们的心理健康和成长发展有着积极的影响。

（四）提供适当的资源

要为自闭症青少年提供适当的性教育资源，例如书籍、网络资源、应用程序等，这可以帮助他们更好地了解自己的身体和性健康知识。在关注自闭症青少年的教育与发展过程中，我们不仅要重视提升他们的认知、情感和社会交往能力，还需要特别关注他们的性教育问题。为自闭症青少年提供适当的性教育资源，是帮助他们了解自己的身体、促进性健康知识普及的重要一环。

首先，书籍是性教育资源的重要载体。针对自闭症青少年的特殊需求，我们可以选择那些图文并茂、内容深入浅出的书籍。这些书籍以生动的图片和简洁的文字，向孩子们展示人体的奥秘、性别的差异以及生殖健康等方面的知识。此外，一些书中还会穿插一些有趣的故事，帮助孩子们更好地理解性教育的重要性。

其次，随着互联网的普及，网站和应用程序也成为性教育的重要平台。这些资源通常具有交互性强、信息更新快的特点，可以为自闭症青少年提供更加丰富多样的学习体验。例如，一些专门为青少年设计的性教育网站，通过动画、游戏等形式，让孩子们在轻松愉快的氛围中掌握性知识。同时，一些应用程序还可以提供个性化的学习路径，根据个体的兴趣和进度推荐学习资源，使学习更加高效。

常见的网络资源推荐如下：

- Autism Speaks – Puberty and Sexuality Resources 提供了一系列关于青春期和性教育的资源，包括视频、文章和指南，可以帮助自闭症青少年及其家庭应对这一阶段的变化。
- Teaching Sexual Health – Autism Spectrum Disorder Resources 提供了多种

专门针对自闭症青少年的教育资源和课程计划，涵盖从身体变化到情感发展的各个方面。
- Autistic Self Advocacy Network（ASAN）- Sexual Health Resources 提供了自闭症个体的性教育资源，帮助他们理解性健康、关系和自我保护等重要主题。

最后，除了书籍和在线资源，我们还可以考虑将性教育融入日常生活和教学中。例如，在学校的课程中加入性教育的内容，通过老师的讲解和引导，帮助孩子们形成正确的性观念。此外，家长可以在日常生活中与孩子就性话题开展交流，解答他们的疑惑，引导他们健康成长。

在提供性教育资源时，还要注意以下几点：一是要确保资源的科学性和准确性，避免误导；二是要关注资源的适用性和可操作性，确保自闭症青少年能够轻松理解和使用；三是要尊重个体的隐私和自主权，避免强制他们接受性教育。

总之，为自闭症青少年提供适当的性教育资源是一项重要而艰巨的任务。我们需要从多方面入手，为自闭症青少年创造安全、健康、愉快的成长环境。只有这样，才能帮助他们更好地了解自己、认识世界，成为具有健全人格和良好性观念的个体。

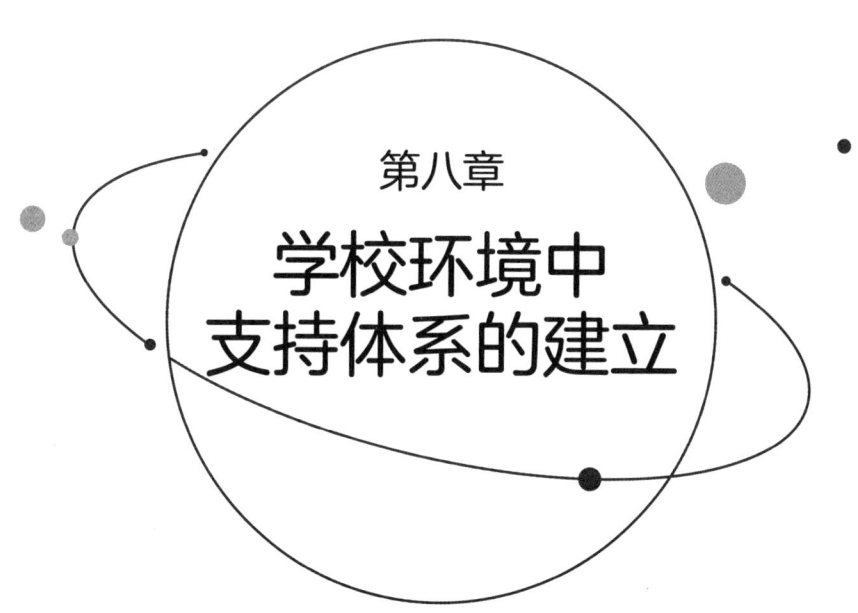

第八章

学校环境中
支持体系的建立

在学校环境中，自闭症儿童面临独特的挑战，这些挑战可能影响他们的学习、社交互动和整体健康。建立一个针对他们特定需求的支持性的学校环境，有助于最大限度地发掘其潜力，并促进其学业进步和社交技能发展。本章探讨学校范围内为自闭症儿童提供支持的环境策略和干预措施。

第一节 学校环境中的挑战

对自闭症儿童而言,学校环境可能令人难以应对,其中的感官刺激、社交期望和学业要求等构成多重压力源。了解他们在这个环境中面临的具体挑战,是制定并实施有效支持策略的前提。

一、感官刺激

在自闭症儿童的世界中,感觉刺激往往扮演着一个复杂而关键的角色。许多自闭症儿童对诸如噪声、光线、纹理和气味等感觉刺激表现出高度的敏感性[1][2]。对普通人来说这种敏感性可能只是微不足道的细节,但对这些儿童来说,可能引发一系列的情绪和行为反应。

我们得先弄明白自闭症儿童的感觉敏感性是如何影响他们的日常生活的。这些孩子可能对多种声音、光线、触摸和气味感到极度敏感或不适。在人群中,突然传来的噪声可能会让他们感到惊恐不安;明亮的灯光可能会让他们感到刺眼、不适;粗糙的纹理或刺鼻的气味则可能让他们感到极度反感。这些刺激可能导致他们的感觉系统"超载",从而引发焦虑、烦躁,甚至是攻击行为。

在学校这个特殊的环境中,自闭症儿童面临的挑战尤为严峻。学校通常是

---

[1] Christopher S. Touch hypersensitivity in children with autism–An analysis [J]. International Journal of Research and Analytical Reviews, 2019, 6 (2): 616–622.

[2] Güçlü B, Tanidir C, Mukaddes N M, et al. Tactile sensitivity of normal and autistic children [J]. Somatosensory & Motor Research, 2007, 24 (1–2): 21–33.

一个充满活力和刺激的场所，明亮的灯光、嘈杂的声音和拥挤的空间是常态。然而，这些可能正是自闭症儿童难以适应的。他们可能难以在这样的环境中保持冷静和专注，更别提有效地参与学习活动和完成课堂任务了。

自闭症儿童在感觉处理方面可能存在差异。有些孩子可能过于敏感，即便是轻微的感觉刺激，也会反应强烈；而有些儿童则可能感觉迟钝，对强烈的刺激也毫无反应。这种差异使得他们在面对外界刺激时，要么容易过载，要么难以获取足够的信息。无论是哪种情况，都可能影响他们的学习和社交。

因此，了解每个自闭症儿童特定的感觉偏好和厌恶，是创建一个能促进舒适度并减少焦虑感的环境的前提条件。例如，学校可以通过调整教室的照明和声音水平，减少不必要的刺激；同时，可以为孩子们提供专门的感觉区域，允许他们在需要时暂时逃离喧嚣，进行自我调节。在教育实践中，教师和家长要充分认识到自闭症儿童的感觉敏感性，并学会以理解和包容的态度来对待他们。他们可以通过观察儿童的行为和反应，了解他们的感觉偏好和厌恶，从而为他们创建一个更加舒适和更有利于学习的环境。

总之，自闭症儿童的感觉敏感性是一个复杂而重要的议题。我们需要深入了解每个儿童的感觉特点，并采取措施帮助他们更好地应对外界刺激。只有这样，我们才能为这些儿童创建一个包容、理解、安全和支持的学习环境，帮助他们更好地融入社会，实现自我发展。

二、社交困难

自闭症儿童在社交交流方面往往面临着独特的挑战。他们可能难以理解那些微妙而重要的社交线索，如面部表情、身体语言和语调，这些线索在普通人的日常交往中起着重要的作用。由于缺乏对这些线索的敏感度和理解，自闭症儿童在与他人建立和维持关系时可能遭遇困难。

这种挑战不仅表现在与成人的交往中，更体现在与同龄人的互动上。自闭症儿童在表达自己的需要、感受和想法时，可能会遇到种种困难。他们可能不知道如何准确表达自己的需求，或者在情绪高涨时无法有效传达自己的感受。此外，他们可能不习惯或不理解使用非言语沟通方式，如眼神交流、手势和面部表情等，这使得他们在与他人沟通时显得格格不入。

更为复杂的是，自闭症儿童可能难以理解隐含的社交规则或期望。在正常的社交场合中，人们往往遵循一系列约定俗成的规则，如尊重他人、保持礼貌、分享和合作等。然而，对自闭症儿童来说，这些规则可能显得模糊而难以捉摸。他们可能不明白为什么在某些情况下需要保持安静，或者在什么时候应该主动帮助别人。这种对社交规则的不理解可能导致他们在社交场合中出现不适当的行为，从而进一步加剧了他们在建立友谊方面的困难。

这种社会交流的差异对自闭症儿童的社交发展产生了深远的影响。他们可能难以与同龄人建立深厚的友谊，或者在社交活动中感到孤立和无助。这种情况不仅会影响他们的情感需求和心理健康，还可能对他们的学业和未来产生负面影响。

然而，值得注意的是，虽然自闭症儿童在社会交流方面面临挑战，但这并不意味着他们无法与他人建立联系。通过有针对性的干预和支持，我们可以帮助他们提高社交技能，增强他们的沟通能力，从而更好地融入社会。例如，通过教育和培训，可以教他们如何识别和理解面部表情、身体语言和语调等社交线索；通过角色扮演和模拟情境，可以帮助他们学习如何在不同的社交场合中表现得体；通过提供情感支持和理解，可以帮助他们建立自信和自尊，从而更好地面对社交挑战。

总之，虽然自闭症儿童在社会交流方面确实存在困难，但他们也可以与他人建立联系。我们可以采取一系列措施，帮助他们应对学校环境中的社交挑战，从而实现全面和健康的发展。

三、学业困难

学业上的表现是众多自闭症儿童家长最为关心,也最为头疼的事情。事实上,学业对自闭症儿童来说也是具有挑战性的事情。自闭症儿童出现学业困难有诸多原因,最常见的有以下三方面。

(一)执行功能困难

学业表现通常涉及需要强大的执行功能技能的任务,如组织学习材料、有效管理时间以满足截止日期,并适应日程安排的变化。自闭症儿童可能在计划、组织和灵活思维方面存在困难,导致执行任务过程中的困难[1][2]。例如,他们可能发现将任务分解为可管理的步骤或优先处理任务具有挑战性。

(二)沟通的挑战

好的学业表现依赖于有效的沟通技巧,无论是口头的还是非口头的。自闭症儿童可能难以理解复杂的口头说明,或者难以清晰地表达他们的想法和观点,这可能会妨碍他们参与课堂活动,以及进行课程互动。因此,他们可能需要额外的支持来解读学术内容并表达他们的理解。

(三)学习偏好

学校学习通常会强调某些教学方法。然而,这些方法可能并不总是符合自

---

[1] Robinson S, Goddard L, Dritschel B, et al. Executive functions in children with autism spectrum disorders [J]. Brain and Cognition, 2009, 71 (3): 362-368.
[2] O'Hearn K, Asato M, Ordaz S, et al. Neurodevelopment and executive function in autism[J]. Development and Psychopathology, 2008, 20 (4): 1103-1132.

闭症儿童的多样化学习偏好。一些人可能擅长视觉学习,从图表和其他视觉辅助工具中受益,而另一些人可能更擅长实践操作,从体验式学习中蓬勃发展。将教学策略与自闭症儿童个体的学习偏好相匹配,可以增强他们对学业学习的参与和理解。

通过识别和解决与学术期望相关的挑战,教育工作者和支持人员可以实施量身定制的策略和适应措施,以促进自闭症儿童的学业成功。这可能包括提供视觉日程表和图形组织者策略来支持执行功能技能,利用诸如视觉支持或辅助技术等替代性沟通方法,并将实践性的、互动式的学习机会纳入课程。通过个性化的教育方法,自闭症儿童可以获得他们需要的支持,来实现他们的全部学业潜力并在学校环境中蓬勃发展。

第二节 学校物理环境的改变

学校的物理环境在塑造所有学生的学习体验方面扮演着重要角色,包括自闭症儿童的学习体验。一个设计良好的环境可以促进包容性,支持感官需求,并促进自闭症儿童的学习。我们将探索设计和改造学校空间的策略,通过物理设施的改变来为自闭症儿童创造支持性的、包容性的环境。学校物理环境的改变有以下三方面的内容。

一、室内设计改造的总体标准

自闭症个体通常会在与周边环境的相互作用中遇到挑战。众多研究指出，感官刺激的异常感知和环境信息处理的改变构成了自闭症的核心问题之一。DSM-Ⅴ也突出了自闭症个体对环境刺激异常感官反应的特征，纳入了先前版本未涵盖的行为特征，如对感官输入的过度或不足反应，以及对环境中某些感官的异常兴趣（例如，对某些声音或纹理的不良反应，对物体的过度嗅觉或触觉探索，以及对光线或动态视觉刺激的迷恋）。

如今，基于非典型神经功能群体的特殊需要重新思考居住、学习环境的必要性，在城市规划和设计领域变得日益重要。因此，探讨环境中的建筑设计如何影响自闭症儿童，以及如何重新设计和优化环境，以增强他们的自理能力并提升整体生活质量，显得尤为重要。朱莉娅·托拉（Giulia Tola）等人总结了室内设计要点[1]，见表8-1。

表8-1 针对自闭症儿童的室内设计要点

设计标准	空间要求和设计建议
	感官品质
低唤醒环境	**一、视觉刺激** • 通过使用储物柜、架子和橱柜来组织空间，减少杂乱。 • 尽量减少视觉刺激和装饰细节，清除不必要的干扰视觉的材料。 • 避免在教室的墙上安装太多的窗户，外面的景色会让人分心。

---

[1] Tola G, Talu V, Congiu T, et al. Built environment design and people with autism spectrum disorder (ASD): A scoping review [J]. International Journal of Environmental Research and Public Health, 2021, 18 (6): 3203.

(续表)

设计标准	空间要求和设计建议
低唤醒环境	**照明** 1. 优先选择自然采光(避免阳光直射)和通风。 2. 避免荧光灯,因为荧光灯在视觉上会闪烁,在听觉上会发出低沉的嗡嗡声,优先考虑使用 LED 灯。 3. 采用可调节强度的照明灯具,以避免眩光。 4. 提供充足的树阴和遮荫设施,因为自闭症儿童通常对光照比较敏感。 5. 安装避免视觉干扰和限制眩光效应的窗户。 **材料和纹理** 1. 使用有限数量的、不反光的材料。 2. 选用坚固耐用、与家用材料相似的材料,以避免环境过于刻板和僵化。 3. 使用表面光滑、宽大(阔)的材料。 **颜色** 1. 偏爱柔和、自然的色彩。白色、米白色和淡粉色是最受欢迎的选择(但也不能一概而论,因为这取决于使用者的功能水平及其性格/感官偏好)。 2. 限制色彩对比。 3. 使用植物来分隔不同功能的环境,这些不同功能的环境也具有不同的感官刺激水平(例如,在道路上使用柔和的色彩,而只在节点处使用明亮的色彩)。 **二、听觉刺激** **地板** 1. 使用防震和吸音地板(如松木这样的天然软质木料,或者某些吸音乙烯基材料、软质木板)。 2. 使用地毯和木制家具。 **墙壁和屋顶** 1. 在建筑物外墙周边采用降噪技术,特别是如果建筑物位于高噪声源(交通繁忙的街道、邻近公园或学校等公共场所)附近。 2. 避免采用高天花板。

(续表)

设计标准	空间要求和设计建议
低唤醒环境	3. 提供厚实或隔音的墙壁,例如沿墙壁安装隔音镶板,采用中性色调的颜色,并且没有任何尖锐的边缘以减少回声。 4. 尽可能建造绿色屋顶,以减少雨水的影响。 背景噪声 1. 确保不同房间之间有良好的隔音效果。 2. 安装效率更高、噪声更小的风扇,风扇的开关采用手动操作,以避免突然启动。 3. 在卧室或语言治疗室等对音质要求较高的地方,减少窗户的数量和大小;也可以使用双层或三层玻璃窗和厚窗帘。 4. 避免"温室"效应,并提供一系列可以根据活动需要逐渐变化的声学改良房间,以帮助儿童泛化听力技能,而不是依赖于最佳声学质量。 三、嗅觉刺激 空气质量 为嗅觉敏感者提供良好的通风条件。 植被 避免有异味的植物。
过渡空间	1. 在不同活动/空间之间提供过渡元素和区域,以允许个人在体验不同的功能和感官刺激水平的环境之前,调整自己或重新平衡感官刺激。 2. 确定活动顺序,慢慢引入活动元素。 3. 设计缓冲区,如花园和室外学习空间,作为过渡区,让学生在从高刺激功能转入低刺激、高关注度活动时重新调整感官。 4. 根据感官分区而不是传统的功能分区对活动进行分组;这意味着将感官相容(compatible functions)的功能放在一起(例如,将音乐、美术、手工和心理运动疗法等"高刺激"功能放在一起,而将言语疗法、一对一教学和普通教室等需要高度集中的"低刺激"功能放在一起)。

（续表）

设计标准	空间要求和设计建议
过渡空间	5. 根据不同的刺激水平将室外区域划分为不同的感官区域。 6. 通过将教室甚至整幢楼房划分为不同的区域（家具布置，如书柜；不同的地面材料，如彩色胶带或方块地毯；不同的水平面；不同的照明），明确区分不同的活动/感官区域。 7. 避免多功能区和模糊区，以减少感官混乱。
安静的空间	为一对一的教学或互动提供平静和舒缓的空间，使他们从紧张的环境中解脱出来，这些空间应该满足以下条件。 1. 从感官的角度来说，这些空间应小而中性，尽量减少干扰。 2. 能看到周围的空间，也便于监督。 3. 采用不同的设计方案，在感官上与主空间进行部分分隔：室外空间的植被、教室书柜的位置、彩色遮蔽胶带标记的区域或区域地毯的摆放。 4. 可提供必要的感官输入。 5. 将"困难环境"定位为专为自闭症儿童设计的、紧邻教室的餐厅，这样他们可以优先进入，并在感到不适时随时离开。
空间布局简洁明了	1. 设计一个简单的，定义明确的空间布局。 2. 相比于传统的走廊，更倾向于多功能的开放空间，以便使用不同的空间。
视觉关系	1. 确保不同环境、建筑内外以及教室之间良好的视觉关系，让老师看到学生何时开始烦躁或焦虑。 2. 组织空间时要考虑对不同的环境进行监督。 3. 划定户外娱乐区域。
可预测性和常规	1. 强调秩序、顺序和常规，按照"单向"循环安排来组织活动和功能。 2. 为学生做好准备，让他们了解课程表上的安排是什么，比如利用视觉日程表来定位，使用视觉辅助工具为在不同环境中进行的活动提供说明，通过命名走廊和使用彩色区域、标志和编号系统来提供活动指导。

(续表)

设计标准	空间要求和设计建议
可预测性和常规	3. 墙壁优先选择曲面:角落可能隐藏危险或意外的事物/情况,并传达一种不安的感觉。 4. 在室外环境中加入一些连贯的元素(树篱、石墙),以创造可预测的模式。
活动空间和选择机会	1. 提供选择的机会和不同层次的社会交往机会,包括个人空间(可容纳两三个人的小团体)和集体空间,前者可增强亲近感、亲密感和安全感,后者可用于工作和休闲。 2. 在教室里增加额外的空间,让自闭症儿童有更多的私人空间。 3. 提供分层空间,中央宽敞的流通空间让儿童可以决定去哪里,并直接与教室相连。 4. 将操场分成不同的小区域,让儿童可以选择去处,避免拥挤;允许从教室(特别是自闭症儿童专用班级)直接进入该区域。
比例和倾向	1. 设计合适的空间比例,天花板不要太小或太低,因为会传达一种压抑感,但也不要过大或太高。 2. 避免太大的开放空间或太长的走廊(特别是当与非吸声材料结合时,以避免产生回声)。
视觉支持	1. 使用可视化日程表(通常基于"图片交换沟通系统",即PECS),有助于学生将学习从教室过渡到其他地方。 2. 采用视觉支持(图像、文字、颜色):(1)提供有关不同空间的使用方法和功能的信息;(2)指示如何使用某些游戏和物品(如家用电器、电源插座、窗户、门等潜在危险物品);(3)报告潜在的重要位置或设施(如楼梯或斜坡)。
路标	1. 提供地图,利用彩色编码和标签创建明显的路径,有助于确定方向。 2. 通过在地板、墙壁、门等地方添加植物和颜色来增强视觉效果,更容易辨认和查找不同的活动、空间和感官区域。

二、室内设计改造的具体案例

基于一些普遍的设计原则,结合每所幼儿园或学校的实际情况,我们可以对现有的设施进行改造,使其更好地适应自闭症儿童。

(一)辅具的使用

自闭症辅具是指为了帮助自闭症儿童在日常生活中更好地应对挑战而设计和制作的各种工具和设备[1]。这些辅具旨在促进他们的社会交流、感觉处理、行为管理、教育和日常生活技能等方面的发展和改善。通过提供适当的支持和辅具,可以提高自闭症儿童的生活质量、独立性和社会融合能力。

(二)辅具的作用

自闭症相关的辅助设备在支持自闭症个体方面发挥着重要的作用。这些设备通过各种方式提供支持,其作用如下。

第一,促进沟通。辅助设备可以帮助无语言或有沟通困难的个体表达他们的需求、想法和感受,从而改善他们的社会交流能力。第二,调节感觉。许多自闭症个体对感觉刺激有不同的反应,辅助设备可以帮助他们管理感觉输入,减少不适和焦虑,从而提高他们的舒适度和自我调节能力。第三,管理行为。辅助设备可以帮助个体学会管理挑战性行为,并建立积极的行为模式,从而提升他们的生活质量和社会适应能力。第四,支持教育。在教育环境中,这些设备可以提供额外的支持,帮助个体更好地理解和参与学习活动,从而促进他们的学业成就和个人发展。第五,提升日常生活技能。通过提供日常生活技能训练和支持,辅助设备可以帮助自闭症个体独立完成日常任务,增强他们的自主性

---

[1] Daud S, Maria M, Shahbodin F, et al. Assistive technology for autism spectrum disorder: a review of literature [C]. Proceedings of International MEDLIT Conference. 2018: 1-7.

和生活自理能力。

总的来说，自闭症相关的辅助设备在帮助个体克服各种困难，提高生活质量，以及促进他们的发展和社会融合方面发挥着关键作用。

（三）辅具类型

辅具是帮助自闭症儿童改善生活质量和提高功能性能力的一种工具。以下是针对自闭症儿童的常见的辅具。

1. 沟通辅具

辅助沟通设备可以帮助自闭症个体表达他们的需求、想法和感受。

（1）扩大和替代沟通

扩大和替代沟通（augmentative and alternative communication，简称 AAC）设备旨在帮助那些由于各种原因无法使用口头语言有效沟通的人进行交流。这些设备可以采用文字、图片、符号、手势、声音等方式来辅助或替代语言表达，使用户能够更轻松地与他人进行沟通。随着科技的发展，AAC 设备不断演进，从简单的通信板到复杂的脑机接口，它在提高沟通障碍者生活质量方面发挥着重要作用[1][2][3]。

（2）图片交换沟通系统

图片交换沟通系统（picture exchange communication system，简称 PECS）是

---

[1] Iacono T, Trembath D, Erickson S. The role of augmentative and alternative communication for children with autism: current status and future trends [J]. Neuropsychiatric Disease and Treatment, 2016: 2349-2361.

[2] Schlosser R W, Wendt O. Effects of augmentative and alternative communication intervention on speech production in children with autism: A systematic review [J]. 2008.

[3] Ganz J B, Earles-Vollrath T L, Heath A K, et al. A meta-analysis of single case research studies on aided augmentative and alternative communication systems with individuals with autism spectrum disorders[J]. Journal of Autism and Developmental Disorders, 2012, 42: 60-74.

一种基于图片的 AAC 方法，旨在帮助没有口头语言能力或有限语言能力的个体进行有效的沟通。PECS 系统使用一系列图像卡片，用户可以通过选择适当的图像卡片来表达需求、感受或想法。用户可以将所选的图片递给沟通对象，从而传达自己的意图[1][2]。

PECS 通常包括六个阶段，用户通过逐步学习如何使用图像卡片来建立有效的沟通技能。这个过程通常需要个体和支持者共同努力，以确保用户能够熟练地运用 PECS 进行沟通。PECS 被广泛应用于自闭症儿童、智力障碍者、语言发育迟缓者等群体，以帮助他们更好地表达自己和参与社交互动。

小知识

PECS 的六个阶段

阶段一：交换图片。

目标是让学习者了解通过交换图片，可以获得他们想要的物品或想参加的活动。在此阶段，通常由两个人协助：一个是"沟通伙伴"（通常是老师或家长），持有学习者想要的物品；另一个是"促进者"，帮助引导学习者将图片递交给沟通伙伴。此过程强化了交流的基本概念，即通过交换图片来获得期望的结果。

阶段二：扩大自发性。

学习者在更广泛的环境中使用图片进行交流，并在不同的地点与不同的人员进行图片交换。目标是使学习者能够在没有成人提示的情况下自发地交换图片。

阶段三：图片辨别。

学习者面前会有两张或更多的图片，要求他们选择一张来代表他们想要的

---

[1] Charlop-Christy M H, Carpenter M, Le L, et al. Using the picture exchange communication system (PECS) with children with autism: Assessment of PECS acquisition, speech, social-communicative behavior, and problem behavior[J]. Journal of applied behavior analysis, 2002, 35 (3): 213−231.

[2] Flippin M, Reszka S, Watson L R. Effectiveness of the Picture Exchange Communication System (PECS) on communication and speech for children with autism spectrum disorders: A meta-analysis[J]. 2010.

物品或活动。这一阶段的目标是教会学习者区分并选择正确的图片，增强他们对不同图片符号的理解。

阶段四：句子结构。

这个时候不是用一张图片了，而是要使用两张图片构造成为一句句子，如"我要××"。

学习者拿起表示"我要"的图片放在句子条的左边，再选出他想要物品的图片放在句子条的右边，用句子条跟沟通伙伴来进行交换和沟通，学习者的句子结构就会更加完整。

阶段五：回答问题。

学习者学习回答"你想要什么？"等简单问题。他们使用句子条和所需物品的图片来回应这些问题，开始参与简单的互动交流，锻炼应答能力。

阶段六：评论和互动。

这一阶段专注于更复杂的沟通形式，教师鼓励学生不只是请求，还要评论事物或活动。学习者可以使用句子条，以结构化的句子参与会话（如"我看到""我喜欢"）。这一阶段促进了学习者进行多方面的对话，包括询问和评论。

2. 感觉统合辅具

许多自闭症儿童通常存在感觉过敏，或者通常会寻求额外的感官刺激。感觉统合设备能够协助调整感官信息，并有助于提升使用者的舒适度[1]。常见的感觉统合训练工具如下。

（1）重力毯和重力背心

重力毯和重力背心都是利用深度压力刺激来提供舒适感并产生情绪调节效

---

[1] Smith T, Mruzek D W, Mozingo D. Sensory integration therapy [M]. Controversial therapies for autism and intellectual disabilities. Routledge, 2015: 247-269.

果的产品[1]。

重力毯是一种类似毯子的产品,内部填充有重物,例如玻璃珠或塑料颗粒,以提供均匀的压力(见图 8-1)。当人们使用重力毯时,适当的深度压力刺激可以刺激身体的深压感受神经元,从而促进身体的放松和情绪的稳定。重力毯通常被用于帮助那些有焦虑、失眠、自闭症、注意缺陷/多动障碍的群体改善睡眠质量,并进行情绪管理。

图 8-1　重力毯

重力背心与重力毯类似,但是它的设计是背心的形状,方便用户携带和使用。重力背心也具有提供深度压力刺激的功能,可以在日常生活中穿着,提供持续的深度压力感受。重力背心通常被用于调节情绪、缓解焦虑和保持注意力集中等。

这些重力产品在提供深度压力刺激的同时,也需要根据个体的情况和需求来选择合适的重力压力和使用方法。如果对使用这些产品有兴趣,建议咨询专业医疗保健人员或康复治疗专家,以获得更准确的建议和指导。

(2)放松玩具

放松玩具用于帮助人们减轻焦虑、压力并感到放松。这些玩具可以采用各

---

[1] Parker E, Koscinski C. The weighted blanket guide: Everything you need to know about weighted blankets and deep pressure for autism, chronic pain, and other conditions [M]. Jessica Kingsley Publishers, 2016.

种形式和材质,如柔软的布料、弹性材料、水晶球、橡胶材料等。常见的放松玩具包括按摩球、抗压泡泡包、揉捏玩具等(见图8-2),它们的设计旨在提供舒适的手感和愉悦的感觉,帮助用户缓解压力并放松身心。这些玩具通常被用于调节情绪、缓解焦虑、保持注意力集中等,在办公室、学校或家庭环境中都有广泛的应用。

 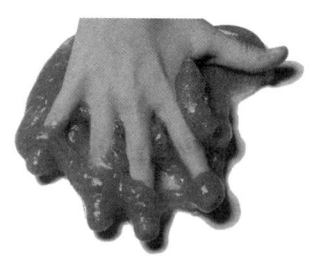

图8-2　放松玩具

(3)降噪耳机

降噪耳机是一种专门设计用来减少环境噪声对听觉干扰的耳机[1]。这种耳机内置了特殊的降噪技术,能够主动捕捉并抵消外部环境中的噪声,从而为用户提供更安静、更清晰的听觉体验(见图8-3)。降噪耳机通过微型麦克风来捕捉周围环境的噪声信号,然后利用逆相位音频信号来屏蔽这些噪声,让用户只能听到音乐或其他想要听的声音,有效降低外界环境带来的干扰。这种技术对于在嘈杂环境下工作、学习或旅行的人们非常有用,可以提高人们的专注度,为人们提供更好的音频体验并降低人们对噪声的敏感度。

降噪耳机主要有两种类型:主动降噪耳机与被动降噪耳机。主动降噪耳机内置了电子元件来对抗外界噪声,而被动降噪耳机则依赖耳机本身的物理结构

---

[1] Ikuta N, Iwanaga R, Tokunaga A, et al. Effectiveness of earmuffs and noise-cancelling headphones for coping with hyper-reactivity to auditory stimuli in children with autism spectrum disorder: A preliminary study[J]. Hong Kong Journal of Occupational Therapy, 2016, 28 (1): 24–32.

(例如密封式耳塞设计)来隔绝噪声。无论哪种类型的降噪耳机,都可以帮助用户在各种环境中更好地享受音乐、专注工作或放松身心[1][2]。

图 8-3 降噪耳机

3. 行为管理工具

自闭症行为管理工具是专门用来帮助自闭症儿童及其家庭应对和管理自闭症相关行为的资源、技术或方法(见图 8-4)。这些工具旨在提供支持和指导,帮助儿童提高社交技能和情绪管理能力,并促进其在学习和生活中的参与度和独立性。

图 8-4 行为管理工具

(1)视觉日程表

视觉日程表是一种以图像形式呈现的日程安排工具,旨在帮助人们更直观

---

[1] Attwood, Anthony. The complete guide to Asperger's syndrome [M]. Jessica Kingsley Publishers, 2006.
[2] Pfeiffer B, Stein Duker L, Murphy A M, et al. Effectiveness of noise-attenuating headphones on physiological responses for children with autism spectrum disorders [J]. Frontiers in Integrative Neuroscience, 2019, 13: 65.

地理解和规划他们的时间。这种工具通常采用图表、符号、颜色等视觉元素，将任务、活动等安排在时间轴上，使用户的日程安排一目了然。常见的视觉日程表包括墙上贴画式日历、白板日程表、桌面日历等，也可以通过电子设备或应用程序来创建和管理[1][2]（见图8-5）。

视觉日程表的优势在于它能够通过视觉化的方式提供信息，对于视觉学习者或文字信息不敏感的人来说尤其有用。它可以帮助用户更容易理解时间的流逝和任务的安排，从而提高时间管理的效率和准确性。

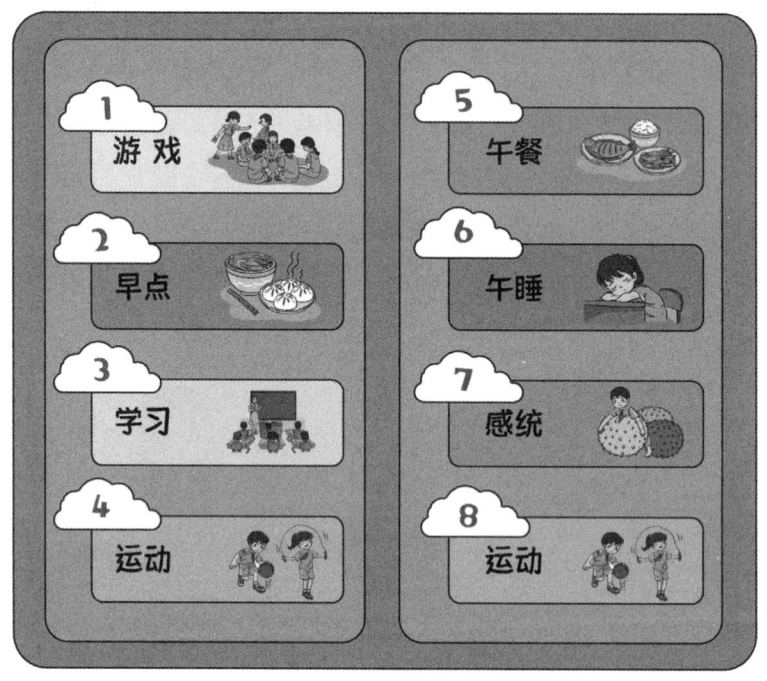

图8-5　视觉日程表

---

[1] Macdonald L, Trembath D, Ashburner J, et al. The use of visual schedules and work systems to increase the on-task behaviour of students on the autism spectrum in mainstream classrooms[J]. Journal of Research in Special Educational Needs, 2018, 18 (4): 254-266.

[2] Bryan L C, Gast D L. Teaching on-task and on-schedule behaviors to high-functioning children with autism via picture activity schedules[J]. Journal of Autism and Developmental Disorders, 2000, 30: 553-567.

（2）计分板

计分板是一种管理系统，它通过记录个体表现出的期望行为来获得积分或贴纸，并且这些积分或贴纸可以用于兑换奖励。这一系统的设计旨在促进积极行为的培养和自我管理能力的提高。在家庭、学校或其他环境中，计分板可以作为一种有效的工具，帮助管理者跟踪和激励个体的行为表现，促进他们的成长和发展。通过设定清晰的奖励机制和记录系统，计分板可以帮助个体建立良好的行为习惯，并激发个体的动力和责任感。

（3）行为跟踪应用程序

行为跟踪应用程序是一种工具，旨在帮助护理人员和治疗师监测个体的行为模式，并识别可能的触发因素或趋势。这些应用程序通常提供记录功能，允许用户输入行为数据、情绪状态和其他相关信息，并生成可视化报告或图表，以便更好地理解和分析个体的行为模式。通过使用行为跟踪应用程序，护理人员和治疗师可以更有效地管理个体的行为问题，制订更有针对性的干预措施，并促进个体的发展和进步。

4. 教育支持辅具

教育环境中的辅助设备可以增强学习体验并支持学术成功。常见的辅具如下。

（1）视觉辅助工具

视觉辅助工具如图形组织者、视觉计时器和交互式白板，旨在为个体理解概念和完成任务提供视觉支持。这些工具通过图形化的信息展示、时间管理和互动性功能，帮助用户更好地理解复杂概念，遵循指示，以及有效地组织任务和信息。对于需要视觉辅助的个体，这些工具可以提供重要的支持，促进其学习和工作效率。

（2）教育应用程序

教育应用程序是一种专门设计的交互式软件程序，以多感官的方式教授特定技能或概念。这些应用程序通过结合视觉、听觉、触觉等多种感官元素，帮助用户更全面地理解知识，并提升他们的学习效果。教育应用程序通常包含各种交互式内容,如视频、游戏、测验等,可以使学习过程更加生动有趣。通过教育应用程序,用户可以以自主、灵活的方式学习,提高对特定领域知识和技能的掌握水平。

5. 日常生活辅具

日常生活辅助工具可以帮助自闭症个体发展独立生活技能并执行日常任务。常见的辅具如下。

(1) 视觉任务提示

视觉任务提示是一种逐步的视觉指南,旨在帮助个体完成任务,如刷牙、穿衣或做家务。这些提示通常采用图形化的方式呈现,以简明清晰的步骤指导用户完成任务,特别适用于需要视觉支持的个体,可以有效地帮助他们独立完成日常生活中的任务(见图8-6)。

图 8-6 视觉任务提示

（2）适应性餐具和工具

适应性餐具和工具是用于协助进食、梳洗或其他日常活动的调整工具或餐具。这些工具和餐具通常根据个体的需求和能力进行定制，旨在提供支持和便利，帮助使用者更轻松地完成日常生活中的各种活动。适应性餐具和工具的设计可能包括增加握持力的手柄，改变器具的形状或大小，或者提供其他辅助功能，以满足使用者的特定需求。

以上只是支持自闭症个体在生活中各个方面的辅助设备的广泛范例。具体设备的选择取决于个体的需求、偏好和目标，并可能需要护理人员、教育者、治疗师和其他专业人员的参与。

第三节 学校人文环境的改变

学校是儿童成长的重要场域，学校的人文环境对自闭症学生的整体福祉和全面发展影响深远。一个充满人文关怀、能够理解和满足自闭症学生需求的学校环境，是确保这些学生获得必要支持和资源以发展学业、社会和情感潜能的关键。因此，创建一个能促进自闭症学生成功和满足所有学生需求的包容性的学习环境，应当成为追求高质量教育的学校的核心使命。

一、接纳神经多样性

神经多样性是一种理念，认为大脑功能和发展的差异是一种自然现象，类似于生物多样性。这一理念强调每个人的大脑都以独特的方式来处理信息、思考和互动，无论其神经发育是正常的还是存在差异，如自闭症、注意缺陷/多动障碍等。神经多样性观点认为，不同的大脑工作方式可以为社会和文化带来不同的优势，而且强调重视并支持一切类型的大脑工作方式。这意味着要尊重和包容所有的认知差异，不以主流标准来判断个体，而是倡导接纳和尊重每个人的独特思维方式。

在教育领域，神经多样性理念鼓励学校和教育者制订个性化的支持方案，以满足不同认知风格和学习需求的学生。它强调重视每个学生的优势并根据其需求提供支持，以促进他们的发展和学习。在学校环境中，这一原则要求教育工作者和同龄人不仅要承认并欣赏这些差异，而不是试图"规范化"或"修复"它们，还要尽可能地创造条件，让学生能更好地适应学校环境，在学校里健康、全面地发展。

（一）创建灵活的学习环境

创建灵活的学习环境对于支持自闭症儿童至关重要。意识到这些学生可能会在与传统课堂不同的环境中取得更好的学习效果是关键。这种灵活性可以表现为提供更多选择的座位安排，包括有助于集中注意力和减少压力的选项；设立安静的休息空间，让学生在需要时可以短暂放松和恢复；提供对感官友好的教学材料，如光线柔和、颜色不刺眼、材质舒适的教具和书籍，以减少学习过程中可能导致不适或干扰的感官刺激。这些举措都有助于营造一个支持性的学习环境，有助于自闭症儿童更好地参与学习，感受到安全和舒适，并发挥他们的潜力[1][2][3]。

（二）重视不同的沟通形式

要允许支持自闭症儿童使用不同的沟通形式。意识到口头沟通并非所有学生的主要表达方式是关键一步。接纳神经多样性意味着要支持和尊重其他形式的沟通，以满足学生的个体需求。这包括提供学习手语或使用手势的机会，来帮助学生更好地表达自己或理解他人[4][5]；引入视觉辅助工具，如图片卡片、图表或符号，来辅助沟通和理解；使用扩大和替代沟通设备，如语音生成器或电子通信板，来帮助学生通过非口头方式表达想法和情感。通过支持不同的沟通形式，学校可以打破沟通障碍，促进自闭症学生的参与和互动，为他们提供更多表达自己的途径，并帮助他们拥有更加积极的学习体验。

（三）发掘优势

强调自闭症个体的优势是非常重要的，这有助于建立积极的学习环境并促进个体的发展。首先，要意识到自闭症个体也可能有许多独特的优势和才华，

---

[1] Marwati A, Dewi O C, Wiguna T, et al. Visual-sensory-based quiet room: A study of visual comfort, lighting, and safe space in reducing maladaptive behaviour and emotion for autistic users [J]. Journal of Accessibility and Design for All, 2023, 13 (1): 69–93.

[2] McAllister K. The ASD Friendly Classroom–Design Complexity, Challenge and Characteristics [J]. 2010.

[3] Kanakri S M, Shepley M, Tassinary L G, et al. An observational study of classroom acoustical design and repetitive behaviors in children with autism [J]. Environment and Behavior, 2017, 49 (8): 847–873.

[4] Bonvillian J D, Nelson K E, Rhyne J M. Sign language and autism [J]. Journal of Autism and Developmental Disorders, 1981, 11: 125–137.

[5] Carr E G. Teaching autistic children to use sign language: Some research issues [J]. Journal of Autism and Developmental Disorders, 1979, 9 (4): 345–359.

例如注重细节、拥有创造力或强大的记忆技能。这些优势可以被视为宝贵的资源，有助于他们在学习和生活中取得成功。学校和教育工作者可以通过强调并发挥这些优势，来提高自闭症儿童的自信心和自我认知。

通过了解个体的优势，教育者可以根据学生的才能和潜力设计个性化的学习计划，并提供相应的支持和资源。这有助于自闭症儿童发挥他们的优势，培养自信心，并建立积极的学习态度。强调个体的优势也可以帮助他们在自己的特长领域取得成就，实现个人成长和发展。总之，我们要认可自闭症个体的优势，提倡神经多样性理念，努力建立一个更加包容和支持的学习环境。

（四）促进理解和接受

促进理解和接受是创造支持性学校环境的关键一环。通过向学生和教职工传授关于自闭症的知识，可以增进对自闭症个体的理解和同情。这包括解释自闭症的特点、挑战和优势，以及如何与有自闭症的同学或同事进行有效的互动和支持。通过教育学校社区，可以减少对自闭症的误解和偏见，打破社会歧视，形成一个更加包容和支持的文化氛围。

教育活动可以包括举办讲座、工作坊或提供信息手册，以便学生和员工了解自闭症，认识到每个个体都有独特的需求和特点。这种知识的普及有助于让自闭症学生感受到被接纳和支持。

总的来说，接纳神经多样性意味着创建一个包容的环境，在这个环境中，所有学生都感到被接纳、被重视，并得到支持以发挥他们的全部潜力。这意味着学校、社区应该尊重和支持不同神经发育方式的学生，包括自闭症学生。通过重视不同的沟通形式，强调个体的优势，并促进对自闭症的理解和接受，使每个学生都能够获得成功和成长。

二、促进自我表达

自我表达是自闭症个体用来交流和展示才华的强有力工具。通过艺术、音乐和戏剧等途径，学生可以发挥他们的创造力，并培养身份认同感和归属感。学校应优先为自闭症儿童提供充足的自我表达机会，让学生以自己独特的方式闪耀。这些活动不仅使学生能够有效地表达他们的想法和情感，还可以帮助他们建立信心和自尊。通过鼓励自我表达，学校可以创造一个支持性的环境，使每个学生都感到被重视和理解，提升他们的整体教育体验。

（一）开展多样化的艺术活动

多样化的艺术活动是促进自闭症儿童自我表达的强有力工具。艺术作为一种非言语交流方式，对于那些在言语表达上可能遇到挑战的自闭症儿童来说尤其重要。我们可以通过多样化的艺术活动来支持自闭症儿童的自我表达[1][2]。

1. 绘画和绘图

提供各种绘画材料，如水彩、手指画、油画棒等，让儿童自由地探索颜色和形状。绘画可以帮助儿童表达情感，同时提高他们的创造力和手眼协调能力。

2. 黏土作业

通过使用黏土和其他可塑材料，自闭症儿童可以创造三维作品，这有助于

---

[1] Round A, Baker W, Rayner C. Using visual arts to encourage children with autism spectrum disorder to communicate their feelings and emotions [J]. 2017.
[2] Shi F, Sun W, Duan H, et al. Drawing reveals hallmarks of children with autism [J]. Displays, 2021, 67: 102000.

他们发展空间感知能力和精细动作技能。

3. 手工

通过穿珠、编织、剪纸等活动，儿童可以学习遵循指令并完成一个项目，这有助于提高他们的自信心和成就感。

4. 数字艺术

利用平板电脑和电脑软件，自闭症儿童可以探索数字艺术，如数字绘画、音乐制作和动画。这些活动不仅可以提供即时反馈，还可以帮助儿童发展技术技能。

（二）组织音乐和表演艺术活动

鼓励学生参与音乐和表演艺术，如唱歌、演奏乐器、戏剧和舞蹈[1]，这些活动可以帮助他们以非言语的方式表达情感和创意。这样不仅能增强他们的自信心，还能提供一个安全和充满支持的环境，使他们能够探索和展示自己的才能和兴趣。通过这种方式，学生们可以培养重要的社交技能，建立联系，并感受到归属感和认同感。

1. 戏剧和表演艺术

通过角色扮演和即兴剧场游戏，自闭症儿童可以在安全的环境中模拟社会情境，这有助于他们理解他人的情感和观点。

---

[1] Barak-Levy Y, Flavian H. Learning self expression through dance: a case study of adolescents with Autism Spectrum Disorder [J]. Research in Dance Education, 2022: 1-16.

2. 音乐和舞蹈

音乐和舞蹈可以帮助自闭症儿童表达情感，同时提供一种与他人互动的方式。音乐疗法和舞蹈课程可以特别设计，以满足自闭症儿童的特殊需求。

（三）鼓励写作和诗歌创作

对于那些倾向于用文字表达自己的自闭症儿童，提供写作和诗歌工作坊，可以帮助他们通过写作来探索和表达自己的思想。这些工作坊不仅能提高他们的文字表达能力，还能提供一个安全的空间，让他们自由地分享自己的感受和故事。通过写作和创作诗歌，学生可以深入思考和理解自己的情感，并与他人建立有意义的联系。这种创作形式也有助于提高他们的自信心和自我认同感。

（四）使用情感表达工具

教授自闭症儿童使用情感表达工具，如情绪卡片或应用程序，可以帮助他们理解和表达自己的感受。这些工具通过提供视觉支持或互动，使儿童能够更清晰地识别和描述自己的情绪状态。情绪卡片通常包含不同的表情和情感词汇，应用程序则可能提供更多互动和定制化的选项。使用这些工具，儿童可以更容易地向家长、教师和同伴传达自己的情感需求，从而减少沟通中的误解和障碍，促进他们的情感发展和社交互动。

（五）利用社交媒体和技术

利用社交媒体和现代技术，如博客、视频制作或编程，为自闭症儿童提供新的自我表达平台。这些方法不仅能满足他们的个性化表达需求，还能帮助他们发展多种技能。

（六）提供展览和表演机会

定期举办学生作品的展览和表演，可以为自闭症儿童提供展示才华的机会，并获得同伴和社区的认可。这些活动不仅能提升他们的自信心和自尊心，还能促进他们的社交互动和社会认同。组织自闭症儿童的绘画、手工艺品和其他艺术作品展览。这不仅是一个展示平台，更是一个互动机会。家长、教师和社区成员可以参观展览，欣赏孩子们的创作，并给予积极的反馈。通过这种方式，孩子们不仅能感受到外界的认可，还能通过作品表达内心世界，增强自我认知和情感表达能力。还可以邀请专业艺术家对艺术展览进行点评和指导，帮助孩子们提高技艺和拓宽视野。

三、培养同理心

同理心构成了学校人文环境的基石。通过同伴辅导计划、合作学习活动和关于同理心的讨论，学生们学会理解和支持彼此的差异。通过培养同理心的文化理念与实践，为自闭症学生创建一个支持性社区，让每个人都感到被重视和接纳。

（一）制订同伴辅导计划

通过同伴辅导计划，学生可以与同龄人建立更紧密的联系。由有经验的学生担任小辅导员，帮助那些需要额外支持的学生。小辅导员在这个过程中不仅提供学业上的帮助，还扮演情感支持的角色。这种互相帮助的关系能让学生们感受到他人的关心和理解，促进社会技能的发展和情感的成长。通过相互交流和互相学习，学生们能在实际互动中体验到同理心和同情心的实际意义。

(二)安排合作学习活动

设计合作学习项目,让学生们在小组中完成任务或解决问题。通过共同努力和团队合作,学生们可以学会理解和尊重他人的观点和需求。这不仅能提升他们的学习能力和解决问题的技巧,还能增强他们的社会交往能力。在合作过程中,学生们会有不同的意见,提出不同的方法,这正是培养同理心的良好时机,他们需要学会倾听、沟通以及必要时候的妥协。

(三)组织关于同理心的讨论

在课堂上或专门的研讨会中,开展关于同理心的讨论。这可以包括讲故事、角色扮演和视频案例分析等多种形式。通过这些活动,学生可以更深入地理解什么是同理心,为什么它很重要,以及如何在日常生活中践行同理心。还可以借助真实的生活案例交流讨论,让学生们分享自己的经历和感受,进一步加深对同理心的理解。

(四)提供心理健康教育和支持

定期提供心理健康教育和支持,让学生们了解情绪管理、人际关系和应对压力的技巧。通过这些教育,学生们可以更好地理解自己的情绪和他人的感受,从而更自然地去关心和支持他人。心理健康支持还可以及时帮助那些在情感上面临挑战的学生,让他们感受到学校的关怀和支持。

(五)创建同理心文化

营造一个强调同理心的校园文化,学校可以通过张贴海报、举办主题活动和表彰表现突出者来传递这一价值观。同时,教师和工作人员应以身作则,展示践行同理心的案例,为学生树立榜样。坚持长期推动同理心文化,可以让整个校园氛围变得更加友好和包容。

可以通过多种途径培养学生的同理心。每个学生都能在这样的环境中感受到被理解和接纳,形成积极的人际关系,进而为他们的全面发展和未来生活奠定坚实的基础。

四、鼓励包容性

包容性是营造人文环境的核心。学校应积极促进对神经多样性学生的接纳和包容,制止、劝阻欺凌或排斥行为。通过创造接纳和归属的学校文化,学校可以确保每个学生都受到欢迎并得到支持。

(一)促进接纳和包容

学校可以组织多样化的社交活动和小组项目,鼓励自闭症学生与普通学生之间的互动。这些活动可以包括共同参与的游戏、运动、艺术创作等,让不同背景的学生在合作中建立友谊和理解。通过这样的互动,学生们可以学会欣赏彼此的独特之处,培养包容和接纳的态度。

(二)制定反欺凌和反排斥行为的政策

学校应制定明确的反欺凌和反排斥行为政策,并严格执行。这包括定期开展反欺凌教育,向学生和家长宣传相关知识并强调其重要性。学校还应建立举报机制,让学生可以安全地报告任何形式的欺凌或排斥行为,并确保每个案例都得到及时和公平的处理。通过这些措施,学校可以营造一个安全和支持的环境,让每个学生都能安心学习和成长。

（三）倡导接纳和归属的文化

通过各种活动和措施，学校可以积极推广接纳和归属的文化。例如，可以设立"包容性日"活动，鼓励学生和教职员工分享他们的故事和经验，增进彼此的理解和尊重。学校还可以通过海报、讲座和研讨会等形式，持续宣传融合价值观，使其成为校园文化的一部分。

（四）开展教师和工作人员培训

定期为教师和工作人员提供关于融合教育和理解神经多样性的培训。通过这些培训，教育工作者可以掌握有效的教学方法和沟通技巧，以更好地支持所有学生的学习和发展。此外，教师和工作人员应以身作则，展示包容性行为，为学生树立良好的榜样。

（五）鼓励家庭和社区参与

积极邀请家长和社区成员参与学校的融合活动和计划。通过家长工作坊、社区讲座和开放日等方式，增加他们对自闭症和跨神经多样性的理解和支持。社区的广泛参与可以进一步巩固学校的包容性文化，并为学生提供一个更广阔的支持网络。

通过这些措施，自闭症学校可以创建一个真正包容和支持的环境，让每个学生都感到被欢迎和重视。在这样的环境中，学生们不仅能得到学业上的支持，更能在情感和社会交往中获得成长，为他们的未来生活奠定坚实的基础。

五、促进成长心态

成长心态会深刻影响个人的发展和学习。学校应该强调努力、复原力和迎接挑战的重要性。通过鼓励学生树立积极的成长心态，教育工作者可以帮助学生提升信心和成就感，使学生充分发挥潜力。

（一）强调努力和过程

教师应鼓励学生关注学习和成长过程中的努力，而不是只关注结果。这可以通过表扬学生的努力、耐心和进步来实现。比如，当学生在面对困难时表现出坚持不懈的精神，教师不仅可以表扬他们的最终成绩，还要特别赞扬他们在过程中付出的努力以及进行的尝试。这种做法有助于学生理解成功源于持续的努力和不断尝试，而不是与生俱来的能力。

（二）提升复原力

帮助学生认识到挫折和失败是学习过程的一部分，培养他们应对挑战的复原力。当学生遇到困难时，教师可以指导他们如何调整心态，重新找到解决问题的方法。通过分享一些成功克服困难的人物故事，或是提供具体的应对策略，教师可以帮助学生建立战胜挫折的信心，发展相关能力。

（三）迎接挑战

教师应鼓励学生勇敢面对新的挑战，并提供支持和资源帮助他们应对这些挑战。学校可以设计循序渐进的挑战任务，让学生在逐步提升挑战难度的过程中积累成功的经验。这些任务可以是学业上的，也可以是社交或生活技能方面的。通过不断迎接并克服挑战，学生将逐渐增强自信心和独立性。

(四)给予正面反馈和鼓励

在学生取得进步时,及时给予正面的反馈和鼓励。这不仅能让学生感受到自己的成就,还能激励他们继续努力。例如,教师可以通过口头表扬、颁发奖状或送小礼物等方式来肯定学生的表现。正面的反馈和鼓励能够有效增强学生的自尊心和内在动机。

(五)提供个性化支持

每个学生都是独特的,学校应根据每个学生的具体需求和能力提供个性化的支持。这可以包括调整教学方式、提供额外的辅导和资源,以及与家长和其他专业人士合作,共同制订和实施成长计划。个性化支持可以确保每个学生都能在适合自己的环境中充分发挥自己的潜力。

(六)培养持续学习的态度

通过引导学生发现自己的兴趣和热情,培养他们持续学习的兴趣和态度。学校可以提供各种探究和发现的机会,让学生在实地考察、科学实验、艺术创作等活动中,发现自己的兴趣和潜能。持续学习的态度有助于学生理解学习是一个终身的过程,不断探索和提升自我是个人成长的重要部分。

通过这些措施,学校可以有效促进学生的成长心态,帮助他们在面对挑战时具备心理韧性和自信。拥有成长心态的学生能够更积极地应对生活中的各种挑战,充分发挥自己的潜力,实现个人的发展和成就。

六、提供整体支持

教师要认识到自闭症学生的多方面需求,学校应该提供全面的支持,解决学生在社会交往、情感和身体健康方面存在的问题。通过提供全面的支持服务,可以确保每个自闭症学生都能得到他们成长所需的个性化照顾和关注。

附录 1 儿童心理行为发育问题预警征象筛查表

年龄	预警征象		年龄	预警征象	
3个月	1. 对很大的声音没有反应	☐	6个月	1. 发音少,不会笑出声	☐
	2. 逗引时不发音,或不会微笑	☐		2. 不会伸手抓物	☐
	3. 不会注视人脸,不追视移动的人或物品	☐		3. 紧握拳松不开	☐
	4. 俯卧时不会抬头	☐		4. 不能扶着坐	☐
8个月	1. 听到声音无应答	☐	12个月	1. 呼唤名字无反应	☐
	2. 不会区分生人和熟人	☐		2. 不会模仿表达"再见"或"欢迎"的动作	☐
	3. 不会双手间传递玩具	☐		3. 不会用拇指和食指对捏小物品	☐
	4. 不会独坐	☐		4. 不会扶物站立	☐
18个月	1. 不会有意识地叫"爸爸"或"妈妈"	☐	24个月	1. 不会说出3个物品的名称	☐
	2. 不会按要求指人或物	☐		2. 不会按吩咐做简单事情	☐
	3. 与人无目光交流	☐		3. 不会用勺吃饭	☐
	4. 不会独自行走	☐		4. 不会扶着栏杆上楼梯/台阶	☐

(续表)

年龄	预警征象		年龄	预警征象	
30个月	1. 不会说2~3个字的短语	□	36个月	1. 不会说自己的名字	□
	2. 兴趣单一、刻板	□		2. 不会玩"拿棍当马骑"等假想游戏	□
	3. 不会示意大小便	□		3. 不会模仿画圆	□
	4. 不会跑	□		4. 不会双脚跳	□
4岁	1. 不会说带形容词的句子	□	5岁	1. 不能简单叙说事情经过	□
	2. 不能按要求等待或轮流	□		2. 不知道自己的性别	□
	3. 不会独立穿衣	□		3. 不会用筷子吃饭	□
	4. 不会单脚站立	□		4. 不会单脚跳	□
6岁	1. 不会表达自己的感受或想法	□			
	2. 不会玩角色扮演的集体游戏	□			
	3. 不会画方形	□			
	4. 不会奔跑	□			

注：本量表适用于0~6岁儿童。检查有无相应年龄的预警征象，若发现相应情况，请在"□"内打"√"。任何一项预警征象异常，都提示该年龄段有发育偏异的可能。

附录2 CHAT-23 A 筛查量表

家庭一般情况

编号：_____

孩子姓名：_____　　　　性别：1. 男　2. 女

独生子女：1. 是　　2. 否，家中有____个孩子

出生日期：____年____月____日

填写日期：____年____月____日

父亲年龄：____　　母亲年龄：____

联系方式：_____

一、基本信息

1. 家庭成员有：（1）父亲　（2）母亲　（3）（外）祖父
　　　　　　　（4）（外）祖母　（5）保姆　（6）其他_____
2. 父亲文化程度：（1）大学　（2）高中　（3）初中　（4）小学及以下
3. 母亲文化程度：（1）大学　（2）高中　（3）初中　（4）小学及以下
4. 父亲职业：（1）行政管理人员　（2）专业技术人员　（3）技术工人
　　　　　　（4）销售人员　（5）军人　（6）其他_____（具体写明）
5. 母亲职业：（1）行政管理人员　（2）专业技术人员　（3）技术工人
　　　　　　（4）销售人员　（5）军人　（6）其他_____（具体写明）
6. 父母关系：（1）好　（2）一般　（3）差　（4）离异（分居）
7. 父亲性格：（1）内向　（2）外向　（3）中间
8. 母亲性格：（1）内向　（2）外向　（3）中间
9. 主要教育者：（1）父亲　（2）母亲　（3）祖辈　（4）保姆　（5）其他

10. 主要教养方式：（1）溺爱 （2）放任不管 （3）严格 （4）打骂
　　（5）讲理 （6）奖励和温和的惩罚
11. 问卷填写人：（1）父亲 （2）母亲 （3）祖辈 （4）保姆
　　（5）其他_____
12. 填写人每日与孩子的相处时间（除外睡眠时间）：
　　（1）1~2 小时 （2）2~4 小时 （3）4~6 小时 （4）大于 6 小时
13. 孩子每天看电视或玩电子游戏（如 iPad/ 手机）的时间：
　　（1）15 分钟以下 （2）15~30 分钟 （3）30~60 分钟
　　（4）1~2 小时 （5）2 小时以上

二、行为及沟通能力问卷

此问卷系对孩子的行为及沟通能力进行评估，共 23 题。填写人应为孩子的主要照护者。请按照孩子的一贯表现，在最符合的选项上打钩（各选项的发生频率如下："没有"代表时间为 0，"偶尔"代表 ≤ 25% 的时间，"有时"代表 25%~50% 的时间，"经常"代表 ≥ 50% 的时间）

	没有	偶尔	有时	经常
1. 您的孩子喜欢坐在您的膝盖上被摇晃吗？	没有	偶尔	有时	经常
2. 您的孩子对别的小朋友感兴趣吗？	没有	偶尔	有时	经常
3. 您的孩子喜欢攀爬吗，比如上楼梯吗？	没有	偶尔	有时	经常
4. 您的孩子喜欢玩"躲猫猫 / 捉迷藏"游戏吗？	没有	偶尔	有时	经常
5. 您的孩子曾经玩过"假装"的游戏吗？例如用电话讲话，或照顾娃娃，或用玩具茶杯假装喝茶，或假装其他事物？	没有	偶尔	有时	经常
6. 您的孩子曾经用自己的手指指向想要的东西吗？	没有	偶尔	有时	经常
7. 您的孩子曾经用自己的手指指向感兴趣的东西吗？	没有	偶尔	有时	经常
8. 您的孩子是否会有目的地玩玩具，例如玩小汽车、积木，而不是用嘴咬、胡乱拨弄或乱扔这些东西？	没有	偶尔	有时	经常
9. 您的孩子曾经拿过东西给你（们）看吗？	没有	偶尔	有时	经常
10. 您的孩子看着您的眼睛超过一两秒种吗？	没有	偶尔	有时	经常

（续表）

11. 您的孩子曾经对噪声似乎过分敏感吗？如捂住耳朵。	没有	偶尔	有时	经常
12. 您的孩子对于您的脸或微笑，会用微笑来作出回应吗？	没有	偶尔	有时	经常
13. 您的孩子会模仿您吗？比如您做一个鬼脸，您的孩子会模仿吗？	没有	偶尔	有时	经常
14. 您叫孩子名字的时候，他/她对自己的名字有反应吗？	没有	偶尔	有时	经常
15. 如果你指向房间里的一个玩具，您的孩子会看向玩具吗？	没有	偶尔	有时	经常
16. 您的孩子会走路吗？			是	否
17. 您的孩子会看向您正在看的事物吗？	没有	偶尔	有时	经常
18. 您的孩子会在他/她的脸旁做不正常的手指运动吗？	没有	偶尔	有时	经常
19. 您的孩子会尝试吸引您的注意他/她自己的活动吗？	没有	偶尔	有时	经常
20. 您曾经是否怀疑您的孩子耳聋吗？	没有	偶尔	有时	经常
21. 您的孩子理解人们说的话吗？	没有	偶尔	有时	经常
22. 您的孩子有时会无目的地凝视，或者漫无目的地走来走去吗？	没有	偶尔	有时	经常
23. 当面对不熟悉的事物时，您的孩子会看着您的脸检查您的反应吗？	没有	偶尔	有时	经常

三、医生观察

B1. 在预约诊疗期间，你的孩子与你有眼神接触吗？	没有	偶尔	有时	经常
B2. 吸引孩子的注意，然后指房间的另一边，说"看，有一个××（玩具名称）"，观察孩子是否看向您所指的东西。			是	否
B3. 吸引孩子的注意，然后给孩子小的玩具茶杯和茶壶，说"你能倒一杯茶吗？"，观察孩子是否假装倒茶、喝茶等。		是	模仿	从不
B4. 对孩子说"电灯在哪里"，或"指向电灯"，观察孩子是否用食指指向电灯。	没有	偶尔	有时	经常
B5. 孩子能用积木搭一座塔吗？（如果能，用了几块积木？）			是	否

附录3 《高危社交警示行为测试》记录单

一、叫名回应

1. 叫儿童的名字,看儿童是否有回应。可以呼唤名字2次。(请在对应的选项中打"√")

第一轮(医生) □有回应 □无回应

二、对语言的回应

2. 医生说:"把积木给阿姨"。可以重复说2次。(请在对应的选项中"√")

第一轮(医生) □有回应 □无回应

三、叫名回应

1. 叫儿童的名字,看儿童是否有回应。可以呼唤名字2次。(请在对应的选项中打"√")

第二轮(抚养人) □有回应 □无回应

四、对语言的回应

2. 抚养人说:"把球给奶奶(或其他家长)"。可以重复说2次。(请在对应的选项中打"√")

第二轮(抚养人) □有回应 □无回应

总体测试结果:□通过 □不通过(通过任意一项,就算通过总体测试)

《高危社交警示行为测试》流程

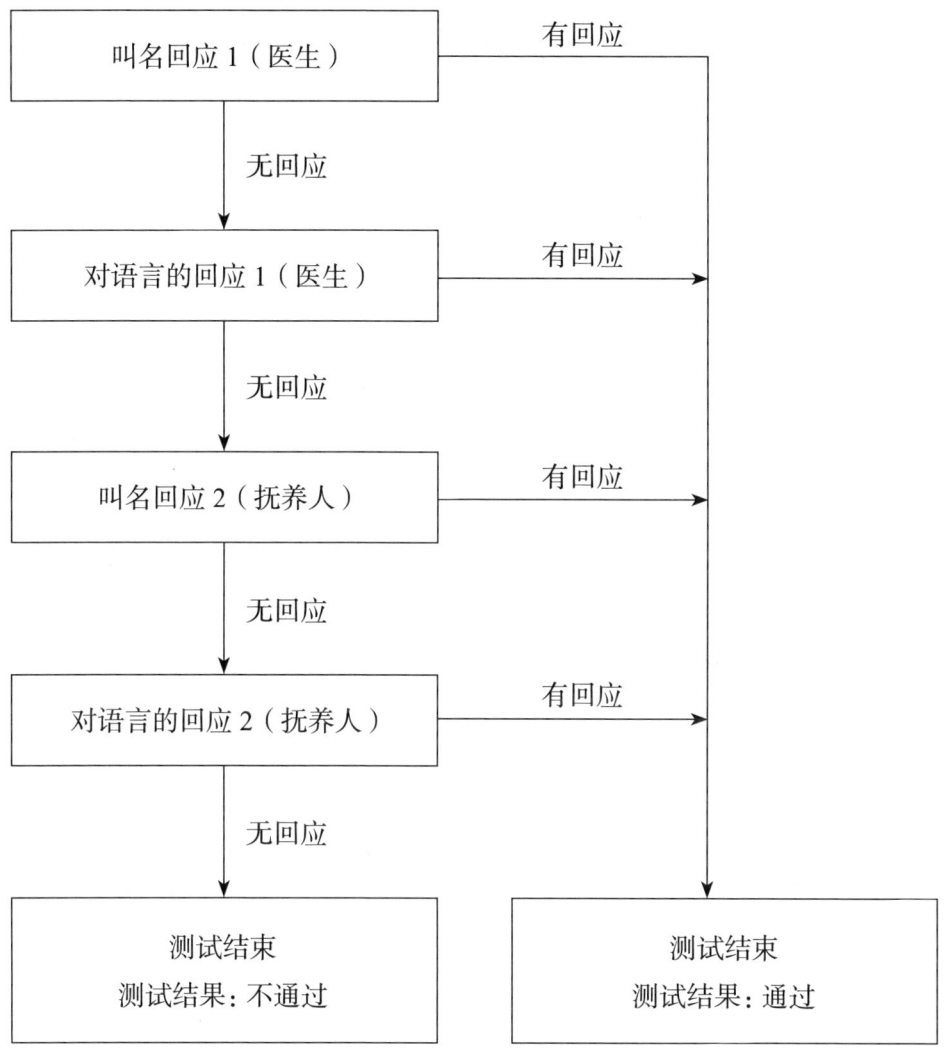

附录 4

上海市 0~6 岁儿童心理行为发育档案

编号_____

初筛机构

上海市_____区_____街道（镇）_____

_____

上海市 0~6 岁儿童心理行为发育评估记录表

附表 4-1　上海市 0~6 岁儿童心理行为发育初筛记录表　婴儿期（0~1 岁）

附表 4-2　上海市 0~6 岁儿童心理行为发育初筛记录表　幼儿期（1~3 岁）

附表 4-3　上海市 0~6 岁儿童心理行为发育初筛记录表　学前期（4~6 岁）

附表 4-4　上海市 0~6 岁儿童心理行为发育复筛记录表

附表 4-5　上海市 0~6 岁儿童心理行为发育异常诊断记录表

附表 4-1

上海市 0~6 岁儿童心理行为发育初筛记录表
婴儿期（0~1 岁）

编号_____

儿童姓名_____　　性别_____　　出生日期____年____月____日

项目		3 月龄	6 月龄	8 月龄	12 月龄
心理行为发育初筛	预警征象筛查	□ 0. 未见异常 □ 1. 对很大的声音没有反应 □ 2. 逗引时不发音或不会微笑 □ 3. 不注视人脸，不追视移动的人或物 □ 4. 俯卧时不会抬头	□ 0. 未见异常 □ 1. 发音少，不会笑出声 □ 2. 不会伸手抓物 □ 3. 紧握拳松不开 □ 4. 不能扶坐	□ 0. 未见异常 □ 1. 听到声音无应答 □ 2. 不会区分生人和熟人 □ 3. 双手间不会传递玩具 □ 4. 不会独坐	□ 0. 未见异常 □ 1. 呼唤名字无反应 □ 2. 不会模仿表达"再见"或"欢迎"的动作 □ 3. 不会用拇指和食指对捏小物品 □ 4. 不会扶物站立
	语言功能和社会交往能力询问	□ 1. 未见异常 □ 2. 语言功能障碍或倒退 □ 3. 社会交往能力障碍或倒退	□ 1. 未见异常 □ 2. 语言功能障碍或倒退 □ 3. 社会交往能力障碍或倒退	□ 1. 未见异常 □ 2. 语言功能障碍或倒退 □ 3. 社会交往能力障碍或倒退	□ 1. 未见异常 □ 2. 语言功能障碍或倒退 □ 3. 社会交往能力障碍或倒退
初筛结果		□ 1. 未见异常 □ 2. 异常	□ 1. 未见异常 □ 2. 异常	□ 1. 未见异常 □ 2. 异常	□ 1. 未见异常 □ 2. 异常

（续表）

项目	3月龄	6月龄	8月龄	12月龄
转诊建议	□ 1.无 □ 2.有，上转接诊医疗机构名称	□ 1.无 □ 2.有，上转接诊医疗机构名称	□ 1.无 □ 2.有，上转接诊医疗机构名称	□ 1.无 □ 2.有，上转接诊医疗机构名称
检查日期	___年___月___日	___年___月___日	___年___月___日	___年___月___日
医生签名				
医疗机构名称				

注：在"心理行为发育初筛""初筛结果"以及"转诊建议"部分，若发现相应情况，请在"□"内打"√"。筛查日期介于两个月龄段之间的，按最近的小月龄内容进行筛查和记录。

附表 4-2

上海市 0~6 岁儿童心理行为发育初筛记录表
幼儿期（1~3 岁）

编号_____

儿童姓名_____　　性别_____　　出生日期____年____月____日

	项目	18 月龄	24 月龄	30 月龄	36 月龄
心理行为发育初筛	预警征象筛查	□ 0.未见异常 □ 1.不会有意识地叫"爸爸"或"妈妈" □ 2.不会按要求指向人或物 □ 3.与人无目光交流 □ 4.不会独走	□ 0.未见异常 □ 1.不能说出3个物品的名称 □ 2.不会按吩咐做简单的事情 □ 3.不会用勺吃饭 □ 4.不会扶栏上楼梯/台阶	□ 0.未见异常 □ 1.不会说2~3个字的短语 □ 2.兴趣单一、刻板 □ 3.不会示意大小便 □ 4.不会跑	□ 0.未见异常 □ 1.不会说自己的名字 □ 2.不会玩"拿棍当马骑"等假想游戏 □ 3.不会模仿画圆 □ 4.不会双脚跳
	CHAT-23 A	□ 1.未见异常 □ 2.异常 核心项目____个不通过 项目____个不通过	□ 1.未见异常* □ 2.异常* 核心项目____个不通过 项目____个不通过	—	—
	高危社交警示行为观察	□ 1.通过 □ 2.不通过	□ 1.通过 □ 2.不通过	—	—

（续表）

项目		18月龄	24月龄	30月龄	36月龄
心理行为发育初筛	语言功能和社会交往能力询问	☐ 1. 未见异常 ☐ 2. 语言功能障碍或倒退 ☐ 3. 社会交往能力障碍或倒退	☐ 1. 未见异常 ☐ 2. 语言功能障碍或倒退 ☐ 3. 社会交往能力障碍或倒退	☐ 1. 未见异常 ☐ 2. 语言功能障碍或倒退 ☐ 3. 社会交往能力障碍或倒退	☐ 1. 未见异常 ☐ 2. 语言功能障碍或倒退 ☐ 3. 社会交往能力障碍或倒退
初筛结果		☐ 1. 未见异常 ☐ 2. 异常	☐ 1. 未见异常 ☐ 2. 异常	☐ 1. 未见异常 ☐ 2. 异常	☐ 1. 未见异常 ☐ 2. 异常
转诊建议		☐ 1. 无 ☐ 2. 有，上转接诊医疗机构名称	☐ 1. 无 ☐ 2. 有，上转接诊医疗机构名称	☐ 1. 无 ☐ 2. 有，上转接诊医疗机构名称	☐ 1. 无 ☐ 2. 有，上转接诊医疗机构名称
检查日期		___年___月___日	___年___月___日	___年___月___日	___年___月___日
医生签名					
医疗机构名称					

注：在"心理行为发育初筛""初筛结果"以及"转诊建议"部分，若发现相应情况，请在"☐"内打"√"。筛查日期介于两个月龄段之间的，按最近的小月龄内容进行筛查和记录。

*若在儿童18月龄时未使用《CHAT-23 A筛查量表》和《高危社交警示行为测试》进行筛查，则必须在24月龄时完成一次筛查。

附表 4-3

上海市 0～6 岁儿童心理行为发育初筛记录表
学前期（4～6 岁）

编号＿＿＿＿＿＿＿＿

儿童姓名＿＿＿＿＿＿　性别＿＿＿＿　出生日期＿＿＿年＿＿＿月＿＿＿日

项目		4 岁	5 岁	6 岁
心理行为发育初筛	预警征象筛查	□ 0. 未见异常 □ 1. 不会说带形容词的句子 □ 2. 不能按要求等待或轮流 □ 3. 不会独立穿衣 □ 4. 不会单脚站立	□ 0. 未见异常 □ 1. 不能简单叙述事情经过 □ 2. 不知道自己的性别 □ 3. 不会用筷子吃饭 □ 4. 不会单脚跳	□ 0. 未见异常 □ 1. 不会表达自己的感受或想法 □ 2. 不会玩角色扮演的集体游戏 □ 3. 不会画方形 □ 4. 不会奔跑
	语言功能和社会交往能力询问	□ 1. 未见异常 □ 2. 语言功能障碍或倒退 □ 3. 社会交往能力障碍或倒退	□ 1. 未见异常 □ 2. 语言功能障碍或倒退 □ 3. 社会交往能力障碍或倒退	□ 1. 未见异常 □ 2. 语言功能障碍或倒退 □ 3. 社会交往能力障碍或倒退
初筛结果		□ 1. 未见异常 □ 2. 异常	□ 1. 未见异常 □ 2. 异常	□ 1. 未见异常 □ 2. 异常
转诊建议		□ 1. 无 □ 2. 有，上转接诊医疗机构名称	□ 1. 无 □ 2. 有，上转接诊医疗机构名称	□ 1. 无 □ 2. 有，上转接诊医疗机构名称
检查日期		＿＿年＿＿月＿＿日	＿＿年＿＿月＿＿日	＿＿年＿＿月＿＿日
医生签名				
医疗机构名称				

注：在"心理行为发育初筛""初筛结果"以及"转诊建议"部分，若发现相应情况，请在"□"内打"√"。筛查日期介于两个年龄段之间的，按最近的小年龄段内容进行筛查和记录。

附表 4-4

上海市 0~6 岁儿童心理行为发育复筛记录表

（此表一式两份，一份由复筛机构留存，一份交家长）

编号_____

儿童姓名_____ 性别_____ 出生日期___年___月___日

初筛机构名称_____

初筛结果　□预警征象筛查异常，注明未通过项目_____

　　　　　□《CHAT-23 A》筛查异常，注明核心项目___个不通过；项目
　　　　　　___个不通过

　　　　　□《高危社交警示行为测试》不通过

　　　　　□语言功能障碍或倒退

　　　　　□社会交往能力障碍或倒退

病史询问

是否有以下症状（可多选）

　　　　□无　□语言障碍　□交流障碍　□行为刻板

　　　　□兴趣狭隘

　　　　□其他，注明具体症状或问题_____

发育量表评估

《儿童心理测量表 -II》（0~6 岁）

　　发育商总分___分

　　其中，大运动得分___分，精细动作得分___分，适应能力得分___分，语言得分___分，社会行为得分___分

　　测评结果　□未见明显异常　□可疑（评估得分 70~79 分）　□发育偏离
　　　　　　　□发育障碍

　　其他等同的发育量表（0~6 岁）（量表名称：_____）

　　量表评分___分

　　测评结果　□未见明显异常　□可疑　□发育异常

孤独症筛查量表评估

《CHAT-23 B 筛查量表》（18～24月龄）

　　_____个项目不通过

　　　测评结果 □未见明显异常　　□存在自闭症风险

《自闭症行为量表》（24月龄以上）

　　总分_____分

　　其中，感觉得分____分，社会交往得分____分，躯体运动得分____分，语言得分____分，生活自理得分____分

　　　测评结果　□未见明显异常　□存在疑似自闭症症状

复筛结果

　　□未见明显异常

　　□可疑，3个月内复查

　　□异常（病史询问存在疑似自闭症症状，或发育量表评估不通过，或自闭症筛查量表评估不通过）

转诊建议

　　□不转诊

　　□转诊，转至_____进一步诊断，同时进行健康宣教

医生签字_____　　　　　　　填写日期_____年____月____日
医疗机构_____

附表 4-5

上海市 0~6 岁儿童心理行为发育异常诊断记录表

（此表一式两份，一份由 ASD 诊断机构留存，一份交家长）

编号_____

儿童姓名_____ 性别_____ 出生日期____年____月____日

病史询问（包括儿童生长发育史、现病史、既往史、父母孕育史、家族史等）

_____

_____

行为观察（以对儿童的行为观察为主，重点观察儿童的社会交往、语言和非语言交流）

_____

_____

体格检查及神经系统检查

_____

_____

量表评估

  CARS 量表 □ <30 分（非孤独症） □ ≥ 30 分（孤独症）

其他量表_____

辅助检查_____

诊断结果 □排除孤独症 □确诊孤独症 □未确诊，2 个月后复查共患疾病

  （注意缺陷/多动障碍、抽动障碍、癫痫、强迫症等）

  □无 □有，请注明_____

确诊孤独症儿童干预康复建议

  □家庭干预 □社区干预（基层医疗卫生机构）

  □机构干预 □其他，请具体说明_____

医生签字_____   填写日期_____年____月____日

医疗机构_____

（背面）

诊断结果报告单粘贴处

附录 5
CHAT-23 B 筛查量表

编号：＿＿＿＿＿＿　　孩子姓名：＿＿＿＿　　性别：＿＿＿　　结果：＿＿＿＿

出生日期：＿＿＿＿　　填写日期：＿＿＿＿　　实际年龄：＿＿＿＿

1. 在访谈期间，孩子和你有眼神接触吗？

　　　　　　　　　　　　　　　　　　□没有　□偶尔　□有时　□经常

2. 引起孩子注意，然后指向房间另一侧的有趣物体，说"看！那里有个××！"观察孩子的眼睛。孩子会朝你指的方向看吗？

　　　　　　　　　　　　　　　　　　□是　　□否

3. 引起孩子注意，然后给他玩具茶壶和茶杯，说"能给我泡壶茶吗？"孩子会假装泡茶、喝茶吗？（或用其他假装游戏代替，例如假装喂娃娃吃饭等）

　　　　　　　　　　　　　　　　　　□是　□模仿　□否

4. 对孩子说"灯在哪里"或"把灯指给我看"。孩子会用食指指灯吗？

　　　　　　　　　　　　　　　　　　□没有　□光指　□光看　□又指又看

上述四个活动中，孩子是否与你有多次的眼神接触。（仅记录结果）

　　　　　　总体测评结果：□没有　□偶尔　□有时　□经常

附录6 自闭症行为量表

儿童姓名:	儿童性别:
儿童年龄:	儿童出生日期:
填表者姓名:	填表者与儿童的关系:
填表者文化程度:	填表者职业:
填表日期:	

填表说明：请仔细阅读以下各项目，判断您的孩子是否有该项表现。

项目评分	感觉能力（S）	交往能力（R）	运动能力（B）	语言能力（L）	自我照料能力（S）
1. 喜爱长时间的自身旋转			4		
2. 能学会做一件简单的事，可是很快就会"忘记"					2
3. 经常没有接触环境或进行交往的要求		4			
4. 往往不能接受简单的指令（如"坐下""来这里"等）				1	
5. 不会玩玩具（如没完没了地转动或乱扔球、乱揉球等）			2		

311

(续表)

项目评分	感觉能力（S）	交往能力（R）	运动能力（B）	语言能力（L）	自我照料能力（S）
6. 视觉辨别能力差（如对一种物体的特征——大小、颜色或位置等的辨别能力差）	2				
7. 无交际性微笑（无交际性微笑，即不会与人点头、招呼、微笑）		2			
8. 代词运用颠倒或杂乱（如把"你"说成"我"等）				3	
9. 总是长时间地拿着某件东西			3		
10. 似乎不听人说话，以致怀疑他/她有听力问题	3				
11. 说话无抑扬顿挫、无节奏				4	
12. 长时间地摇摆身体			4		
13. 要去拿什么东西，但又不是身体所能达到的地方（即对自己与物体距离的估计不足）			2		
14. 对环境和平时生活规律的改变产生强烈反应					3
15. 和其他人在一起时，对呼唤自己的名字无反应				2	

（续表）

项目评分	感觉能力（S）	交往能力（R）	运动能力（B）	语言能力（L）	自我照料能力（S）
16. 常常做出前冲、旋转、脚尖行走、手指轻掐轻弹等动作			4		
17. 对其他人的面部表情或感情没有反应		3			
18. 说话时极少使用"是"或"我"等词				2	
19. 有某方面的特殊能力，似乎与智力低下不相符合					4
20. 不能执行简单的含有介词的指令（如"把球放在盒子上"或"把球放在盒子里"）				1	
21. 有时对很大的声音不产生惊讶的反应（可能让人想到他/她耳聋）	3				
22. 常常拍打手			4		
23. 大发脾气或经常发脾气					3
24. 主动回避与他人进行目光接触		4			
25. 拒绝他人接触或拥抱		4			
26. 有时对很痛的刺激（如摔伤、割破或注射）无反应	3				

（续表）

项目评分	感觉能力（S）	交往能力（R）	运动能力（B）	语言能力（L）	自我照料能力（S）
27.身体表现很僵直，很难抱住（如打挺）		3			
28.当抱着他/她时，感觉他/她肌肉松弛（即他/她不紧贴着抱他/她的人）		2			
29.以姿势、手势表达所渴望获得的东西（而不偏向用言语表达）				2	
30.常用脚尖走路			2		
31.有咬人、撞人、踢人等伤害他人的行为					2
32.不停地重复短句				3	
33.游戏时不模仿其他儿童		3			
34.当强光直接照射眼睛时常常不眨眼	1				
35.以撞头、咬手等行为来自伤			2		
36.想要什么东西不能等待（一想要什么就立刻要获得）					2
37.不能指出5个以上物体的名称（注：能指出5个以上则不打"√"）				1	
38.不能发展任何友谊（不会和小朋友来往/交朋友）		4			

（续表）

项目评分	感觉能力（S）	交往能力（R）	运动能力（B）	语言能力（L）	自我照料能力（S）
39. 有很多声音的时候常常捂着耳朵	4				
40. 旋转时经常碰撞物体			4		
41. 在如厕训练方面有困难（不能控制大小便）					1
42. 一天只能提出5个以内的要求				2	
43. 经常受到惊吓或表现出高度的焦虑不安		3			
44. 在正常光线下，会出现斜眼、闭眼、皱眉	3				
45. 不提供帮助的话，通常不会自己穿衣服					1
46. 一遍又一遍地重复一些声音或词				3	
47. 瞪着眼睛看人，好像要"看穿"似的		4			
48. 重复他人的问话或回答				4	
49. 经常不能意识所处的环境，而且可能对危险状况不在乎					2
50. 特别喜爱摆弄并沉迷于单一的物体或游戏、活动等（如往返走或跑，没完没了地蹦、跳、拍、敲）					4

（续表）

项目评分	感觉能力（S）	交往能力（R）	运动能力（B）	语言能力（L）	自我照料能力（S）
51. 喜欢触摸、嗅和/或尝周围的东西			3		
52. 对生人常无视觉反应（不看来人）	3				
53. 纠葛在一些复杂的仪式行为上，就像缠在魔圈内（如走路必定要走固定的路线，饭前或睡前或干什么前必定要把某个东西摆在某个地方，或者做某个动作，不然就不睡、不吃等）			4		
54. 常常破坏东西（如玩具、家里的全部器具很快就弄破了）			2		
55. 在两岁半前就发现该儿童发育迟缓					1
56. 在日常生活中至少会用15个但又不超过30句短句来进行交往（注：不到15句也打"√"）				3	
57. 长时间凝视一个地方（呆呆地看向一处）	4				
小计分数	S:	R:	B:	L:	S:
总分：S+R+B+L+S					
该儿童还存在哪些行为问题，请详述					

注：

《自闭症行为量表》（Autism Behavior Checklist，简称 ABC）是一种常用的评估工具，用于筛查自闭症。它由克鲁格（Krug）等人于 1978 年编制，并在 1989 年由北京医科大学杨晓玲教授引进并进行了修订。

ABC 量表包含 57 个描述自闭症儿童的感觉、行为、情绪、语言等方面异常表现的项目，可归纳为 5 个维度：感觉能力、交往能力、运动能力、语言能力和自我照料能力。评分方法是按每项在量表中的负荷大小分别给评"1""2""3""4"分。使用时，首先让家长根据孩子近期的表现，在量表上每个项目的相应数字上打"√"，然后计算各维度的得分和量表总得分。如果受测者的量表总得分等于或高于 31 分，可鉴别为疑似自闭症；如果受测者的量表总得分等于或高于 62 分，可以鉴别为有自闭症。

ABC 量表项目数量适中，只需 10~15 分钟便可完成评估，对不同年龄、不同性别者使用无差异，其信度、效度均较好。然而，需要注意的是，ABC 量表只是一种筛查工具，不能作为自闭症的确诊依据。如果怀疑儿童可能有自闭症，应该寻求专业医生或心理学家的帮助，进行全面的评估和诊断。

视觉辅助工具

我为此感到自豪

我要穿干净的衣服

我会照镜子

我能保持身体清洁

我会洗脸、洗手

视觉辅助工具

我能保持身体清洁

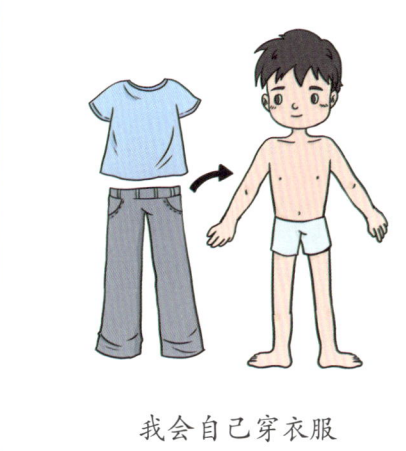

我会自己穿衣服

我会梳头

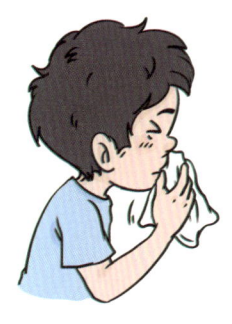

我会擤鼻涕和清理鼻子

我会洗头发

视觉辅助工具

我会在天冷时添衣服

我会刷牙

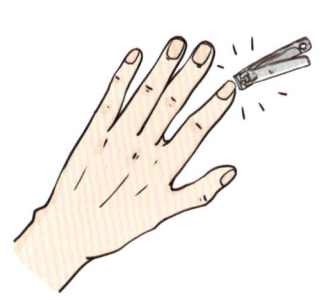

我会剪手指甲

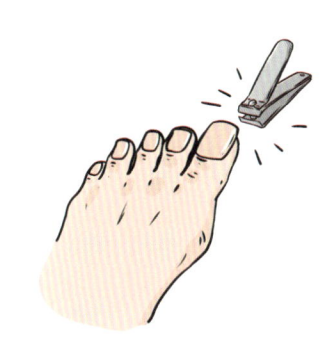

我会剪脚指甲

我会用护肤品

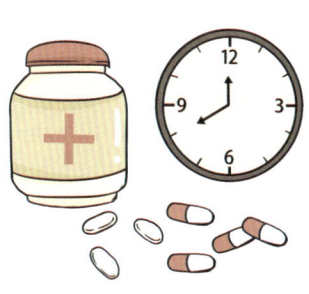

我会按时吃药

视觉辅助工具

①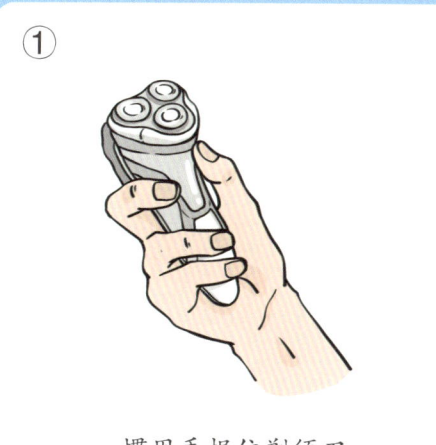
惯用手握住剃须刀

③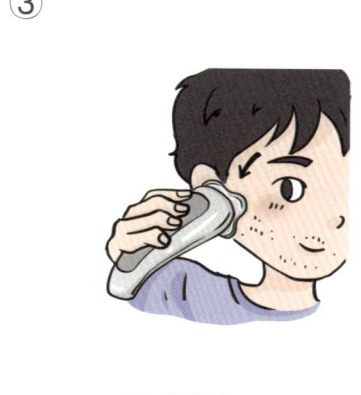
修剪鬓角的胡须

②
另一只手拉紧皮肤,刮脸颊和侧脸

④
修剪鼻子下方的胡须

⑤
修剪下巴的胡须

视觉辅助工具

⑥

对着镜子检查,完成剃须

⑦

将剃须刀放回原位

①

第1步,脱下裤子和内裤,坐在马桶上

②

第2步,取出包装里的卫生巾

③
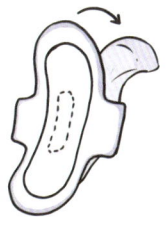
第3步,揭开粘贴的纸

④
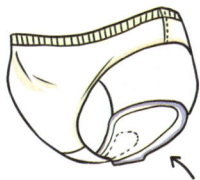
第4步,把新卫生巾贴在内裤合适位置

视觉辅助工具

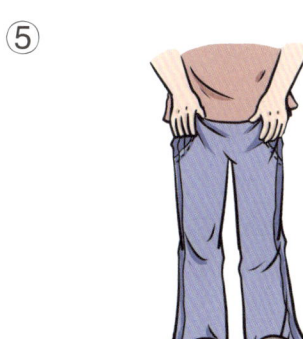

第 5 步,穿好内裤和裤子

第 6 步,洗手

我能做好!

第 1 步,脱下裤子和内裤,坐在马桶上

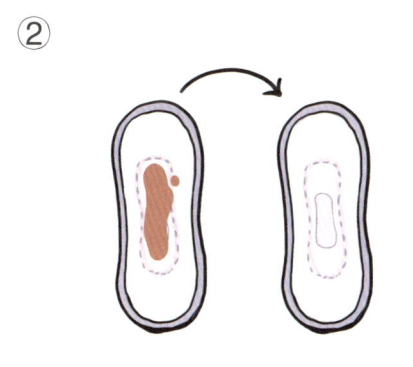

第 2 步,检查卫生巾上是否有血

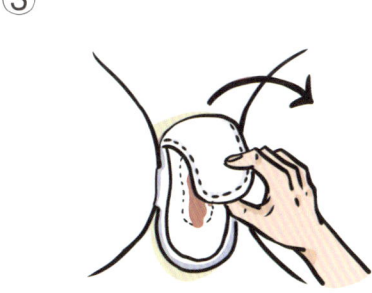

第 3 步,取下卫生巾

329

视觉辅助工具

④

第4步,卷起卫生巾

⑤

第5步,扔掉卫生巾

⑥
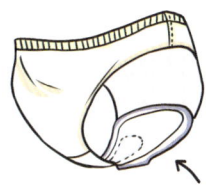
第6步,把新卫生巾贴在内裤合适位置

⑦

第7步,穿好内裤和裤子

⑧

第8步,洗手

我能做好!

331

视觉辅助工具

坐 下

举 手

早 点

学 习

午 餐

午 睡

视觉辅助工具

感 统

运 动

图书室阅读

点心时间

做 操

游戏活动

335